ENTRE LENÇÓIS

KEVIN LEMAN

ENTRE LENÇÓIS

UMA VISÃO BEM-HUMORADA DA INTIMIDADE
SEXUAL NO CASAMENTO

Traduzido por EMIRSON JUSTINO

Copyright © 2003 por Kevin Leman
Publicado originalmente por Tyndale House Publishers, Inc., Chicago, Illinois, EUA.
Ilustrações do sistema reprodutivo masculino e feminino por ©Pat Thomas. Todos os direitos reservados.

Os textos das referências bíblicas foram extraídos da *Nova Versão Internacional* (NVI), da Sociedade Bíblica Internacional, salvo indicação específica.

Todos os direitos reservados e protegidos pela Lei nº 9.610, de 19/02/1998.

É expressamente proibida a reprodução total ou parcial deste livro, por quaisquer meios (eletrônicos, mecânicos, fotográficos, gravação e outros), sem prévia autorização, por escrito, da editora.

Dados Internacionais de Catalogação na Publicação (CIP)
(Câmara Brasileira do Livro, SP, Brasil)

Leman, Kevin

Entre lençóis: uma visão bem-humorada da intimidade sexual no casamento / Kevin Leman; [tradução Emirson Justino]. — São Paulo: Mundo Cristão, 2012.

Título original: Sheet Music: Uncovering the Secrets of Sexual Intimacy in Marriage
Bibliografia
ISBN 978-85-7325-781-6

1. Casamento – Aspectos psicológicos 2. Intimidade (Psicologia) 3. Orientação sexual – Obras de divulgação 4. Sexo 5. Sexo (Psicologia) 6. Sexo no casamento I. Título.

12-04838   CDD-613.96

Índice para catálogo sistemático:
1. Intimidade sexual no casamento: Vida conjugal   613.96
Categoria: Autoajuda

Publicado no Brasil com todos os direitos reservados por:
Editora Mundo Cristão
Rua Antônio Carlos Tacconi, 79, São Paulo, SP, Brasil, CEP 04810-020
Telefone: (11) 2127-4147
www.mundocristao.com.br

1ª edição: julho de 2012
14ª reimpressão: 2025

A meu genro Dennis O'Reilly e sua adorável esposa, minha filha Krissy.

Vão em frente e criem uma sinfonia!
E talvez alguns filhos também...

Sumário

Nota ao leitor — 9

Capítulo 1
A história de dois casais — 11

Capítulo 2
Uma cama cheia de gente — 29

Capítulo 3
Agite, rale e role! Porque vale a pena buscar uma boa vida sexual — 45

Capítulo 4
Aprenda a fazer música: a primeira noite e depois — 59

Capítulo 5
Uma conexão muito especial: posições sexuais — 75

Capítulo 6
O grande "O" — 85

Capítulo 7
Deleites orais — 101

Capítulo 8
  Apenas para homens   109

Capítulo 9
  Apenas para mulheres   121

Capítulo 10
  31 sabores: e nenhum deles é de sorvete!   135

Capítulo 11
  Desligue aquilo que desliga   151

Capítulo 12
  O maior inimigo do sexo   161

Capítulo 13
  Seu Q.I. sexual   167

Capítulo 14
  Cansado demais para o prazer   175

Capítulo 15
  Sexo no inverno   187

Capítulo 16
  Como Moby Dick   197

Epílogo
  Um presente realmente bom   205

Perguntas e respostas com o dr. Kevin Leman   207
Notas   233
Bibliografia   237

Nota ao leitor

Algumas das coisas que você vai ler aqui podem ser muito diretas ou explícitas demais para o seu gosto. A visão sobre o sexo difere bastante de pessoa para pessoa (assim como a experiência individual, que define padrões de pensamento e de relacionamento). Contudo, se estiver disposto a tomar a dianteira em favor do melhor casamento que possa imaginar, então este livro é para você. Ele expandirá e desafiará seu modo de pensar sobre o sexo. Em vez de ser só um manual de instruções, este livro está mais para "faça você mesmo" ao abordar o porquê do sexo e como torná-lo melhor.

Entre lençóis: uma visão bem-humorada da intimidade sexual no casamento não tem o propósito de levá-lo a se sentir culpado por aquilo que fez ou pelo que deixou de fazer. Em vez disso, ele quer ajudá-lo a identificar com precisão o que acontece no seu cérebro e no relacionamento com seu cônjuge (ou futuro cônjuge), de modo que você possa ter uma vida sexual ativa e gratificante.

Se você está atualmente na fase de aconselhamento pré-nupcial, leia os capítulos 1 a 4 e os capítulos "Apenas para homens" e "Apenas para mulheres". Mas, por favor, pare por aí — e espere para ler o restante depois que se casar.

CAPÍTULO 1

A história de dois casais

Jim e Karen eram virgens quando se casaram, 21 anos atrás. Assim como muitos casais jovens, eles possuíam visões bastante distantes da realidade sobre como seria o sexo. "Tentativa e erro" pode ser uma boa descrição de sua vida sexual depois da lua de mel; eles só começaram a entender um pouco mais da coisa depois de quinze anos de casados.

Veja o que aconteceu: Jim estava sempre procurando pela "fórmula mágica" (e, pior de tudo, achando que a havia encontrado). Ele tentava alguma coisa nova — a maneira como segurava Karen, como a pegava no colo ou como tocava com ternura um ponto delicado — e ficava de olho nas reações dela, pensando: "OK, essa é a chave; isso vai despertar nela a loucura sexual".

Ainda que Karen de fato gostasse daquele toque novo, ela aprendeu a ser conservadora em suas reações porque, uma vez que Jim percebesse alguma, ele se empenharia em fazer *exatamente a mesma coisa* pelas próximas cinquenta ou cem vezes que eles fizessem amor. Karen nunca entendeu por que levava cem episódios de silêncio para superar uma reação, mas era assim que funcionava com Jim. Ele se tornou tão previsível que aquilo que antes a deixava tão excitada agora a transformava numa geleira. Jim simplesmente ficava frustrado, pensando (mas nunca verbalizando): "Sei que estou fazendo do jeito certo. Funcionou daquela vez! Por que não está mais funcionando? Talvez eu não esteja fazendo de um jeito suave o suficiente (ou rápido o suficiente, ou alguma outra variação)".

A primeira vez que conversei com Jim, dei-lhe uma tarefa bem simples:

— Jim, quero que vá para casa, olhe o guarda-roupa de sua esposa e depois o seu. Diga-me se você notar alguma diferença.

— Não preciso ir para casa para fazer isso, dr. Leman — disse ele. — Conheço nossos armários de cor.

— Certo. Quando olha para os sapatos, você nota algo diferente?

— Sim, ela tem cinquenta pares de sapato, e eu, três.

— Deixe-me adivinhar: um para sair, outro para o esporte e outro para trabalhar no jardim.

— É isso mesmo.

— Agora, se contasse as roupas dela e depois as suas, o que você descobriria?

— Eu precisaria de uma calculadora para contar as roupas dela, mas posso contar as minhas usando duas mãos.

— O que isso lhe diz?

— Que ela gosta de comprar roupas?

— Bem, sim, mas, em relação ao sexo, o que isso significa?

— Olha, ela não tem muitas roupas *sexy*, se é isso o que você quer dizer.

Ao perceber que sutileza não era o forte de Jim, decidi falar as coisas de maneira mais direta.

— Jim, o que estou tentando dizer é que sua esposa parece gostar de um pouco mais de variedade do que você. Ela não quer usar a mesma roupa às segundas, quartas e sextas. Na verdade, talvez ela não queira usar a mesma roupa a cada segunda-feira. Ela quer variar. Sabe — continuei — alguns de nós, homens, tratam o sexo como um manual de estratégia do futebol. Sabemos o que estamos prestes a fazer, como vamos fazer e onde vamos terminar. O problema com isso é que nossa esposa logo enjoa da rotina. Ela consegue antecipar nossos movimentos e prever, em cerca de dez segundos, quanto tempo vamos ficar no andar de cima antes de descer para o de baixo. Sua esposa quer mais do que isso.

Vi uma lâmpada se acender sobre a cabeça de Jim. O que eu dizia estava fazendo sentido.

— Aqui está o seu trabalho, Jim — prossegui. — Em termos sexuais, sua esposa não será, na tarde de terça-feira, a mesma mulher que foi na manhã de sábado. Numa noite ela pode estar a fim de aventura ou de uma rapidinha. Ela vai querer que você simplesmente "a pegue". Em algumas manhãs, talvez ela queira um sexo lento e lânguido, durante o qual você gaste bastante tempo para convencê-la a seguir em frente. Seu trabalho é descobrir para que lado o vento está soprando naquele dia.

Não foi preciso muito mais que isso. Não tive de mandar Jim para uma "suplente sexual" (e jamais faria tal coisa). Ele não precisou assistir a alguns vídeos nem comprar "complementos sexuais" caríssimos. Na verdade, Jim percebeu, como eu disse em outro livro, que o sexo começa na cozinha — é um ato da vida diária. Ele adotou uma nova mentalidade e, de acordo com Karen, tornou-se um virtuose na cama.

Hoje, sete anos depois, o sexo permeia praticamente tudo o que Jim e Karen fazem. Se você não experimentou isso, não vai acreditar na maravilhosa "cola" conjugal que o bom sexo pode ser. Três anos atrás, Jim estava preso a um emprego que odiava. Seu chefe estava determinado a se tornar o homem mais odiado da face da terra. Quando se está na faixa dos 40 anos, sentir-se preso é praticamente o pior sentimento que existe. Jim mal conseguia reunir forças para ir ao escritório, mas, com gêmeos no ensino médio (e a faculdade aparecendo num futuro não muito distante), além de dois filhos mais novos que acabavam de ingressar no ensino fundamental, ele não tinha escolha. Aquela não era a hora de fazer uma mudança financeira arriscada.

Numa sexta-feira, Jim recebeu um *e-mail* de Karen. Foi a primeira coisa que ele viu quando se sentou à mesa no escritório:

> Ótimas notícias! Os mais novos estarão na casa da vovó hoje à noite, e os mais velhos sairão com o grupo de jovens. Fiz reservas para as 8 horas no Palazzi [o restaurante favorito de Jim]. Se você conseguir chegar em casa por volta das 6 horas, isso nos dará cerca de uma hora e meia para desfrutar de um bom aperitivo — que eu desejo que seja "intenso". A propósito, se você olhar em sua pasta, encontrará uma foto. Considere isso como uma "degustação" para antes do jantar. Mal posso esperar para vê-lo. Sua Karen.

Você sabe o que Jim disse a si mesmo depois de ler esse *e-mail*? É preciso ter em mente que ele estava num emprego que não tinha futuro; as pressões financeiras estavam crescendo. Seu chefe era um imbecil que transformara a vida de Jim num verdadeiro inferno. Apesar disso, ele fechou a mensagem e disse a si mesmo: "Sou o homem mais sortudo da terra!".

Ter uma ótima vida sexual é revigorante; ela pode unir um marido e uma esposa de um jeito sem paralelo na experiência humana. Saber que sua amada de fato se importa com você, que seu marido deseja seu corpo mais do que qualquer outra coisa é algo que anima um homem e uma mulher de múltiplas e profundas maneiras.

A propósito, os filhos do casal se beneficiaram muito desse *e-mail*. Quando Jim e Karen finalmente pegaram as crianças menores na casa da vovó, Jim mal podia esperar para vê-las. Por estar sexualmente satisfeito, ele pôde se concentrar apenas em estar ali com seus filhos, ouvir sobre o dia deles e separar um tempo para colocá-los na cama. E não pense que as crianças não perceberam como seus pais estavam afetuosos naquela noite. Isso lhes trouxe um senso de segurança e felicidade, fazendo que *elas* pensassem: "Estamos na melhor família que alguém poderia estar".

A satisfação sexual não surgiu da noite para o dia para Jim e Karen. Mas quando ela chegou, tudo mudou naquela casa. Para dizer a verdade, Jim morreria por Karen; ele levaria um tiro por ela sem pensar duas vezes. Não há nada que ele não faria pela esposa.

* * *

Mark e Brenda enfrentaram um desafio próprio na área sexual. Ambos foram sexualmente ativos antes do casamento, e os dois admitiam que o sexo era bastante excitante. Mas, como é previsível para casais que se envolvem sexualmente antes do casamento, as relações sexuais esfriaram não muito tempo depois de eles se casarem. Mark não parecia tão ávido quanto fora antes, e Brenda era bem menos ousada.

No início, Mark e Brenda acharam que era apenas por causa das crianças. Eles engravidaram logo no início do casamento e, agora, tinham dois filhos com menos de 5 anos. Com o passar do tempo, porém, o sexo tornou-se ainda menos frequente, até que, por fim, era quase uma ideia embaraçosa, algo que os dois faziam porque achavam que, bem, deveriam fazer — pelo menos uma vez por mês.

Mesmo com um bom salário e um bom chefe, Mark vivia sob grande estresse. Como vendedor, se tivesse um bom desempenho, recebia uma ótima comissão. Se ficasse entre os três últimos, seria demitido. Ele era tão bom quanto os números do último trimestre.

Mark achou que tinha um cliente que valia várias centenas de milhares de dólares; só faltava conseguir a assinatura do contrato. Quando foi ao escritório do cliente, porém, ficou chocado com o que ouviu:

— Sinto muito, Mark, mas decidimos fechar negócio com outra empresa.

— Você só pode estar brincando! — disse ele. — Estamos negociando há dois meses e, na semana passada, você disse que isso tinha tudo para dar certo. O que precisamos fazer para conquistá-los de novo?

— É tarde demais para isso — respondeu o comprador. — Já assinamos o outro contrato.

Abalado, Mark foi até seu carro, meio entorpecido. Por instinto, atendeu o celular assim que este tocou, mas, imediatamente, desejou não tê-lo feito.

"Oi, Mark", gritou o chefe, do outro lado da linha. "Pensei em levá-lo para almoçar naquele novo restaurante italiano para comemorarmos o fechamento do contrato com o novo cliente."

Mark sentiu vontade de engolir o telefone ali mesmo.

Cinco horas depois, após um almoço solitário e regado a bastante álcool, Mark começou a refletir sobre o que sua vida havia se tornado. No ano anterior, recebera um salário anual de seis dígitos, mas a estabilidade no emprego estava sempre em risco — como seu chefe fez questão de lembrá-lo assim que soube das notícias do tal cliente.

Quando foi a última vez que ele e Brenda haviam se divertido? Mark se lembrava do tempo em que não conseguiam largar as mãos um do outro; agora, eram como dois colegas de quarto compartilhando a mesma cama e nada muito além disso. Desde a chegada das crianças, eles pareciam encaixotados naquela casa de 350 metros quadrados (realmente deslumbrante). Mark sentia saudades de quando ele e Brenda conseguiam fazer o mundo desaparecer por algumas horas enquanto se perdiam nos braços um do outro.

Decidido a mudar as coisas, ele ligou para Brenda e confessou:

— Tive um dia muito ruim hoje. Será que poderíamos dar uma saída à noite?

Era um clamor emocional da parte de Mark — muito mais que um clamor físico —, mas Brenda não entendeu. Ela também tivera um dia corrido. Como havia perdido contato com o marido e não era capaz de ler a emoção presente em seu pedido, ela foi curta e grossa:

— Mark, são cinco da tarde! Não consigo uma babá a essa hora. O que você está pensando? Você *nunca* me avisa antes.

Mark queria dizer a Brenda que sentia falta dela. Ele esperava que ela fosse a mulher ávida que fora um dia, que concordava em matar aula para "vadiar" um pouco. Mas ele já havia arriscado o pescoço uma vez naquele dia, e veja só aonde aquilo o havia levado! Assim, ficou na defensiva.

— Ah, esqueça — disse, e desligou o telefone.

Ele parou num bar a caminho de casa e jogou bilhar até as 11 da noite. Sabia que seria bombardeado por Brenda por ficar fora até tão tarde, mas ela não percebeu a pressão sob a qual ele estava.

Brenda também não percebia que Mark se masturbava duas ou três vezes por semana — e, todas as vezes que fazia isso, ele sentia declinar um pouco mais seu desejo por ela como pessoa. Ele estava cansado de ser recebido com relutância e de nunca ser procurado.

Ela, por sua vez, estava ocupada demais com as crianças para reparar. Na verdade, Brenda ficava realmente agradecida por Mark não pressioná-la mais por sexo; ela estava cansada demais até mesmo para pensar nisso. Nunca lhe ocorreu que Mark estava cuidando do assunto "com as próprias mãos" e que ele era hábil o suficiente para esconder a pornografia em seu computador, algo que ela nunca encontrou.

O que Brenda não imaginava era quanto esse inverno sexual estava custando a eles como casal, e de que maneira, caso não mudassem, eles poderiam chegar a um divórcio em no máximo mais cinco anos.

As crianças percebiam que papai e mamãe raramente eram afetuosos um com o outro e, em geral, eram bem impacientes. Podiam sentir que havia alguma coisa "debaixo da superfície", um descontentamento efervescente. Mas, como isso nunca foi trazido à tona, conviviam com o medo e a falta de segurança que tal ambiente produz.

Brenda passou a se concentrar cada vez mais nas crianças, tentando satisfazer seu vazio emocional na afeição de seus filhos. Mark se tornou cada vez mais interessado no trabalho e em seu computador em casa.

Ambos estavam vivendo a triste verdade retratada neste poema anônimo:

A PAREDE
A foto de seu casamento zombava deles ali da mesa,
aqueles dois, cujas almas não mais tocavam uma à outra.

Eles viviam com uma barricada tão pesada entre si
que nenhum aríete de palavras
e nenhuma artilharia de toques poderia derrubar.

Em algum lugar, entre o primeiro dente do filho mais velho
e a formatura da filha mais nova,
eles perderam um ao outro.

Por todos aqueles anos cada um deles desenrolou
aquele novelo de fios chamado eu,
e, à medida que desfaziam os nós mais teimosos,
cada um escondia do outro a sua busca.

Às vezes ela chorava à noite
e implorava à escuridão murmurante que lhe dissesse quem ela era.

Ele dormia ao lado dela, roncando como um urso em hibernação,
sem consciência do inverno.

Uma vez, depois de terem feito amor,
ele quis dizer a ela que tinha medo de morrer,
mas, temendo mostrar sua alma nua,
falou, em vez disso, da beleza dos seios dela.

Ela fez um curso de arte moderna,
tentando encontrar-se nas cores espalhadas pela tela,
reclamando com outras mulheres sobre homens insensíveis.

Ele subiu num túmulo chamado "O escritório",
embrulhou sua mente num manto de números em papel
e sepultou-se nos clientes.

Lentamente, a parede entre eles cresceu,
cimentada pela argamassa da indiferença.

Um dia, tentando se aproximar um do outro,
encontraram uma barreira que não podiam transpor,
e, recuando da frieza da pedra,
cada um se afastou do estranho que estava do outro lado.

Pois não é num momento de batalha aguerrida que o amor morre,
nem quando os corpos ardentes perdem seu calor.
Ele fica ali, ofegante, exausto,
agonizando aos pés de uma parede que não conseguiu escalar.

* * *

Dois casais, duas histórias. Uma realidade. Se você acha que o sexo não é importante, está tristemente errado. Muitas pessoas têm sido feridas pelo sexo e prejudicadas pelas lembranças sexuais. (Falaremos sobre isso em um dos capítulos à frente.) Mas se você é casado, o sexo será uma das partes mais importantes de sua vida, quer você queira, quer não. Se você não tratar o sexo dessa maneira — como uma questão de suprema importância — estará enganando a si mesmo, a seu cônjuge e a seus filhos.

Este, de fato, pode ser um livro bem difícil de ser lido. Foi, certamente, um livro difícil de ser escrito, pois, na nossa sociedade de hoje, enfrentamos dificuldades para falar sobre sexo. Ah, nós *contamos piadas* sobre sexo, degradando-o em histórias, revistas e filmes obscenos, mas nunca falamos sobre o sexo conjugal da maneira como o Criador o planejou. O sexo conjugal — o tipo mais importante e, em minha opinião, o único apropriado — segue ignorado, e casais pagam um preço terrível quando essa triste realidade acontece.

Entretanto, quando se dá permissão às pessoas para falar sobre sexo em um ambiente não ameaçador, é impossível fazê-las parar! Uma vez iniciada a conversa, elas querem falar sobre o assunto porque sabem que o sexo é uma força poderosa na vida conjugal.

Minha esperança é que este livro expanda e desafie sua ideia sobre sexo. Não se trata de um simples manual de instruções; a mecânica física não é assim tão difícil. É mais uma abordagem do tipo "faça você mesmo" sobre o porquê de fazermos sexo e como fazê-lo melhor. Quero reacender em você a experiência compartilhada de desfrutar desse presente maravilhoso na jornada com seu cônjuge. Este não é um livro para fazê-lo se sentir culpado, mas, em vez disso, ele deve expandir seu modo de pensar e a possibilidade de que você também possa ter uma vida sexual gratificante e ativa com a pessoa amada.

Este livro pode não ter todas as respostas, mas de fato traz muitas delas. Não sou terapeuta sexual; sou psicólogo. Embora abordemos o lado físico do sexo, minha especialidade diz respeito àquilo que se passa em seu cérebro e em seu relacionamento. É aqui que a maioria dos casamentos precisa de cura em primeiro lugar.

Além disso, o aspecto físico, em geral, se ajusta se o relacionamento for saudável. Se vocês decidirem se aventurar no sexo como casal, certamente não farão as coisas sempre de modo perfeito; vocês vão cair e, espero, rirão da situação quando isso acontecer. Não há ninguém cuja vida sexual é tal que toda experiência receba nota 10. Talvez você tenha de se satisfazer com notas 8 ou 6, além de ocasionalmente tirar um 3.

Este livro é escrito para vocês, como casal, para ajudá-los a entender que presente maravilhoso e singular vocês são um para o outro, bem como as maneiras maravilhosas e singulares pelas quais vocês podem expressar seu amor num sentido bastante físico e prazeroso.

Com base em minha experiência com milhares de casais, estou convencido de que esse maravilhoso presente do sexo torna tudo melhor. A vida sexual de um casal normalmente é um microcosmo do casamento. De vez em quando aparecem cônjuges que têm uma ótima vida sexual e um casamento ruim, mas isso é raridade, algo que se vê apenas algumas vezes. O mais comum é que, se o casamento está em dificuldades, o sexo segue pelo mesmo caminho.

NOSSOS DESEJOS MAIS PROFUNDOS

Quero dizer uma palavra aos homens logo no início deste livro. Eu sei, eu sei — você mal pode esperar para chegar às partes realmente boas. Mas, antes, deixe-me colocar o sexo conjugal num contexto completamente diferente. Você precisa saber que todos os dias uma esposa pergunta internamente ao seu marido: "Você realmente me ama? Você realmente se importa comigo?".

Como ela mede o amor? Como ela sabe que alguém de fato se importa com ela? Normalmente não é no quarto. Se há algo que esfria uma mulher é sentir que a única coisa com a qual seu marido se importa é o sexo. Se a esposa achar que seu papel principal é ser uma receptora disposta dos avanços sexuais de seu marido, ela se sente diminuída e desrespeitada.

Marido, se sua atitude se tornou "E aí, benzinho, nós vamos transar hoje à noite ou não?", então você não percebe quanto está perdendo. Desse jeito, tudo o que você vai conseguir — na melhor das hipóteses — é uma esposa acomodada, nunca uma esposa ávida. Posso lhe apresentar a melhor técnica sexual do mundo, mas, com essa atitude, sua vida sexual vai acabar indo para o brejo.

A mulher é despertada quando seu marido a ajuda com as tarefas da casa, arruma suas próprias coisas, auxilia no cuidado com os filhos, faz planos para datas especiais e, de maneira geral, *se importa com ela*. Se um marido fizer isso de modo constante e com alegria, sem agir como um mártir, ele descobrirá, em seis de cada dez vezes, que sua esposa está pronta e ávida para desfrutar de uma vida amorosa ativa e gratificante. Será uma resposta natural a um estilo de vida de afeição sincera.

Vamos falar sobre as seis vezes a cada dez. Esposa, isto pode surpreendê-la, mas, muito além de querer sexo para seu próprio contentamento, a verdade é que seu marido quer agradá-la até mais do que ele mesmo quer ser agradado. Pode parecer que tudo gira em torno dele, mas o que ele realmente quer, em termos emocionais, é ver quanto você gosta do prazer que ele pode lhe dar. Se ele falhar em fazer isso, por qualquer razão, acabará se sentindo inadequado, solitário e não amado. O homem, em geral, quer ser o herói de sua esposa.

É minha teoria que ainda somos os meninos que nós, homens, fomos um dia. Ainda queremos agradar a mulher mais importante de nossa vida. Quando tínhamos 6 anos, isso significava agradar a mamãe; quando temos 26 (ou 36, ou 46, ou 66), é a nossa amada.

Quando o sexo morre no casamento, o homem perde algo muito importante: a convicção de que pode agradar sua esposa fisicamente. E a mulher perde a satisfação de ter um homem fascinado por sua beleza.

Pelo fato de o sexo ser tão ligado a quem somos como homens e mulheres, ele se torna intrincadamente ligado ao menor elemento de cada casamento. Se um casal passar apenas dez minutos me descrevendo sua vida sexual, terei uma boa ideia do que está acontecendo no restante de seu casamento. Portanto, embora eu queira ajudá-lo a melhorar sua técnica sexual, também quero lembrá-lo de que o sexo é parte de um *relacionamento*.

SEXO *GOURMET*

Praticamente qualquer pessoa pode praticar "biologicamente" o ato da relação sexual, assim como qualquer criança de 5 anos consegue preparar seu pão com manteiga. Mas se você quiser uma refeição *gourmet*, algo bem refinado, então precisa encontrar um *chef* de cozinha.

Qualquer um, por exemplo, é capaz de cozinhar um peixe. Basta tirar aquele negócio escorregadio da água, não se preocupar em limpá-lo ou tirar as espinhas, mas apenas jogá-lo na panela, sem tempero ou preparação, e ele vai cozinhar. Você conseguirá morder por entre aquelas escamas, tirar as entranhas do meio de seus dentes, mas ainda assim terá um bom bocado saudável de peixe para engolir. Você cozinhou um peixe.

Mas vai ficar com gosto de peixe se você prepará-lo dessa maneira, e um bom peixe não tem gosto de peixe. Sei do que estou falando. Meus tios de origem sueca e norueguesa eram pescadores. Olha, eles sabiam como preparar um peixe!

Lembro-me de uma vez, ainda criança, quando meu tio me perguntou:

— Menino, você gosta de peixe?

— Não.

— Você vai gostar deste.

— Não, obrigado — disse eu com minha voz aguda de menino. — Não como peixe. Não gosto de peixe.

Ele deu um sorriso maroto e, então, pegou uma linda e reluzente moeda de 25 centavos.

— Você experimentaria apenas uma mordida se eu lhe desse isto?

Naquele tempo, uma moeda daquelas podia comprar uma caixa inteira de chicletes e ainda sobrava, de modo que aceitei a oferta. Mas não parei na primeira mordida; comi treze daqueles peixinhos. Nunca provei algo tão gostoso em toda minha vida!

A diferença é que meu tio sabia o que estava fazendo. Ele filetou cuidadosamente o peixe, removendo com habilidade todas as espinhas. Depois, colocou o peixe em água salgada, o que extrai o sangue e outras coisas que você não quer ver ali. Então, mergulhou o peixe em farinha de trigo e fritou logo em seguida.

Um *chef* não é um cozinheiro "nato". Ele vai para a escola, estuda a arte de cozinhar, domina o uso das ervas, dos sabores e da apresentação e, então, faz experiências com o que funciona melhor. Um bom "*chef* sexual" faz a mesma coisa. Um marido amoroso logo aprenderá que a apresentação significa tudo para uma mulher. Para realmente atrair os sentidos da esposa, o marido precisa ter consciência de como se apresenta para o sexo. Uma vez que os homens têm o gatilho muito sensível, a apresentação costuma ser ignorada, e o marido se torna desajeitado, bruto ou até mesmo ofensivo na maneira como aborda sua esposa em busca de intimidade sexual.

Confie em mim, marido: a maneira como você apresenta seu "grande naco de amor ardente" é muito importante, e é algo que precisa ser levado em consideração. Sua esposa quer saber se você é um bom pai, se é uma pessoa boa e generosa, tanto quanto está interessada em perceber se você sabe tocar nos lugares certos.

Muitos casais casados se conformam com o segundo lugar. O marido está disposto a usar a esposa para sua satisfação biológica, e a mulher pode estar disposta a "receber" seu marido apenas para evitar a perturbação incessante (e, às vezes, súplica escancarada). Mas não é isso o que ambos realmente desejam. Nenhuma pessoa fica satisfeita quando o sexo é solicitado de maneira desesperada e concedido de má vontade.

Portanto, tome a iniciativa! Saia alegremente do "feijão com arroz" e vá para a intimidade *gourmet*. Não se contente com menos do que o que Deus planejou. O sexo é uma das coisas mais maravilhosas que Deus já bolou — mas um sexo bom assim não acontece naturalmente. É preciso desejar ser um amante melhor; é necessário passar um tempo pensando em maneiras de manter o sexo estimulante e prazeroso; temos até de estudar nosso cônjuge só para descobrir o que o satisfaz sexualmente.

Alguns dos leitores podem estar perguntando: "Mas, doutor, o esforço vale a pena?". Se o esforço vale a pena?! Se você pudesse enxergar o futuro e experimentar apenas um pouco do que uma vida sexual gratificante pode fazer por seu casamento, meu palpite é que você desejaria investir muito mais tempo do que está investindo agora. Você estaria implorando para que eu falasse mais.

Além do sexo *gourmet*, existe aquilo que gosto de chamar de sexo de "*designer*".

SEXO DE *DESIGNER*

— Todos os homens pensam em sexo o tempo todo? — perguntou uma mulher num claro desespero depois de eu ter falado sobre as diferenças entre homens e mulheres.

— Bem, não o tempo *todo* — disse eu, percebendo o alívio em sua face, até que continuei. — Às vezes pensamos em comida *e* sexo. Ocasionalmente pensamos em carros e em futebol, mas nossa mente sempre costuma retornar para o sexo.

— Então não existem homens santos e que tenham a mente pura? — perguntou ela.

Veja, aqui está o problema: ela presume que, quando digo que a maioria dos homens pensa em sexo durante grande parte do tempo, quero dizer que estamos tendo pensamentos *sujos*. Algumas pessoas de fé pensam que Deus e sexo têm tanto a ver um com o outro como futebol e patinação no gelo. O simples fato de um homem pensar muito em sexo não significa que ele esteja tendo pensamentos impuros. Se ele estiver pensando em como outra mulher (que não a sua esposa) ficaria sem roupa, ou no desempenho dela na cama, então, sim, ele está poluindo sua mente. Mas se ele está imaginando como seria bom passar óleo no corpo de sua esposa naquela noite enquanto lhe faz uma massagem corpo a corpo, está sendo tão puro quanto um missionário que serve uma tigela de sopa a um morador de rua no centro da cidade.

Quem é o doador de todos esses presentes? Deus. O sexo é um presente e um mandamento de Deus. Quando ele nos diz "Sejam férteis e multipliquem-se!", não está falando sobre maçãs e clonagem. Está falando sobre ter relações sexuais e fazer nascer crianças.

O autor Stephen Schwambach escreve:

> Qualquer pessoa que já tenha feito amor conhece por instinto a verdade: o sexo é bom demais para ter simplesmente aparecido. Ele não evoluiu como resultado de algum acidente cósmico. Uma coisa assim tão excelente tem de ter sido planejada com amor, brilhantismo e criatividade.
>
> Se um ateu vier até você para exigir provas de que Deus existe, tudo o que precisa lhe dizer é: "sexo". Dê-lhe um dia para pensar nisso. Se, no final

daquele dia, ele ainda permanecer incrédulo, então ele simplesmente revelou um pouco mais sobre sua vida sexual — ou a falta de uma — do que jamais teve intenção de fazer!

Deus criou o sexo. Isso não lhe diz muita coisa sobre como Deus de fato é? Entre outras coisas, isso lhe diz que ele é talentoso.[1]

O "sexo de *designer*" é o sexo como o Criador planejou; sexo que usa seu manual como guia. Judeus e cristãos tradicionais acreditam que o sexo como Deus planejou é aquele praticado unicamente dentro do casamento.

Por que você acha que Deus reserva o sexo para o casamento? Creio que uma das razões (que, infelizmente, recebe muito pouca atenção) é que o sexo bom não é fácil e é bastante pessoal. Pense nisto: um homem recebe a intimidadora tarefa de tentar descobrir como abrir as velas de sua amada em meio a ventos em mudança constante. Às vezes ela quer seguir livre e solta; em outros momentos, ela vai para frente e para trás, mantendo as coisas sob controle. Se o marido quiser ser o capitão do coração dela, então precisa aprender a ler os ventos, e isso exige tempo e experiência *com a mesma mulher*. Experimentar com outras mulheres vai mais deixá-lo à deriva do que ajudá-lo, pois cada mulher é única em seu desejo e em seu prazer.

Pense no assunto da seguinte maneira: se você já fez sexo com nove mulheres, coloque nove relógios nos braços — cinco em um e quatro em outro. Agora, deixe-me perguntar: que horas são? Fica tão complicado tentar encontrar a média entre os nove relógios que seria muito mais fácil ter apenas um, ainda que esse medidor de tempo esteja errado em alguns minutos.

Do mesmo modo, a esposa também está encarregada de entender seu marido tão bem a ponto de saber intuitivamente quando ele necessita que ela tome a iniciativa do sexo ou quando ele precisa que ela se deixe conquistar de uma maneira santa e profunda. Ela, na verdade, deve estudar as necessidades e desejos sexuais ditos e não ditos de seu marido com tanto afinco como estudaria um livro antes de uma prova importante no ensino médio ou na faculdade. Afinal de contas, não se trata de um exercício acadêmico. É o seu casamento!

O sexo de *designer*, porém, vai além da familiaridade. Também está relacionado a respeito. Já ouvi um grande número de mulheres dizer coisas ofensivas e desrespeitosas sobre os homens em geral e os maridos em particular: "Ele está sempre pronto para fazer sexo com qualquer pessoa ou qualquer coisa". "Ele pensa com a braguilha". Uma mulher diminui um homem quando diz que ele só se importa com sexo; ela demonstra ignorância em relação à complexidade da alma de um homem e à interconexão de nossa espiritualidade e nosso corpo físico. O que ela não percebe é que o sexo representa muitas coisas diferentes para um homem. Várias delas são emocionais e espirituais, sem nada a ver com o físico. Sou um cara normal, que não tem oito amigos com quem conversar sobre a vida, como acontece com a maioria das mulheres. Tudo o que tenho é minha esposa, e se ela estiver ocupada demais com as crianças e eu for repetidamente mandado para escanteio, digo a mim mesmo: "Ela não se importa. Ela não sabe o que estou passando".

Às vezes, nós, homens, agimos como meninos. Não estou dizendo que isso seja bom ou admirável, mas que essa é a maneira como somos. Você está casada com um homem de carne e osso, não com um estoico ideal; se a satisfação sexual lhe for negada, isso o afetará em mais aspectos do que uma mulher é capaz de compreender.

Uma das coisas mais amorosas e santas que você pode fazer no casamento é promover a busca da satisfação sexual de seu cônjuge. Portanto, sem bajulação, este será o livro mais explícito que já escrevi (e, tenho de confessar, essa é a razão de ele ter sido o mais difícil de escrever). Quero ensiná-lo a ser um amante extravagante. Quero que seu cônjuge vá dormir com um sorriso no rosto, pensando: "Sou o cara/a garota mais feliz do mundo!".

Mas, antes de continuar a leitura, deixe-me fazer algumas advertências.

CUIDADO!

Não tenho vergonha de dizer que sexo é um dos meus assuntos favoritos. Existem poucas coisas das quais não gosto sobre o sexo entre o marido e a esposa. Sempre que alguém me pergunta: "Dr. Leman, qual é a melhor posição para o sexo?", em geral, respondo: "*Qualquer* posição é boa se cumpre seu propósito!".

Perceba que eu não disse que qualquer *experiência sexual* é boa, porque creio que qualquer experiência sexual fora do casamento é, em última análise, destrutiva. Se não for casado (ou não estiver passando por aconselhamento pré-nupcial — falarei mais sobre isso), então este livro não é para você. A recomendação que faço a respeito de explorar a criatividade na sexualidade é voltada para casais comprometidos, não para aqueles que vivem juntos ou que dormem juntos fora do casamento.

Se você está fazendo sexo antes do casamento, no final das contas, está ameaçando sua própria felicidade e satisfação conjugal. As pesquisas não poderiam ser mais claras:

1. Um estudo nacional realizado com mais de 1.800 casais casados [nos Estados Unidos] indicou que a probabilidade de chegar a um divórcio era

duas vezes maior para casais que haviam coabitado antes do casamento em comparação com os casais que não haviam. Além disso, a coabitação antes do casamento relacionou-se a menores níveis de subsequente interação conjugal e maiores níveis de desacordo e instabilidade conjugais.[2]

2. Um estudo realizado entre 3.884 mulheres canadenses indicou que as que haviam coabitado antes do casamento tinham 50% mais chances de se divorciar do que as que não haviam coabitado antes do casamento. Entre as mulheres que coabitaram, esperava-se que 35% delas se divorciariam dentro de quinze anos de casamento, em comparação com apenas 19% entre aquelas que não haviam coabitado antes do casamento.[3]

3. Um estudo realizado com 4.300 mulheres suecas, com idades variando entre 20 e 44 anos, indicou que as que haviam coabitado antes do casamento tinham uma taxa de divórcio 80% maior do que as mulheres que não coabitaram antes do casamento.[4]

4. Um estudo usando um universo representativo de todo o país entre 1.235 mulheres [norte-americanas] com idades entre 20 e 37 anos indicou que mulheres casadas que haviam coabitado antes do casamento eram 3,3 vezes mais propensas a ter sexo com outra pessoa que não seu marido do que as mulheres casadas que não haviam coabitado antes do casamento. Mulheres solteiras que coabitavam estavam 1,7 vezes mais propensas a ter um segundo parceiro sexual do que mulheres solteiras que não viviam com seus parceiros.[5]

Diante disso, se você está vivendo com alguém sem ser casado, sugiro que saia e comece de novo. Pode ser que vocês se deem bem, mas se não conseguem fazer as coisas darem certo fora do casamento sem serem sexualmente ativos, há grandes chances de que o relacionamento acabe desmoronando.

Ora, alguns leitores devem estar pensando: "Esse dr. Leman é louco, é um remanescente da era vitoriana!". De jeito nenhum. Antes que você feche este livro e toque a vida em frente, deixe-me lembrá-lo de que o casamento hoje dura em média sete anos. Essa é uma sombra patética do que o casamento costumava ser. Obviamente, o que estamos fazendo hoje em nossa sociedade — sexo no primeiro ou no segundo encontro — não está funcionando. Pode ajudar solteiros a lidar com a frustração sexual no curto prazo, mas destrói casamentos significativos no longo prazo.

Talvez seja conveniente tentar uma nova maneira.

Depois dos não casados, o segundo grupo que quero advertir a ficar longe deste livro é o das pessoas que não se sentem confortáveis ao conversar sobre sexo de uma maneira direta. Falei sobre sexo diante de alguns adultos que praticamente tentaram enfiar-se embaixo das cadeiras quando pedi aos participantes que citassem as gírias utilizadas para se referir à genitália masculina. (Foi incrível o silêncio que caiu sobre a sala quando prossegui e perguntei: "E agora, o que dizer da genitália feminina?".)

Com honestidade: é provável que todos se sintam ofendidos por pelo menos uma coisa que digo neste livro. Se você não gostar de um ponto em particular, tudo bem. Você pagou por este livro — se é que não o pegou da biblioteca — e, portanto, arranque aquela página, jogue-a fora e se concentre no restante. Isso não vai me chatear, mas tenho o dever de ser direto e provocativo com você.

Algumas pessoas ouvem a palavra *sexo* e pensam: "Tudo bem! Já estava na hora. Fale na cara, Leman, e não esconda nenhum detalhe!". Essas pessoas são como meu melhor amigo, Cabeça de Lua, que gosta de me lembrar: "Leman, não é sexo bom se você não precisar tomar banho depois". Elas se sentiriam ofendidas apenas se eu recorresse aos clichês para evitar parecer provocativo.

Outras pessoas mal conseguem pronunciar a palavra *sexo* e manter a mesma expressão no rosto. Entendo isso. Poucas coisas são mais particulares e mais pessoais do que a atividade sexual entre o marido e a esposa. Essas pessoas acham que é impossível até mesmo mencionar os detalhes básicos da anatomia e da atividade sexuais sem descambar para o mau gosto ou para a imoralidade.

Quero adverti-lo desde já: serei bastante explícito e franco neste livro. Se descrições específicas de atos sexuais o ofendem, ou se você acha que a discussão da criatividade sexual dentro do casamento é algo desagradável, por favor, saiba que não é minha intenção provocar uma afronta. A igreja está cheia de pessoas de diferentes origens, e precisamos de todas elas. Contudo, quero encorajá-lo a valorizar seu cônjuge o suficiente para arriscar-se a abrir a porta a fim de explorar novas maneiras de incrementar sua intimidade sexual. Ainda que algumas declarações neste livro possam deixá-lo desconfortável, continue lendo com a mente aberta — aceite o desafio de pensar criativamente sobre esse importante aspecto de seu casamento.

Finalmente, permita-me, como psicólogo, dar uma palavra de advertência aos casais em aconselhamento pré-nupcial que vão utilizar este livro. Recomendo que vocês reservem a segunda metade para a lua de mel. Será útil ler os capítulos até aquele que lida com sua primeira noite juntos, pois essa informação lhes será bastante proveitosa na lua de mel. Vocês também se beneficiarão dos capítulos "Apenas para homens" e "Apenas para mulheres". Mas, por favor, parem ali, até que estejam casados. Ler juntos descrições explícitas de atividades sexuais quando moralmente estão impedidos de envolver-se nessas atividades é uma tentação que vocês não precisam trazer para sua vida neste momento.

Confiem em mim: casais raramente sofrem com a falta de informação tanto quanto sofrem com a falta de inocência no leito conjugal. Você pode se recuperar da falta de informação depois de se casar; já a falta de inocência marcará seu relacionamento para toda a vida. Deem um ao outro o melhor presente de casamento e a melhor lua de mel possível: corpos puros, amor puro e intenções puras. Assim que vocês entenderem os princípios, terão muita coisa para entretê-los depois do casamento, quando poderão festejar para o deleite de seu coração, com a bênção de Deus e o genuíno prazer! Portanto, levem o livro com vocês na lua de mel — mas se proponham a esperar até lá.

Se você ainda estiver lendo, bem-vindo a bordo! Mal posso esperar para prosseguir.

CAPÍTULO 2

Uma cama cheia de gente

Sua cama de casal é um dos lugares mais cheios de gente da face da terra. Está transbordando de pessoas, algumas das quais você nunca viu, mas estão todas ali — todas afetando sua intimidade sexual, olhando por cima de seus ombros e moldando a qualidade do seu prazer sexual.

Não olhe atrás do travesseiro, mas saiba que seus pais estão espiando bem ali! E se você acha que isso é ruim, é melhor também se acostumar com seus sogros, que estão escondidos debaixo do travesseiro de seu cônjuge!

E o que dizer do pé da cama? Ah, ali estão seus irmãos e os de seu cônjuge. Debaixo da cama? É melhor nem começar!

Do que estou falando?

Você chega ao casamento com mais bagagem do que percebe. Essa bagagem formou aquilo que chamo de seu "regulamento" — crenças inconscientes, mas muito poderosas, que você tem sobre como as coisas devem ser feitas (especialmente na cama). Uma grande parte de minha prática de aconselhamento é dedicada a ajudar pessoas a entenderem seu regulamento, porque é ele que determina tudo o que se relaciona à vida de alguém, especialmente a sexualidade.

"Mas, dr. Leman", você pode dizer, "eu não sabia que tinha um regulamento!".

Poucos têm consciência disso, mas todos nós ficamos furiosos quando uma regra de nosso regulamento é quebrada. Um marido acabará pagando pelos erros de seu sogro, assim como a esposa pagará caro pelos erros de sua sogra. Você não está se casando com alguém sem passado. Você irá para a cama com uma pessoa que foi indelevelmente marcada pela ordem de nascimento, pelo estilo de criação de filhos adotado por seus pais e por suas experiências do início da infância. Ela pode vir nua para a cama, mas a última coisa que estará é sozinha.

Uma vez que trato em detalhes dos regulamentos em outro livro, *Mais velho, do meio ou caçula*, neste vou me limitar a falar sobre a maneira como os regulamentos nos afetam na cama.

SEU REGULAMENTO SEXUAL

Sheila quer ser surpreendida pelo sexo; ela quer espontaneidade, criatividade e variedade. Ela se irrita com o tédio e quer que seu marido sempre a mantenha na expectativa. Uma das lembranças sexuais favoritas de Sheila é de um dia em que seu marido trouxe para casa um frasco de óleo de bebê e um tecido impermeável para colocar sobre os lençóis da cama. Os dois cônjuges rolaram um por cima do outro e fizeram uma bagunça, mas aquilo foi espontâneo, gerou muitas risadas e Sheila divertiu-se a valer.

Melissa odeia ser surpreendida. Ela quer saber o que vai acontecer com pelo menos 24 horas de antecedência. Se ela e seu marido vão ficar nus ao mesmo tempo, é preciso haver uma toalha debaixo de cada um antes que os parceiros troquem fluídos corporais, de modo a evitar que esses mesmos fluídos toquem o lençol. Os dois devem ter se banhado e todos os dentes devem ter sido escovados trinta minutos antes do início do sexo. A ideia de fazer uma enorme bagunça ou produzir ruídos altos a esfria, em vez de excitá-la. Se o marido de Melissa trouxesse para casa um frasco de óleo de bebê, ela diria: "E o que você acha que vai fazer com isso? Vou levar meio dia só para limpar essa sujeira! Você já tentou remover essa coisa?".

Por que a diferença?

Téo deseja que sua esposa tenha a iniciativa sexual. Ele adora quando ela o empurra para a cama e pula em cima dele; é a coisa mais estimulante do mundo ver sua mulher participar ativamente do ato sexual e, na verdade, tentar encontrar a posição na qual ela receba maior estímulo. E quando ela expressa a intensidade do prazer que está sentindo, Téo mal pode conter seu entusiasmo.

André precisa estar no controle o tempo todo; ele considera qualquer iniciativa por parte de sua esposa como um desafio à sua masculinidade. Ele decide o que fazer, quando fazer e como fazer, sem dar chance para argumentações.

Por que esses dois homens são tão diferentes?

Uma das grandes armadilhas ao se escrever um livro como este é que não há dois homens ou duas mulheres iguais. Os homens podem ser tão diferentes um do outro quanto os gêneros podem diferir entre si. Ainda que possamos generalizar, todo estereótipo se mostrará falso para alguém, razão pela qual a comunicação individual é tão importante no casamento. Posso lhe dar um conselho sobre o que a maioria dos homens gosta, mas esse mesmo conselho pode, na verdade, enojar seu marido. De fato, não há troca melhor para um casal do que ler este livro em conjunto e discutir os capítulos à medida que eles aparecem.

Qual é a razão dessa grande variedade de estilos no ato de fazer amor? Em 90% dos casos, isso tem a ver com o regulamento de uma pessoa. O regulamento de Sheila diz: "O sexo é mais agradável quando é divertido e espontâneo; a vida é curta demais para fazer alguma coisa da mesma forma duas vezes". O regulamento de Melissa diz: "O sexo precisa ser controlado por padrões rígidos, a fim de que não saia do controle". O regulamento de Téo diz que "o sexo é mais significativo quando minha esposa me procura e mostra que me quer", enquanto o de André diz que "o sexo só é bom quando estou no controle".

Esses regulamentos são moldados pelas reações que tivemos a nossas experiências na infância, a nossa criação e a nossa ordem de nascimento. Dentro de famílias, os regulamentos normalmente têm algumas semelhanças, mas também terão diferenças marcantes. Em última análise, seu regulamento é algo bastante individual e determina praticamente tudo o que você faz.

A questão dos regulamentos é que eles, em geral, são inconscientes. É provável que Melissa não saiba explicar por que simplesmente *precisa* ter uma toalha embaixo de si, assim como André não conseguiria colocar em palavras por que ficaria louco se sua esposa tentasse assumir o controle. Mas essas regras inconscientes governam cada ato sexual do qual eles participem.

Entenda seu regulamento sexual
Influências dos pais

Para começar a descobrir quais são essas regras não escritas e frequentemente inconscientes, faça a si mesmo algumas perguntas:

- O que mais me irrita na cama?
- De modo geral, o que mais me satisfaz sexualmente?

- O que me faz perder todo o interesse no sexo?
- O que gera o maior interesse no sexo?
- Que pedido ou atitude sexual mais me amedronta?

Agora, dê um passo atrás e pergunte a si mesmo por que isso acontece. Por que a ideia de sexo oral me enoja, enquanto tantas outras pessoas o acham excitante? Por que deixar as luzes acesas me faz esfriar sexualmente, enquanto excita outras pessoas? Por que preciso que meu cônjuge seja a pessoa que sempre dá início à intimidade sexual?

Parte da resposta pode estar na maneira como você foi criado para pensar no sexo. Algumas pessoas, particularmente oriundas de lares muito religiosos, foram ensinadas que o sexo é algo sobre o que não se deve falar. "Sim, o sexo é necessário para povoar o mundo, mas vamos fingir que ele nem sequer existe no resto do tempo!" Se uma pessoa cresce nesse ambiente, talvez nunca se sinta plenamente livre para deixar isso de lado e desfrutar da experiência sexual em si.

Veja por que você precisa se questionar e trazer a "influência oculta" para a superfície: uma vez que entende a influência, pode decidir se ela é saudável ou não. Pode optar por mantê-la ou, se ela estiver atrapalhando seu casamento, livrar-se dela.

Portanto, faça perguntas a si mesmo. Seus pais eram afetuosos? Você teve o tipo de mãe que sempre batia na mão de seu marido quando ele tentava flertar com ela? Seu pai era excepcionalmente frio em relação a você e sua mãe? Ele usava a mão apenas para ferir e nunca para acariciar? E o mais importante: esse estilo de criação distorceu sua visão da expressão sexual?

Talvez você tenha tido o problema oposto, e seus pais o enojaram por serem libertinos. É possível que, ainda menina, você tenha encontrado alguma pornografia no quarto de seu pai, e a visão daquelas imagens a tenham repugnado, levando-a a dizer: "Nunca farei nada assim". Ou, pior ainda: você pode ter sofrido abuso, o que a tornou praticamente incapaz de confiar em outro homem. Todo toque lhe parece uma violação, mesmo consciente de que seu marido a ama.

Infelizmente, muitos maridos nem mesmo sabem que a esposa sofreu abuso sexual. Não sei dizer quantas vezes em minha prática de consultório fui o primeiro a descobrir — a primeira pessoa com quem a mulher vítima de abuso conversou sobre sua desgraça. Fico impressionado por verificar que um homem que está casado há dez ou mesmo quinze anos não saiba quanto sofrimento há no passado de sua esposa. O marido acredita que sua mulher é frígida, sem perceber que ela foi paralisada pela dor e pela vergonha — e ele acaba pagando por isso.

A ironia é que uma mulher que sofreu abuso costuma correr para o casamento justamente como uma desculpa para dizer não ao sexo. Ela sabe que o marido não vai usá-la nem abusar dela, de modo que aceita a proposta de casamento com alegria, pensando que, uma vez que esteja dentro das fronteiras seguras do matrimônio, poderá dizer adeus ao sexo. O triste fato de tudo isso é que o homem que realmente ama uma mulher como essa é aquele que acaba enfadado (falaremos mais sobre isso daqui a pouco, mas se você sofreu abuso no passado, recomendo a leitura do livro *Lágrimas secretas*, do dr. Dan Allender, que considero ser o melhor livro disponível sobre o assunto. Outro livro que toda mulher precisa ler é *Intimate Issues*, de Linda Dillow.)

Seja qual for o caso, saiba que você foi moldado em profundidade, particularmente pelo pai do sexo oposto. Se o pai de uma mulher abusa dela — sexualmente ou em algum outro aspecto —, ela terá dificuldades para abrir-se sexualmente para seu marido, embora possa ter sido promíscua com muitos namorados. Se, por outro lado, ela teve um relacionamento bastante sadio com o pai, provavelmente terá menos problemas para chegar ao orgasmo, e a tendência é que tenha muito menos inibição na cama. Entregar-se de forma plena ao seu marido será algo natural e seguro para ela.

Um homem que viveu com uma mãe dominadora e controladora pode não gostar de uma esposa sexualmente agressiva. Um homem que recebeu amor bondoso de sua mãe e que foi ensinado a respeitá-la, em geral, não terá muito problema ao tornar-se sexualmente íntimo de sua esposa.

Ordem de nascimento

Seu regulamento também é um produto da ordem de seu nascimento. Se você estivesse em meu consultório, eu começaria lhe fazendo perguntas sobre seus irmãos. Se você for como André, o homem que precisa estar no controle, apostaria facilmente que é primogênito ou filho único. Se acha que sexo e diversão devem andar juntos na maior parte do tempo, imagino que você seja o caçula. Se costuma acolher seu cônjuge, mas raramente inicia o sexo — se é que o faz alguma vez — eu não me surpreenderia se você fosse um filho do meio.

Trato amplamente da questão da ordem de nascimento no livro *Mais velho, do meio ou caçula*, de modo que farei apenas um resumo aqui. Os caçulas crescem com um enorme e incessante senso de merecimento. Pelo fato de muitas vezes serem mimados e tratados como bebês — não apenas por papai e mamãe, mas também pelos irmãos mais velhos — os caçulas, em geral, crescem e se transformam em "pessoas populares". São charmosos, com frequência muito engraçados e também claramente exibidos, pessoas que adoram ser o centro das atenções. Contudo, também podem ser manipuladores. Os caçulas tendem a adorar surpresas e estão muito mais abertos a riscos que seus irmãos mais velhos.

Na cama, isso normalmente resulta em desejo de surpresa, espontaneidade e alegria. Os caçulas, de modo geral, serão bastante afetuosos, mas gostarão de ser mimados e de receber cuidados. É melhor dar bastante atenção a cônjuges caçulas!

Os filhos do meio são mais misteriosos. Não temos tempo para explicar a razão disso, mas eles são os mais difíceis de definir, pois podem seguir em várias direções (na maior parte das vezes, essa direção é exatamente oposta à do filho logo acima deles). Em geral, porém, os filhos do meio gostam de paz a todo custo. São os negociadores, os mediadores e os transigentes. Normalmente não são tão assertivos quanto os primogênitos, mas também exigem menos "cuidado e comida" do que um caçula. São mais reservados e costumam ser altruístas ao extremo. Pode ser difícil fazer que um filho do meio de fato diga o que prefere na cama.

Os primogênitos (assim como os filhos únicos) são os representantes de classe, os grandes realizadores, aqueles que gostam de estar no controle e que estão convencidos de que sabem a maneira como tudo deve ser feito. São conhecidos como seres capazes e confiáveis, mas também são perfeccionistas, exigentes e amplamente lógicos. O desejo que têm por controle pode levar alguns a ser poderosos negociantes e outros a gostar de agradar. Se você fizer sexo com alguém do primeiro tipo, sentirá como se tivesse que fazer o possível e o impossível para que tudo dê certo, segundo o que for definido por ele. Se você está casado com alguém do segundo tipo, esse cônjuge vai fazer de tudo para ter certeza de que você se sinta bem — mas essa atitude pode rapidamente parecer mecânica ou forçada.

Existe todo tipo de exceção, mas, de modo geral, você pode aprender bastante sobre si mesmo e sobre seu cônjuge ao considerar a ordem de nascimento de cada um — e como essa ordem de nascimento moldou suas expectativas e seu regulamento sexual.

Primeiras lembranças

O último determinante de seu regulamento sobre o qual falaremos consiste de suas lembranças da infância.[1] Aqueles primeiros eventos (quando você estava no terceiro ano ou antes disso) ajudaram a moldar suas expectativas sobre a vida e sobre a maneira como as coisas devem ser feitas. Você aprendeu que o mundo pode ser um lugar seguro... Ou um lugar perigoso. Desenvolveu a suposição de que as pessoas irão tratá-lo com bondade... Ou irão traí-lo e ameaçá-lo. Por causa daquilo que lhe fizeram, você aprendeu a fazer todas as suposições que hoje considera como certas, e vê seu cônjuge através das lentes dessas lembranças.

Veja um exemplo característico. Um pai promete à filha pequena que vai levá-la para tomar sorvete depois que voltar da loja de ferragens. A filha espera junto à porta por duas horas. Finalmente, papai chega em casa, mas está cheirando a álcool e sua fala é confusa. Naturalmente, ele se esqueceu de tudo relacionado à sua promessa de levá-la para tomar sorvete.

Vinte anos depois, o marido dela promete levá-la para jantar. Ele está justificadamente atrasado quando o pneu do seu carro fura no caminho para casa. Quando enfim consegue chegar, 45 minutos depois do combinado, sua esposa o repreende com dureza. Ele não entende por que tanta irritação, pois não percebe que ela não está gritando apenas com ele — ela está gritando com o pai bêbado.

É vital reconhecer suas tendências baseadas em seu passado e obter um melhor entendimento dessas suposições implícitas. Você só será capaz de editá-las depois de conhecê-las.

Edite seu regulamento

Como palestrante que, nos finais de semana, está mais na estrada do que em casa, já carreguei mais malas do que deveria. Já tive uma mala que chegou a ter dezenas de etiquetas de bagagem. Como você sabe, as companhias aéreas pedem que o passageiro escreva seu nome e endereço naquele pequeno pedaço de papelão, que é preso à mala com um elástico. O problema é que a etiqueta é tão fina e frágil que normalmente dura apenas dois ou três voos antes de rasgar. Nunca removo as partes rasgadas; em vez disso, simplesmente coloco uma nova etiqueta. Assim, depois de alguns anos, acho que tenho mais de cinquenta pequenos pedaços de papel presos na alça da mala — o que faz a bagagem parecer velha e surrada.

Ao observar a vida das pessoas, como eu faço, é possível descobrir que muitas delas estão do mesmo jeito. Suas "viagens" pela vida deixaram marcas, as quais nem sempre são positivas. Elas foram maltratadas e curvaram sob o peso de viagens anteriores e, com o passar do tempo, adquiriram a aparência de estar caindo aos pedaços.

O problema surge quando se deseja reconstituir essas viagens e fazer isso apenas com fragmentos de informação! Sempre me maravilhei diante de eletricistas que conseguem abrir um aparelho ou uma caixa de força e fazer um reparo no meio de cinquenta cores diferentes de fio. Eu? Enxergo apenas preto e vermelho, e só. Vermelho significa positivo, preto significa negativo, e qualquer outra coisa diferente disso está além da minha capacidade!

Investigar o passado de uma pessoa é mais ou menos como tentar encontrar um curto-circuito no meio de centenas de fios: De onde vem *este* medo? O que deixou *esta* cicatriz? O que criou *esta* expectativa?

A vida de muitas pessoas está repleta de relacionamentos rompidos que deixaram para trás cicatrizes psicológicas. Às vezes um cirurgião precisa ir fundo para remover tecido cicatrizado porque este aumenta demais; de certa maneira, os psicólogos têm de fazer a mesma coisa. Se a área da cicatriz for particularmente profunda, será preciso conversar com um profissional — mas, mesmo assim, penso que esta seção vai ajudá-lo a caminhar na direção certa e levá-lo a fazer as perguntas adequadas.

A boa notícia é que você *pode* editar seu regulamento. A má notícia é que isso pode ser bem difícil e exigir grande quantidade de tempo. Como acabei de dizer, se você experimentou um trauma severo — abuso sexual, por exemplo —, então precisará de um terapeuta profissional para ajudá-lo a superar essas antigas lembranças e a trágica influência negativa dos pais. Mas muitos leitores podem alcançar melhorias por meio de pequenas escolhas.

Em primeiro lugar, assim que tiver compreendido seu regulamento, procure lembrar-se de que o simples fato de algo lhe ser confortável não faz disso um padrão. Um homem espontâneo precisa aprender que sua esposa pode se sentir ameaçada por sua espontaneidade. Em contrapartida, uma mulher controladora deve entender que sua falta de espontaneidade pode estar abrindo caminho para que seu marido caia diretamente nos braços de outra mulher. A maneira como você enxerga o sexo é a maneira como *você* enxerga o sexo, mas isso não a transforma na maneira certa, nem na única maneira de enxergar o sexo. Não estou dizendo que não existam absolutos morais; certamente creio que existem. Mas estou afirmando que aquilo que sentimos em relação ao sexo dentro do contexto do casamento pode ser algo bastante individual.

Aqui está um segredo que será explorado mais adiante no livro, mas que é relevante destacar aqui: bons amantes aprendem a conhecer seu parceiro melhor do que conhecem a si próprios. Você precisa parar de ver o sexo através de sua percepção apenas e começar a enxergá-lo através dos olhos de seu cônjuge.

Se você entender o regulamento de seu cônjuge, praticamente todos os demais aspectos que vamos discutir neste livro vão se ajustar. Ter um sexo conjugal excelente é aprender a amar outra pessoa *da maneira que ela quer ser amada*.

Em segundo lugar, tome a decisão de não mais permitir que as falhas de seus pais afetem sua vida sexual conjugal. Pense em suas inclinações e nas áreas relativas à cama em que você sabe que deixa a desejar e pergunte a si mesmo: "É isso o que eu realmente quero dar ao meu cônjuge? Ou ele merece mais?". Você pode então começar a praticar conscientemente a característica que espera adquirir. A mulher que precisa da toalha sob si deve tentar experimentar uma rapidinha na cozinha, ao menos uma vez. O homem que acha que tem de estar no controle deve deixar sua esposa tomar a iniciativa uma vez. Quando fizer isso, certamente vai descobrir que o mundo não para de girar porque você "quebrou uma regra". Sua mãe não vai chamá-lo, de lá da sepultura, e lhe dar um sermão, dizendo: "Por que é que você não colocou uma toalha?". O pastor de sua infância não aparecerá de repente na cozinha querendo saber por que vocês dois tentaram *aquela* posição. Na verdade, é possível que você descubra que quebrar uma regra pode levá-los a um dos mais agradáveis encontros sexuais que já tiveram nos últimos tempos!

Isso é algo que *você* precisa começar. Seu cônjuge não pode reescrever seu regulamento; é você que tem de fazer isso. Você precisa ser a pessoa que explora o regulamento, que o avalia e, então, faz planos para mudá-lo. Seja honesta, mas firme, consigo mesma: "Sei que isso me deixa desconfortável. Porém, mais do que o meu conforto, valorizo a felicidade do Felipe, de modo que, apenas desta vez, vou ver se consigo ser um pouco mais ousada".

Por fim, você precisa se livrar do passado. A única maneira que conheço de ajudar alguém a fazer isso é reconectar-se ao poder de Deus em sua vida. Se pedirmos perdão, Deus removerá a mancha do nosso pecado e nos perdoará, deixando-nos psicologicamente renovados.

Essa é uma realidade espiritual que tenho visto acontecer muitas e muitas vezes. Na mesma medida em que alguns de meus colegas gostam de menosprezar o cristianismo e a fé religiosa em geral, descobri que esse pode ser o mais poderoso método para lidar com feridas, pecados e cicatrizes psicológicas do passado. Não me entenda mal: não sou cristão porque o cristianismo *funciona*. Sou cristão porque creio que o cristianismo é verdadeiro, mas o fato de que ele também funciona muito bem tem sido de grande auxílio aos meus pacientes e a mim.

Se deseja realmente começar de novo, você precisa se alinhar com os princípios de Deus. Isso significa, primeiro, que, se estiver vivendo com alguém sem que estejam casados, você precisa arrumar a vida para viverem separados. Comecem a namorar de novo, mas mantenham o sexo fora do relacionamento.

Do ponto de vista psicológico, isso é não apenas o ético, mas o correto a se fazer. Hoje em dia, é comum ouvir a expressão "virgens reciclados" — pessoas que um dia foram sexualmente promíscuas (sexualmente ativas, para nossos amigos politicamente corretos), mas que agora decidiram se abster até o casamento. Esse é um modelo bastante saudável a ser seguido por aqueles que perderam a virgindade. Esses casais precisam, para o próprio bem, ver Deus transformando suas vidas com o propósito de construir uma fundação mais forte para seu casamento. Eles precisam experimentar não apenas o perdão de Deus, mas também o poder que ele provê para nos ajudar a resistir à tentação.

Por que isso é tão importante? Deixe-me colocar a questão da seguinte maneira: as chances de sobrevivência de seu casamento se baseiam no seu nível de autocontrole e no de seu cônjuge. Certa vez aconselhei um jovem casal a parar de fazer sexo até que se casassem, e o rapaz respondeu com naturalidade:

— Não sei se consigo ficar três ou quatro meses sem sexo. Se Simone e eu deixarmos de fazer sexo, posso ser tentado a procurá-lo em outro lugar.

Sem nem sequer piscar, virei-me para aquela moça e disse:
— Se ele não consegue manter as mãos longe de você ou de qualquer outra mulher por três meses por falta de disciplina, que esperança pode haver depois que vocês se casarem e ele estiver trabalhando cinco dias por semana, enquanto você fica em casa cercada por filhos pequenos?

As coisas que Deus pede de nós como homens e mulheres solteiros são exatamente as mesmas que constroem em nós as qualidades de caráter de que precisamos como maridos e esposas. Se sabotarmos o processo, traímos a nós mesmos e entramos no casamento sem que estejamos devidamente preparados para um relacionamento feliz e duradouro. Quanto mais converso com casais, mais me convenço de que Deus sabia o que estava fazendo quando prescreveu abstinência de sexo antes do casamento e muito sexo de qualidade depois.

Além de tudo isso, existe de fato um enorme poder purificador em saber que Deus o perdoou por aquilo que você fez. Entretanto, também preciso delicadamente lembrá-lo de que, embora Deus remova a mancha, ele nem sempre remove as consequências. A realidade para muitos dos leitores é que, embora tenham sido perdoados, eles precisam ser como o alcoólico, cuja doutrina é "um dia por vez". Se você feriu sua alma ao entregar seu corpo a muitos amantes, isso significa que precisará de terapia emocional, espiritual e relacional.

Como tudo na vida, será necessário prosseguir mediante pequenos sucessos. Se tiver lembranças de antigos parceiros sexuais, você precisará aprender, caso a caso, como desviar a atenção de volta para seu cônjuge (falarei mais sobre isso daqui a pouco). Você armazena forças ao aprender a dizer não quando quer dizer sim. Quanto mais fizer isso, mais forte se tornará, e mais autocontrole terá.

Uma vida disciplinada é uma vida alegre, porque, quando internaliza limites, você se protege das coisas que trazem maior dor à sua vida, ao seu casamento e à sua atividade sexual. Imagine-se envolvido em paixão com seu cônjuge e, de repente, outra pessoa lhe vem à mente, estragando uma sessão muito especial de amor.

Essa é a maior lástima. Uma trilha de atitudes sexuais tende a nos seguir. Algumas pessoas possuem tanta bagagem surrada em seu eu psicológico e sexual, tantas pequenas etiquetas com nomes que nunca foram completamente arrancadas, que fica muito difícil não comparar esse homem ou essa mulher que você ama e respeita profundamente com alguém com quem você se envolveu numa noite, muitos anos atrás.

Uma vez que, infelizmente, isso se tornou tão predominante em nossa sociedade, vamos conversar mais sobre como lidar com seu passado sexual.

SEU PASSADO SEXUAL: COMBATENDO AS LEMBRANÇAS

Gostaria de poder dizer que você não precisa se preocupar caso seja sexualmente ativo, pois pode voltar a ser como virgem de novo. Mas se eu dissesse isso, estaria mentindo. Deus vai perdoá-lo, seu cônjuge pode aceitá-lo. Mas, se você já teve uma experiência sexual anterior, é muito mais saudável ser realista. Um "virgem reciclado" ainda traz mais bagagem para o leito conjugal do que um virgem de verdade. Existem razões para Deus pedir que reservemos o sexo para o casamento, e há consequências por ultrapassarmos essa linha.

Para começar, você pode ter lembranças. Para quem já teve outros relacionamentos na vida, as memórias sexuais são um fenômeno natural. Infelizmente, elas podem causar interferência numa vida sexual conjugal sadia. Vários pacientes já me confidenciaram que as lembranças eram um problema significativo, particularmente para aqueles que tiveram uma criação rígida e que não corresponderam a ela. Para as mulheres, a culpa pode ser insuportável em alguns momentos. Ela está fazendo amor com o marido quando, de repente, um ex-namorado lhe vem à mente. Uma vez que o sexo é uma experiência bastante emocional para as mulheres, uma lembrança as priva do significado da relação e lhes rouba o momento.

Os homens, em contrapartida, tendem a comparar as reações físicas, e suas lembranças mais provavelmente se baseiam em comparação. E se uma antiga namorada sabia como tocar em você de uma maneira particularmente satisfatória? E se sua esposa estiver preocupada em não conseguir corresponder à altura? E quando ela toca no assunto, pode dizer que, por enquanto, não chegou perto de agradá-lo como a outra mulher costumava fazer? A dor de tal percepção é bastante profunda. Homens que têm experiências sexuais anteriores também podem ter dificuldades para valorizar a conexão emocional do sexo conjugal, uma vez que eles estão focados mais especificamente no prazer físico.

Não é fácil, mas você precisa começar de novo, e isso significa permitir que seu cônjuge comece de novo também. Lembre-se do que falamos antes: assim que você pediu perdão, Deus o perdoou. Percebo que é fácil ter esse entendimento, mas nem sempre é fácil aceitá-lo emocionalmente. Se eu soubesse como afastar pensamentos, não seria psicólogo: seria mágico! As coisas que desejamos reprimir e nas quais desejamos não pensar, normalmente, são aquelas que nos vêm à mente nos momentos mais impróprios.

Aqui está um pequeno truque: assim que tiver aquela lembrança, comece a conversar com seu marido, dizendo quanto o ama, quanto quer satisfazê-lo, o que ele significa para você ou quão excitada você se sente. Se essa última informação não for verdadeira, pegue as mãos dele e o ajude a agradá-la, de modo que todos os seus pensamentos e palavras conscientes se concentrem nele em vez de pensar em outra pessoa.

Em outras palavras, sua tarefa é reaprender como ter o melhor sexo possível com seu cônjuge. Toda vez que qualquer lembrança se intrometer em sua vida sexual atual, tente tornar o relacionamento sexual com seu cônjuge ainda mais satisfatório. Você se livra do velho ao se concentrar no novo. Esta é uma escolha consciente: "Não vou me concentrar naquela lembrança; em vez disso, vou fantasiar sobre como fazer meu cônjuge gritar de prazer".

O sucesso dessa medida depende em parte da extensão do dano. Você pode ficar sem escovar os dentes de vez em quando, mas se negligenciar seus dentes por meses ou anos, acabará com gengivite. Se, no momento em que descobrir a doença, você de repente decidir que será o melhor passador de fio dental da vizinhança e começar a escovar os dentes depois de cada refeição, talvez consiga impedir infecções futuras, mas ainda assim precisará se recuperar do dano anterior.

É como um fumante que para de fumar. Como eu mesmo sou um ex-fumante, sei que sou muito mais saudável agora que não acendo um cigarro há mais de 35 anos. Mas embora eu seja muito mais saudável por ter parado, estaria muito melhor se nunca tivesse posto um cigarro na boca pela primeira vez.

CONTAR OU NÃO CONTAR?

Ao lidar com o passado sexual de um casal, a primeira pergunta que normalmente surge na sala de aconselhamento é: "Quanto do nosso passado devemos revelar?".

Minha resposta é: "O menos possível".

Seu cônjuge merece saber se está se casando com alguém virgem; também tem o direito de saber se você dormiu com apenas uma pessoa, ou se a sua promiscuidade os coloca na cama com múltiplos parceiros. Seu cônjuge tem esse direito, porque isso pode afetar a decisão dele de casar-se ou não com você — e com razão.

Entretanto, entrar em detalhes traz mais problemas que soluções. Falando de modo geral, *não conte segredos sexuais do passado*. A única coisa que isso provoca é insegurança; de repente, a conversa muda de "Quero saber tudo sobre você" para algo muito, muito mais feio: "O que você quer dizer quando fala que fez três vezes numa noite?"; "Achei que a ideia da banheira fosse nossa!". Preste atenção: se Deus quisesse que soubéssemos o que todo mundo está pensando, teria nos feito com uma testa de vidro. É um presente para seu cônjuge deixar algumas lembranças morrerem no passado e continuarem apenas com você.

Uma abordagem muito mais sadia é apenas fazer uma confissão como: "Olha, querida, há algumas coisas no meu passado que eu simplesmente não gostaria que estivessem ali", e deixar por isso mesmo. Contar qualquer detalhe ("Não tivemos relação, mas realmente passamos do limite naquela noite...") é um pedido claro para ter problemas. Somente confesse: "Você não está se casando com alguém virgem. Eu gostaria, de verdade, que estivesse, mas não está".

Se o parceiro insistir, use a mim como desculpa: "Um psicólogo que conheço sugere que o mais saudável para nós dois é que compreendamos que estamos nos casando com pessoas imperfeitas, com passados imperfeitos. Vamos começar do zero e construir o melhor casamento que pudermos, sabendo que, deste ponto em diante, o sexo é algo que será compartilhado exclusivamente entre nós — e quero lhe dar a melhor vida sexual possível".

Em seguida, recomendo que vocês passem um tempo considerável conversando sobre como será maravilhoso quando finalmente se casarem. A seguir você lerá a carta que uma jovem escreveu para seu noivo apenas seis semanas antes de se casarem. Ao contrário dela, ele tivera experiência sexual, e ela notou a ansiedade dele para saber se ela seria sexualmente responsiva no casamento, especialmente porque, via de regra, era ela quem batia o pé para que eles não fossem longe demais.

A coisa maravilhosa nesta carta é a maneira como a noiva ajuda seu futuro marido a esperar pela intimidade sexual, ao mesmo tempo que cria expectativas para o leito conjugal.

Querido futuro marido

Feliz aniversário! Já se deu conta de que hoje faz exatamente dois anos que nos conhecemos? Tenho de confessar que jamais imaginei que pudesse encontrar um homem com quem me sentisse tão completamente à vontade como me sinto com você. Durante anos lutei com a ideia de que algum dia teria de me casar simplesmente porque essa era a coisa a se fazer. Nunca falei a ninguém sobre isso, mas jamais consegui entender por que alguém desejaria fazer sexo — até que encontrei você. Agora, tudo que posso fazer é manter minhas mãos longe do seu corpo!

Você fez brotar e despertou toda feminilidade que eu havia sepultado no fundo do meu coração. Você me fez querer ser a mulher que me tornei hoje. Quando me olha com aquele ar maroto, você faz meu coração sorrir e palpitar. Eu praticamente derreto de amor por você e o desejo muito.

Daqui a seis semanas, serei sua esposa. Nos dias de hoje, quando todo mundo tem de "se encontrar", mal posso esperar para ser uma parte de você. A ideia de ser sua esposa me deixa animada e orgulhosa. O que torna tudo isso ainda mais especial é que você se esforçou bastante para nos manter puros. Acho que nunca lhe disse isso de verdade, mas para mim é muito difícil não querer tocá-lo inteiro. Preciso admitir: às vezes me pego fantasiando, eu, totalmente nua, enrolada em seus braços, e nós dois entregando-nos inteiramente um ao outro. Pense nisto: temos apenas seis semanas mais de espera e esse sonho se tornará realidade! Agora você já sabe, eu não pretendo reter nada, de modo que espero que esteja pronto!

Mas quero agradecer-lhe, do fundo do meu coração, por você ser tão disciplinado e por me amar da maneira como me ama, de modo que podemos entrar em nosso casamento com o começo mais positivo e sadio possível. Não consigo lhe dizer quanto seu amor significa para mim, e como você mudou toda a perspectiva que eu tinha sobre a vida. Nunca pude me imaginar desejando me entregar a um homem da maneira como quero me dar a você (você deve estar sorrindo neste momento enquanto lê esta mensagem). Amo você completamente.

Sua para sempre,

Anne

Que carta maravilhosa e que grande exemplo de como uma mulher pode dizer a um futuro marido um pouco impaciente como ela está ansiosa por explorar as delícias da intimidade sexual, ao mesmo tempo que também reforça a importância de esperar.

Alguns dos leitores casados podem ter percebido que, por conta de seu regulamento ou de seu passado sexual, não entregaram uma parte de si mesmos ao cônjuge. Você não entregou o corpo a seu cônjuge da maneira que esta mulher está prometendo entregar-se a seu futuro marido. Talvez você esteja sendo condescendente, mas não desejoso. Você sabe que não está investindo o tempo e a energia que seu marido ou esposa merece. Você permitiu que sua intimidade sexual diminuísse e, francamente, você considerou que o compromisso e a fidelidade de seu cônjuge eram favas contadas.

Posso lhe sugerir que escreva uma carta semelhante? Verifique o que você está retendo, peça perdão a seu cônjuge e então lhe diga o que espera fazer. Não deixe o passado ditar seu futuro. Seu Criador quer que você tenha uma vida sexual estimulante e plena. Com o perdão dele e um pouco de esforço da sua parte para encarar seu passado com honestidade, você *pode* mudar seu regulamento. Você *pode* se tornar o tipo de amante que deseja ser e que sabe que seu cônjuge merece.

O que está esperando?

CAPÍTULO 3

Agite, rale e role!
Porque vale a pena buscar uma boa vida sexual

Diga-me uma coisa: o que seria do filme *Tubarão* sem aquela música ameaçadora? *Tum-dum, tum-dum, tum-dum*. Você acha que ele seria tão assustador?
 Acho que não.
 Imagine *Star Wars* sem aquela composição triunfante tocando quando Luke Skywalker derrota a Estrela da Morte e salva a galáxia. Acho que não seria tão eletrizante, não é?
 Ou tente imaginar aqueles caras correndo atrás das medalhas de ouro em *Carruagens de fogo*. Pessoas correndo em câmera lenta, sem música para definir o clima, não seria uma boa receita para um Oscar, em minha opinião.
 Todos esses filmes de grande sucesso tinham um bom enredo, bons atores e um diretor bastante competente — mas nenhum deles seria igual sem a trilha sonora. É claro que a música sozinha não seria suficiente, mas ela ainda é um elemento vital e essencial para um filme de sucesso.
 O sexo é isso para o casamento. Vocês podem ser casados e não fazerem sexo. Podem ainda conversar durante o jantar, celebrar as festas e, caso adotem, criar filhos. Vocês podem trocar presentes de aniversário, ter conversas íntimas e, numa emergência, até mesmo compartilhar a escova de dentes ou providenciar um urgente e necessário rolo de papel higiênico.
 Mas alguma coisa ainda ficará faltando.

Uma boa vida sexual colore o casamento de cima a baixo. A vida exige que façamos uma série de coisas monótonas. Às vezes minha esposa precisa que eu vá a um mercado para buscar um monte de objetos sem graça — alface, aipo, lâmpadas, leite, e por aí vai. Em outras vezes, porém, vou até uma loja de *lingerie* e compro algo que é qualquer coisa, menos sem graça.

Em outras ocasiões, Sande precisa de mim para descobrir por que os freios rangem e chiam e fazem todo tipo de barulho esquisito quando ela dirige o carro. Mas em ocasiões ainda melhores, preciso descobrir o que faz minha esposa suspirar e gemer!

Às vezes, Sande quer que eu tire a decoração de Natal (e depois, acredite se quiser, espera que a coloque de volta apenas seis semanas depois!) ou que tire o lixo. Mas em momentos muito melhores, eu tenho de tirar as roupas que ela está vestindo. Adoro esse trabalho!

Pense nisto: as coisas mais entediantes ocupam 90% da vida, tais como trocar fraldas, limpar incontáveis respingos, pagar as contas, colocar combustível no carro. E muitos homens e mulheres precisam trabalhar em empregos mortalmente chatos: verificar comida no mercado, colocar telhas no telhado ou somar o mesmo grupo de números. Já cheguei a conversar com advogados e dentistas experientes que estavam cheios até os olhos de sua profissão, mas os compromissos financeiros insistiam que eles deveriam continuar.

Neste mundo de obrigação e responsabilidade, Deus jogou algo absolutamente fabuloso em nosso colo. No final do dia (e, às vezes, no início!), quando terminamos o serviço, as crianças estão na cama e chegamos do trabalho, encontramos nosso cônjuge e podemos nos tocar, nos beijar e trocar carícias de maneira tal que o mundo parece estar a anos-luz de distância. Somos transportados para outro lugar e removidos para outro tempo, e esse é de fato um sentimento glorioso.

Uma vida sexual gratificante é uma das colas conjugais mais poderosas que um casal pode ter. Os filhos são uma "cola" poderosa, assim como valores, fé e sonhos comuns. Mas o sexo é definitivamente uma das mais fortes.

O tipo de sexo sobre o qual estou falando exige um pouco de trabalho e muita disposição — mas os dividendos que ele paga compensam muito o esforço. Se seu marido estiver sexualmente satisfeito, fará qualquer coisa por você. Ele levará um tiro, correrá atrás de um trem e fará o que for necessário para garantir que você esteja bem. E, marido, se sua esposa souber que você vê o sexo como um presente especial a dar a ela, se puder fazê-la sentir coisas que nunca sentiu e se aprender a ser um amante altruísta, sensível e competente, ela vai ronronar como uma gata e se derreterá nos seus braços.

Em geral um homem sexualmente satisfeito é um pai melhor e um empregado melhor. Uma esposa sexualmente satisfeita tem menos estresse e mais alegria em sua vida. O sexo é de importância vital para um casamento saudável.

INSTRUMENTOS DIFERENTES

Você já ouviu uma criança pequena aprendendo a tocar piano? É bem possível que todo mundo já tenha ouvido aquelas "valsinhas" detestáveis que os estudantes iniciantes aprendem, mas a maioria das primeiras músicas é tocada uma nota por vez. Quando a criança passa para níveis mais avançados, aprende a tocar acordes; começa a usar as duas mãos, e duas mãos fazem toda a diferença. O tipo de música que você pode produzir com duas mãos é centenas de vezes mais belo do que aquela que pode criar com apenas uma.

Mais uma vez, o mesmo princípio é válido para o sexo. Um homem e uma mulher são as duas mãos do sexo planejado por Deus. Eles não são iguais; cada "mão" toca notas diferentes. Entretanto, quando trabalham em conjunto, elas podem criar alguns dos mais belos sons jamais ouvidos.

O que desejo para vocês como casal é que haja duas pessoas que estejam sexualmente satisfeitas. Um marido ou uma esposa que faz sexo apenas por obrigação não satisfará seu parceiro. Sim, há momentos em que o sexo vai parecer uma obrigação — pelo menos inicialmente —, mas se isso acontecer *sempre*, não será gratificante no sentido ao qual estou me referindo.

Uma vez que o sexo de fato exige algum trabalho, deixe-me dizer-lhe por que é um trabalho que *vale a pena*. Falarei primeiramente à mulher. Vejam por que é benéfico ter um marido sexualmente satisfeito.

Esposa: por que fazer o maridão feliz
1. Um marido sexualmente satisfeito fará qualquer coisa por você.
O sexo é uma necessidade tão básica para os homens que, quando essa área da vida deles está bem cuidada, eles sentem imensa apreciação e agem de acordo com isso. Um homem sexualmente satisfeito é o tipo que dirige para o trabalho pensando: "Sou muito feliz por ter me casado com aquela mulher. Devo ser o homem mais feliz do mundo!". E que, depois, volta para casa pensando: "O que posso fazer de especial para minha esposa nesta noite?". Se você deseja esse tipo de lealdade e reconhecimento, satisfaça as necessidades sexuais de seu marido; nenhuma outra necessidade gera gratidão tão profunda. Em vez de se ressentir diante de pedidos para passar no mercado ou dar uma olhada numa torneira que pinga, um homem sexualmente satisfeito vai pular da cadeira

com entusiasmo. Em vez de ser frio e distante durante as conversas, ele desejará ouvir o que você tem a dizer.

Algumas esposas que estão lendo isto podem estar pensando assim: "Já tentei isso, mas não funcionou". Tal resposta me mostra que houve um completo desentendimento a respeito do que eu disse. Não se pode simplesmente "tentar" isso; essa atitude precisa se tornar um modo de vida. Uma boa hora de sexo deixará um homem agradecido — por um tempo. Mas se for desprezado nas próximas cinco vezes em que procurá-la, ele pensará nas cinco rejeições, não naquela noite especial.

Por conta da constituição química do homem, o sexo se parece com uma necessidade para a maioria de nós, e quando uma mulher satisfaz essa necessidade, com graça e avidez, ficamos muito agradecidos. Quando a mulher usa a necessidade do homem para manipulá-lo, ele se ressente. Quando ela usa a necessidade masculina para puni-lo, ele costuma ficar amargo.

Para a maioria dos homens, a satisfação dessa necessidade sexual é o básico que eles procuram em sua esposa. Você pode ser a melhor cozinheira, uma mãe excelente e ter uma conversa extremamente agradável, mas se não pensar no ato de fazer amor ou não se dedicar a isso, seu marido provavelmente se sentirá desapontado. Em contrapartida, se você der a seu marido uma vida sexual estimulante, poderá se surpreender com a pouca importância que ele dará a outras coisas que estejam faltando.

2. Um marido sexualmente satisfeito é um mandamento bíblico.
Certa vez, tarde da noite, Sande me pediu para ler a Bíblia para ela. "Claro, meu bem", disse eu. "É um prazer fazer isso."

Ela ficou um pouco surpresa com meu entusiasmo, mas, puxa, tenho a obrigação de ser o líder espiritual, não é? Estava levando meu papel a sério.

Abri a Bíblia aleatoriamente:

> O marido deve cumprir os seus deveres conjugais para com a sua mulher, e da mesma forma a mulher para com o seu marido. A mulher não tem autoridade sobre o seu próprio corpo, mas sim o marido. Da mesma forma, o marido não tem autoridade sobre o seu próprio corpo, mas sim a mulher. Não se recusem um ao outro, exceto por mútuo consentimento e durante certo tempo, para se dedicarem à oração. Depois, unam-se de novo, para que Satanás não os tente por não terem domínio próprio.

1Coríntios 7.3-5

Se você se diz cristã e se está comprometida em obedecer ao que a Bíblia ensina, então precisa aprender a cumprir as obrigações sexuais dentro do casamento. Não quero aparentar ser um acadêmico bíblico, mas essa passagem é suficientemente clara, a ponto de eu poder apresentar-lhe a "tradução Leman": uma coisa que Paulo está nos dizendo é que ele quer que façamos isso. E se quisermos parar para orar, tudo bem. Depois, vem aquilo que eu amo nesse grande santo da igreja: ele quer que façamos de novo!

A tradução de C. K. Barrett é igualmente forte. Em vez de algo polido como "não se recusem um ao outro", conforme apresentado na Nova Versão Internacional transcrita acima, Barrett traduz o trecho do grego como "não *roubem* um ao outro".[1] Ora, homens podem roubar mulheres e vice-versa; a obrigação é de ambas as partes. Mas o resumo é este: dizer ao seu cônjuge: "A loja está fechada", ou até mesmo: "Você pode comprar os itens desta prateleira, mas não daquela" é menos que cristão.

Ora, se eu fosse falar com seu marido, faria que ele se lembrasse de que uma das melhores frases bíblicas de todos os tempos é "O amor [...] não procura seus interesses" (1Co 13.4-5). Quando um cara tenta usar 1Coríntios 7 para conseguir que sua esposa faça alguma coisa pervertida ou desagradável a ela ("Querida, você precisa fazer sexo anal se eu quiser" ou "Você precisa engolir"), faça-me o favor! *Não* é isso que Paulo está dizendo. Assim como nos diz que temos obrigações sexuais dentro do casamento, no mesmo livro, ele insiste que o amor não busca seus próprios interesses. Em resumo, homens, vocês não devem forçar, *nunca*.

O casamento é um exercício de submissão mútua. Precisamos ser realistas, é claro. Reconhecidamente, há momentos em que ponho a cabeça no travesseiro à noite, pensando em sexo, e o mesmo acontece a Sande; mas acordamos na manhã seguinte e percebemos que nada aconteceu. Sim, há momentos em que você está cansada demais para uma farra; mas se você for a única parte cansada demais, talvez se disponha ao sexo de qualquer jeito, porque sabe que fazer isso vai agradar seu cônjuge.

O que eu gosto muito em 1Coríntios 7 é que Paulo remove completamente o argumento religioso (como se alguém pudesse usar Deus para evitar o sexo) e dá a volta, dizendo aos casais casados: "Se realmente amam a Deus, você farão sexo!".

Sou muito franco com casais quando estou falando sobre isso. Se você de fato ama seu cônjuge e ele de fato deseja seu corpo, você está sendo egoísta se o retiver. Não quer dizer que nunca somos egoístas, pois todos nós o somos de vez em quando, mas não é possível fazer um casamento crescer assumindo uma atitude egoísta por um longo período de tempo. Em algum momento, o egoísmo vai matar a união.

Uma esposa sintonizada com as necessidades e desejos de seu marido pode de fato ajudá-lo a viver uma vida santa. Enquanto escrevia este livro, conversei com um casal cujo marido enfrentou dificuldades por muitos anos com o vício em pornografia. Embora a pornografia esteja ligada a questões mais profundas — isolamento, solidão, incapacidade de se conectar emocionalmente com outras pessoas, para citar apenas algumas delas —, ela pode ser uma luta adicional para um homem caso sua esposa não se interesse por sexo ou não se disponha ao ato sexual. O período mais difícil para aquele homem acontecia durante a menstruação da esposa, porque ela ficava indisponível sexualmente para ele. Depois de cerca de dez anos, ela finalmente percebeu que agradar seu marido com sexo oral ou com um simples "trabalho manual" fazia maravilhas para ajudá-lo durante aquele período difícil. Ela percebeu que a fidelidade é uma via de mão dupla. Isso não significa que um marido possa escapar da culpa por usar pornografia apontando para uma esposa não cooperadora — fazemos nossas próprias escolhas —, mas uma mulher pode contribuir muito para que seu cônjuge mantenha a pureza mental.

Aqui está um cenário comum: o marido acorda cedo de manhã com uma incontestável evidência física de que o Sr. Feliz está mais do que pronto para "dançar". Ele olha para o lado, e lá está sua esposa, dormindo candidamente. Com uma rápida olhada no relógio, ele percebe que são 6h15 e que só precisa levantar às 7 horas.

Quanto mais pensa nisso, mais fascinante se torna a ideia do sexo. "Quarenta e cinco minutos!", diz ele a si mesmo. "Cara, o que eu poderia fazer nesse tempo!".

Ele então começa a comunicar-se de uma maneira que só um homem consideraria eficiente: ele cutuca a esposa com a ponta do pé, na esperança de que ela entenda a dica. Quando isso não funciona, ele pode se tornar mais direto e apertar um dos seios dela, absolutamente convicto, mesmo depois de quinze anos de casamento, veja você, de que esse apertão vai transformá-la numa ávida gata sexual: "Oh, querido, esperei a noite inteira que você me acordasse agarrando meus seios com toda força!". Ou — a minha favorita — ele olha para a mulher que tem os dois olhos fechados e que está roncando feito uma jumenta e pergunta em voz alta: "Amor, você está dormindo?".

Cada homem tem seu próprio protocolo, mas o mais comum é que sejam necessários apenas três ou quatro irritantes cutucões ou empurrões antes que sua esposa relinche como um cavalo com um carrapato embaixo da sela, gritando: "O que você pensa que está fazendo?! Ainda tenho 45 minutos para dormir!".

Às vezes a esposa pode ser menos enérgica: "Ainda não escovei os dentes. Você certamente não quer me beijar assim!".

Querida, ele quer fazer muito mais do que beijar!

Se o casamento é egoísta, o homem ouvirá todo tipo de defesas: "Vamos acordar as crianças.", "Estou cansada.", "Você é viciado em sexo?".

Se o casamento é altruísta, mas não gratificante, a esposa pode concordar sob algumas condições e com todo o entusiasmo de alguém que esteja lendo a lista telefônica. Ela se torna um receptáculo sexual, mas apenas isso.

Se o casamento é gratificante, um verá o lado do outro. O homem pode perceber que o sono é necessário para sua esposa e, porque a ama, deixará que ela continue dormindo — apenas para procurá-la sexualmente mais tarde. Ou a esposa pode decidir sacrificialmente que entregar seu corpo, com alegria, ao marido é mais importante do que aqueles minutos a mais de sono precioso — por causa dos benefícios ao relacionamento.

Alguns desses interlúdios, ainda que às vezes comecem agitados, podem de fato terminar sendo grandiosos, caso haja tempo suficiente para que as coisas aconteçam. Em muitos casamentos, porém, quando um cônjuge é rejeitado, as sementes de amargura são plantadas no relacionamento até o ponto em que, mais tarde, naquele mesmo dia, a esposa pede ao marido que leve a mãe dela para fazer compras e ele diz:

— Não, não posso.

— Por que não? Você está só assistindo ao jogo.

— Estou ocupado.

— Você não parece ocupado.

— Não importa o que pareço; estou ocupado. Se sua mãe precisa fazer compras, por que você não a leva?

O que está acontecendo aqui?

É um efeito retardado. É obviamente uma agressão verbal, mas isso acontece o tempo todo. O marido pensa: "Se ela me rejeita, vou rejeitá-la também".

Lemos em Provérbios 13.12 que "a esperança que se retarda deixa o coração doente". Diga-me: qual era a esperança para o seu casamento? Como você achava que ele seria? O que você acha que seu cônjuge esperava? Se essas esperanças são descartadas sem pensar, o coração do cônjuge termina adoecendo. Já vi isso acontecer muitas e muitas vezes: casais jovens e felizes veem lentamente a afeição um dia alegre ser enterrada por completo por pás e mais pás de amargura e ressentimento. Os dois se tornam mesquinhos em vez de bondosos, egoístas em vez de generosos. E, francamente, tornam miserável a vida um do outro.

Quando as esperanças de um homem são desprezadas com regularidade, no fim das contas, a ira, a hostilidade e o ressentimento predominarão naquela casa. Certamente, muitos de nós temos esperanças irreais que precisam ser questionadas — para ser franco, eu achava que teria sexo todas as noites em meu casamento, e não foram necessárias muitas noites para descobrir que isso não aconteceria! Por isso é tão importante conversar sobre suas expectativas e esperanças com seu cônjuge — antes do casamento, assim como no início e durante toda a relação conjugal. Essa é a única maneira de descobrir quais necessidades são irreais e quais são legítimas para vocês como casal. Esperanças legítimas não devem simplesmente ser deixadas de lado; se elas azedarem, vão infectar todos os aspectos de seu relacionamento.

3. *Um marido sexualmente satisfeito se sentirá bem em relação a si mesmo.*

Muito do que um homem é está ligado à maneira como sua esposa responde a ele sexualmente. Embora isso possa surpreender algumas esposas, eu, como psicólogo, creio que todo homem saudável quer ser o herói de sua mulher. Ele quer ser como o grande maestro, já falecido, Arthur Fiedler[2], conduzindo sua esposa a um crescendo de êxtase. Enquanto se delicia ao vê-la experimentando um orgasmo intenso, ele vai contemplá-la e pensar: "Eu fiz isso para ela, muito obrigado".

Ele pode não ser o chefão no trabalho, pode não ter o carro mais rápido, pode estar perdendo o pouco que tinha no início, pode estar perdendo cabelo e ganhando barriga, mas se sua querida o ama o suficiente para, de vez em quando, deixar alguns arranhões em suas costas no calor da paixão, ele ainda se sentirá como o rei do mundo. Por quê? Porque ele pode agradar sua mulher. Não existe um marido neste planeta que não deseje saber que pode fazer sua esposa ficar louca na cama.

Em contrapartida, se você quiser enfraquecer um homem, o quarto é certamente o melhor lugar para fazer isso. Chame-o de viciado em sexo. Ridicularize seu jeito de fazer amor. Aja como se não houvesse nada que ele possa fazer para excitá-la. Mas, se você fizer isso, cuidado. Ele encontrará uma maneira de atacá-la de volta. Sim, ele encontrará uma maneira. Acredite em mim.

4. *Um marido sexualmente satisfeito trabalhará com vigor e propósito incomparáveis.*

Em um clima de demissões e de medo de perder o emprego, uma vida sexual gratificante equivale a ligar seu marido a um recarregador de bateria. Toda vez que vocês fazem sexo — e que seu marido percebe que você o deseja fisicamente — sua bateria é recarregada. Ele enfrentará o mundo, ou aquele chefe insuportável, ou aquele difícil desafio profissional, ou aquele mercado aparentemente fechado mais uma vez. Vinte empresas podem tê-lo rejeitado, mas se o homem tem uma esposa amorosa em casa, ele levantará no dia seguinte para visitar outras vinte.

Sexo é energia para o homem. Gera confiança dentro dele e cria um senso geral de bem-estar. Ele reúne força para perseverar num trabalho insatisfatório porque está sintonizado com aqueles a quem ama — há propósito para o seu trabalho, e uma recompensa no final do dia.

Os homens obtêm muita satisfação em serem provedores de sua família. Naturalmente, hoje em dia, um grande número de mulheres também trabalha fora de casa, mas não creio que elas experimentem o mesmo contentamento por trazer um salário para casa como acontece com a maioria dos homens. Claro que há exceções, mas a maioria vê o trabalho fora de casa como um esforço necessário para ajudar a família.

5. *Um marido sexualmente satisfeito aprecia as coisas importantes da vida.*

Os homens se enquadram em duas categorias: centrados em casa ou centrados em coisas fora de casa. O homem centrado em coisas fora de casa pode encontrar sua satisfação em trabalhar muitas horas, ou ir a bares e beber com seus amigos. Alguns podem até mesmo fugir para a igreja. Se um homem estiver deixando sua esposa e filhos para ficar no trabalho, no bar ou na igreja, ele é centrado em coisas fora de casa.

Se um homem é centrado em casa, isso provavelmente acontece porque a rainha está mantendo o rei bastante feliz. O lugar de um homem é em casa. Muitos anos atrás, as pessoas costumavam dizer que o lugar da mulher era em casa. Elas se ofendiam profundamente, mas creio que os homens pertencem ao mesmo lugar tanto quanto as mulheres! Um homem pode ter muitos chefes fora de casa; dentro de casa, porém, ele tem a chance de exercer autoridade bondosa e receber o devido respeito. Todo homem saudável precisa de um bom lar.

Minhas viagens costumam exigir que eu fique longe de casa, mas sou um homem muito caseiro. Mal posso esperar para voltar e, quando estou fora, ligo com tanta frequência que às vezes deixo Sande maluca: "Olha, Lemey", diz ela, "você pode estar viajando, mas eu tenho algumas coisas para fazer por aqui!". Um dia dos sonhos para mim é estar em casa, andando à toa, sem nada para fazer. Simplesmente adoro estar ali. Não consigo nem conceber a ideia de querer estar em outro lugar.

Se um homem se concentra em outra coisa que não seja seu lar, ele sempre precisará sair para recarregar suas baterias. Só voltará para casa com relutância e, quando estiver ali, sua mente estará em algum outro lugar. Ele agirá como se estivesse ressentido por estar em casa, e perderá a paciência com pessoas que o "perturbam" quando ele está lá. Sua esposa e filhos receberão somente migalhas, nunca a melhor parte.

Quando o homem é centrado em casa — em grande parte porque, lá, ele se sente amado, querido e aceito por ser quem é, e porque tem uma esposa que quer agradá-lo — ele faz qualquer coisa para fortalecer o lar, porque esse é seu universo mais importante. Ele não pensará duas vezes quanto a sacrificar o prestígio no escritório para estar em casa para o jantar; não permitirá que a cara feia do chefe o impeça de assistir ao jogo do filho ou o force a chegar em casa tarde demais para colocar as crianças na cama. Ele garantirá que os reparos necessários sejam feitos na casa, porque um lar saudável é importante para ele — mais importante que qualquer outra coisa, exceto, talvez, sua fé.

Algumas esposas devem estar lendo isso e pensando: "Por que o *meu* marido não é centrado no lar?". Você quer culpá-lo, mas deixe-me inverter os papéis: Você o procura sexualmente? Ele tem razões para acreditar que suas necessidades e desejos sexuais serão satisfeitos de maneiras criativas e às vezes espontâneas? Em outras palavras, você está transformando o lar num lugar mais agradável para o qual ele possa voltar?

Se estiver fazendo isso, seu marido desejará investir tempo e energia para que você se sinta sexualmente satisfeita.

Marido: faça sua esposa ronronar
1. É melhor olhar.
Vamos encarar a realidade, companheiro: nosso estado mais natural e decaído nos tenta a que nos tornemos *voyeurs*. Essa é, por assim dizer, a inclinação do nosso gênero. Os homens compram a esmagadora maioria do material pornográfico. As mulheres raramente ligam para telefones de disque-sexo, pagando três dólares por minuto, para ouvir um homem lhes falar coisas sujas. Por quê?

Homens gostam de assistir.

Contudo, existe um lado saudável nisso. Somos feitos para olhar *uma mulher em particular*, não todas as mulheres em geral. Nosso Criador nos formou de uma maneira tal que ficamos tão excitados em ver nossa esposa chegando ao orgasmo quanto quando nós gozamos. É por isso que a pornografia ou a prostituição nunca satisfarão a alma de um homem. Eles, em sua maioria, sentem-se diminuídos e envergonhados depois de uma experiência sexual solitária — no fundo do coração, não queremos apenas *ser* satisfeitos, queremos satisfazer nossa esposa. A melhor realização vem de realizar outra pessoa, não em ser realizado. E isso é algo que a pornografia, o disque-sexo, as danças eróticas ou a prostituição nunca poderão lhe dar.

Se você caiu na sarjeta da pornografia de qualquer tipo, invista todo tempo, esforço e recursos na construção de um relacionamento sexual saudável com sua esposa. Aprenda a desfrutar do sexo ao assistir sua esposa tendo o melhor momento de sua vida.

"Mas, dr. Leman", alguns podem protestar, "o senhor não entende. Falar sobre as necessidades sexuais de minha esposa é um absurdo — ela não sente falta!".

Em um capítulo mais à frente discutiremos o problema da falta de libido, tanto da parte de homens quanto de mulheres, mas, por ora, deixe-me sugerir apenas uma possibilidade: Você enxerga o sexo como algo que merece e quer, ou vê no sexo uma forma maravilhosa de agradar sua esposa como nenhum outro homem pode fazer?

Pode ser que sua esposa não tenha interesse em sexo da maneira que *você* quer fazer. Mas tem certeza de que ela não quer ter sexo de uma maneira diferente? Você já considerou o fato de que, para ela, o sexo possa talvez significar atitudes suas como lavar a louça e colocar as crianças para dormir, enquanto ela toma um banho de banheira? Ou coisas como você passar um creme nos pés dela depois do banho, talvez ler para ela, ou conversar sobre o dia dela? E, meu caro, não estou falando para fazer isso apenas uma vez, esperando por uma noite em um milhão para transformar sua esposa sexualmente! Isso precisa se tornar um estilo de vida a fim de que sua esposa se sinta descansada e reconhecida o suficiente para se abrir mais em termos sexuais.

Aprenda a encontrar a *sua* satisfação no orgasmo de sua esposa, e você transformará sua vida amorosa. Em vez de fazer do sexo algo que você exige, tente fazer dele algo que você oferece. Para realmente oferecer algo que seja convidativo, é preciso que isso se torne sedutor *para sua esposa*. Descubra o que a faz ronronar, e corra atrás disso.

2. Quem está ganhando o casamento?

Algumas vezes, marido e mulher se sentam no meu consultório e iniciam uma briga violenta. Permito que eles prossigam até que eu possa pontuar e, então, pergunto: "Digam-me, quem está ganhando o casamento?".

De vez em quando, recebo um olhar confuso: "Do que esse cara está falando?". Na maioria dos casos, porém, eles sabem do que se trata. O que realmente estou lhes perguntando é: "Quem está levando vantagem?".

Então, prossigo: "Se alguém está ganhando esse casamento, então vocês dois o estão perdendo, pois matrimônio não é esporte, mas relacionamento".

O controle destrói um casamento, e esse é um ponto em que a maioria dos homens falha. Uma vez que normalmente se espera que o homem seja mais agressivo, é fácil para ele desenvolver uma posição controladora, sendo bastante dominador sexualmente, "provando" sua masculinidade todas as vezes em que tem relações sexuais.

Sabe de uma coisa? Às vezes uma mulher gosta de ser "conquistada", se essa conquista ocorrer em meio a um casamento saudável, amoroso e comprometido. Mas nunca vi uma mulher que deseja que o sexo seja assim o tempo todo, nem mesmo na maior parte do tempo.

Se o sexo se torna um problema no casamento, isso em geral indica um tipo de disputa de poder para definir "quem é o chefe". Os homens são muito adeptos de formas sutis de exercer poder. De fato, uma mulher pode ser "controlada" por um homem que nunca a procura para o sexo. De maneira passiva, ele sempre insiste que a esposa inicie as relações sexuais, de modo que nunca corre o risco de ser desprezado. Na realidade, esse é um ato agressivo de "controle passivo". Ela tem de se aproximar dele *nas condições que ele estabelece*. Inicialmente, essa abordagem não parece ser controladora; de fato, pode parecer bem descontraída. Mas existe um *modus operandi* psicológico em atividade: para que ele tenha um sexo emocionalmente satisfatório, a relação precisa acontecer de acordo com seus termos, com a iniciativa dela.

Um modelo muito mais saudável é o da submissão mútua. Essa talvez seja uma das coisas mais difíceis que discuto na sala de aconselhamento, pois exige que você morra para si mesmo e, se há uma coisa da qual os norte-americanos não querem abrir mão é de si. Temos até mesmo uma revista cujo nome é *Self* [*Eu*, em inglês]! O casamento tem a ver com aprender a colocar as necessidades do outro acima das suas próprias, e isso vai muito além do quarto. O relacionamento conjugal implica fazer com disposição as coisas simples do dia a dia do casal, desenvolver amizade e demonstrar interesse e cuidado um pelo outro.

Se você "vencer" no casamento, perderá na vida. Abra mão do controle. Use sua autoridade para servir, proteger e dar prazer. É para isso que ela realmente serve, meu amigo.

3. Busque sexualmente sua esposa fora da cama.

Sexo bom acontece em tempo integral.[3] Um homem não pode tratar sua esposa como uma escrava e esperar que ela fique ansiosa para dormir com ele à noite. A receptividade sexual de sua mulher será determinada pela disposição com que você a ajuda com a louça, com a lição de casa das crianças ou com a torneira quebrada que pinga a noite inteira.

Alguns homens têm muita dificuldade para entender isso, em grande parte porque removemos o sexo das outras partes de nossa vida. Achamos que o sexo conserta as coisas por si só, mas não é assim que funciona para a mulher. O contexto, a história, o nível atual de proximidade emocional — tudo isso afeta diretamente o desejo e a satisfação de sua esposa nas relações sexuais.

É por isso que passo grande parte de meu tempo tentando ajudar mulheres a se tornarem mais ativas no quarto e tentando ajudar os homens a serem mais ativos nos outros lugares. Se conseguíssemos encontrar um meio-termo nisso, a maioria dos casamentos estaria bem. Um bom amante se esforça tanto fora do quarto quanto dentro dele.

O ATO MAIS ATERRORIZANTE DO MUNDO

A maioria dos homens não percebe quanto uma mulher nua pode se sentir psicologicamente vulnerável. O próprio ato sexual significa que ela está convidando outra pessoa a entrar em seu corpo. Não há nada mais íntimo do que isso.

Pergunte a uma mulher como ela se sente ao ir ao ginecologista. A maioria das mulheres com quem converso detesta essa consulta necessária. Coloque-se no lugar de sua mulher e tente imaginar como seria humilhante se você tivesse de visitar um consultório invariavelmente frio e, então, lhe pedissem para tirar a roupa. Você recebe um avental fino para vestir, com uma tira embaraçosa nas costas, recebe instruções para colocar uma perna em um estribo e a outra perna em outro, de modo a ficar com as pernas abertas, uma na direção noroeste e a outra apontando para o nordeste. Agora você sente como se suas partes mais íntimas estivessem numa vitrine, enquanto um homem totalmente vestido (ou, se você tiver um pouco mais de sorte, uma mulher) entra na sala. Esse é o grau de vulnerabilidade a que se chega.

Ah, sim, eles a cobrem com um lençol branco e fino. Que bom.

Em muitos aspectos, o casamento pode parecer uma visita ao consultório do ginecologista. O relacionamento conjugal pede de nós que tiremos todas as máscaras que usamos para nos proteger das feridas que possam nos provocar.

Os homens temem ser ridicularizados por sua esposa por seus pedidos sexuais; as mulheres ficam em dúvida se o marido vai achar seu corpo desejável. O casamento e a sexualidade conjugal exigem muita confiança. Pessoas que foram feridas pela vida vão manter seus joelhos unidos em termos emocionais.

É por isso que o leito matrimonial costuma ser uma imagem bastante precisa das outras coisas que estão acontecendo no casamento. O grau ao qual um casal pode desenvolver vulnerabilidade um para com o outro termina sendo representado no quarto, para o bem ou para o mal. Se a confiança não for construída, o leito conjugal esfria. Quando a confiança é desenvolvida de maneira amorosa, a paixão conjugal normalmente se aquece. Em contrapartida, o êxito no leito conjugal em geral é reproduzido em outros aspectos do relacionamento; a esposa e o marido são mais bondosos um com o outro e tratam-se com maior respeito.

Quando você aperfeiçoa seu casamento, a regra é que sua vida sexual melhore. Quando melhora sua vida sexual, é normal melhorar o restante do seu casamento. As duas coisas estão intrinsecamente ligadas, de modo que empreender mais esforço em qualquer uma das áreas é um ótimo investimento.

Esposa, você quer um marido que seja um pai melhor? Quer que ele passe mais tempo em casa? Quer que ele a escute com mais atenção? Se a resposta é sim, então trabalhe para que ele se torne mais sexualmente satisfeito.

Marido, quer ter uma esposa com menos estresse, que tenha mais apreciação e respeito por você? Então descubra o que a agrada sexualmente.

Todo casal pode se beneficiar com a melhoria de sua vida sexual. É uma tarefa muito agradável, e, por experiência própria, há poucas coisas que produzem tantos benefícios adicionais.

CAPÍTULO 4

Aprenda a fazer música: a primeira noite e depois

Confissão: eu era tapado como uma porta quando me casei. Não quero que você cometa os mesmos erros que cometi na lua de mel. Se você já é casado, por favor, não pare de ler ainda. Com a leitura, você poderá descobrir que voltar às origens pode de fato lhe render dividendos, mesmo depois de vinte ou trinta anos de casamento.

Para começar, nunca tive um pai que me chamasse de lado e me dissesse que eu deveria levar Sande a um lugar romântico para ficarmos noivos. Não tínhamos dinheiro e, provavelmente, eu não teria condições de bancar a ida a um lugar romântico de um jeito ou de outro. Assim, dei a Sande a aliança de noivado em um pasto atrás da casa de meus pais. Ela aceitou minha proposta cercada de mato, em vez de rosas.

A propósito, em um dia de verão no Arizona em que as cobras dominavam o matagal:

— Querida, você quer se casar comigo?

— Claro que sim!

Então sons de coisas se movendo vieram do mato.

Morro de vergonha quando penso em nossa noite de núpcias, quando Sande e eu começamos a "fazer aquilo". Tive muita sorte de Sande não ter fechado a porta do quarto no Travelodge [rede de hotéis norte-americana que oferece diárias a preços populares], dizendo que voltaria para casa.

Sim, ficamos em um Travelodge em nossa primeira noite, mas era um Travelodge legal — custou-me 12 dólares por noite, mais taxas!

Sabe, ninguém me falou patavina sobre levar Sande a um hotel de luxo. Ninguém me disse que não se passa a noite de núpcias em Yuma, Arizona. Você imagina como as noites de agosto são quentes em Yuma? Perto do calor que faz lá, o inferno se parece com a Sibéria, no meio do inverno.

Além disso, ninguém me disse que era errado passar os primeiros três dias de lua de mel indo a três jogos de desempate entre o California Angels e o New York Yankees. Com casamento ou não, como poderia deixar isso passar? Além do mais, o que poderia ser melhor do que beisebol durante o dia e sexo toda noite?

Olho para trás, para nossa lua de mel, e me envergonho, mas Sande é carinhosa: "Oh, querido, adorei nossa lua de mel".

Sim, tudo bem. Ela adorou os três jogos de beisebol. ("Esse é o intervalo, querido?" "Não, amor, é o sétimo tempo".) Ela achou o máximo ficar em um hotel convenientemente localizado perto dos trilhos do trem, e tenho certeza de que gostou particularmente da vista: um anúncio luminoso piscante de cerveja que clareava o céu noturno. ("Ah, mas, querido, eu adoro neon, muito mesmo.")

Se você pegar o jornal de domingo e procurar os anúncios para casamento, verá casais indo para o Havaí, para o Equador ou para um cruzeiro no Caribe. Desafio o leitor a encontrar um único dizendo convidando alguém para Yuma, Arizona, e ainda mais para ver três jogos de desempate entre os Angels e os Yankees.

Eu era tapado como uma porta. Não recebi nenhuma uma dica. Contudo, de alguma forma, eu e Sande sobrevivemos. Embora os casais de hoje tenham a tendência de ser melhores no planejamento do local de sua lua de mel, descobri que muitos ainda carecem de algum conhecimento básico sobre como fazer seu casamento começar bem, especialmente no aspecto sexual. Acompanhe uma típica sessão de aconselhamento pré-nupcial:

Um casal jovem entra em meu consultório no dia que marcamos para conversar sobre sexo. Entrego um violino para o rapaz e digo:

— Por favor, toque para mim.

Ele olha para o violino, olha de volta para mim e diz:

— Eu não toco violino.

— Não é assim tão difícil. Aqui está o arco, aqui estão as cordas. Esfregue o arco nas cordas. Quero ouvir você tocar.

Com bastante relutância, o rapaz pega o arco, levanta o braço e nós três nos arrepiamos diante do som horroroso que sai do instrumento.

— Muito bem — digo eu.

— O que o senhor quer dizer com "muito bem"? O som está horrível.

— Para uma primeira tentativa, está bom. Você fez barulho. Agora, aqui está o problema: precisamos fazer música.

Depois disso, dou o violino à noiva.

— Sua vez de tocar.

Ela recebe o instrumento do noivo, estica o braço para a frente e faz um ruído igualmente horroroso.

— Bom — digo eu. — Você também consegue fazer barulho. O objetivo é tocar música. Vocês dois vão experimentar algo semelhante daqui a algumas semanas; vocês sabem do que estou falando. Depois da cerimônia de casamento, vocês se registrarão num hotel, talvez se sentindo até um pouco maliciosos. Afinal de contas, vocês dois vão passar a noite inteira juntos. Na cama! Atrás de uma porta trancada!

Mas a primeira noite — continuo — pode resultar em mais barulho do que música; ainda assim, não há razão para desanimar. Vamos voltar à questão de tocar violino. Se vocês realmente se dedicarem, tenho certeza de que serão capazes de pegar este violino e levar as pessoas a aplaudirem ao ouvi-los tocar. Mas não na primeira tentativa. Tal como um músico iniciante, vocês precisarão de treino e prática. Aqui está sua tarefa para a lua de mel: aprendam toda a complexidade dos pontos fortes, do corpo e dos desejos sexuais um do outro. Isso é que é um trabalho prático divertido! Vocês vão adorar essa ocupação. Às vezes, se sentirão estranhos e atrapalhados. Vocês provavelmente dirão e farão algumas coisas estúpidas, mas se tiverem em mente que sua tarefa é amar esse outro ser humano, vão se sair bem. Experimentarão os ritmos e as complexidades um do outro de maneira que jamais consideraram ser possível — finalizo.

Se o homem e a mulher não forem virgens, ainda assim vou desafiá-los de uma maneira semelhante: "André, você precisa entender que Marisa não é como qualquer mulher; Marisa, André não é como qualquer homem. Vocês precisam esquecer o passado e descobrir o que em especial faz esse homem se mexer e o que faz essa mulher ronronar".

De que maneira um casal recém-casado começa a fazer música juntos? Tudo começa no esforço conjunto para entender qual sinfonia eles estão tentando tocar.

A PRIMEIRA EXECUÇÃO

"Dr. Leman, o senhor não pode imaginar como as flores serão lindas. Mal posso esperar para vê-las. E o bolo... Descobrimos esse bolo de limão *incrivelmente* delicioso. Ele simplesmente derrete na boca. Todo mundo vai adorar. Eu e minha mãe provamos amostras de bolo em uma dúzia de confeitarias diferentes! Eu provavelmente engordei uns dois quilos fazendo isso!"

"Ainda estamos pensando no fotógrafo. Encontrei dois que poderiam trabalhar, mas ainda não tenho certeza de que sejam os melhores, de modo que ainda estamos procurando..."

Quando você conversa com noivas, é comum ouvi-las falar muito sobre os preparativos para o casamento. Algumas não conseguem pensar em outra coisa. Elas compram cinco revistas, cada uma pesando uns cinco quilos, e passam horas procurando o vestido certo, o penteado perfeito e o que está na moda para as damas de honra.

Infelizmente, porém, poucas mulheres gastam tanto tempo conversando com seu futuro marido sobre as expectativas sexuais como fazem na escolha das flores para a cerimônia. Deixe-me dizer-lhe uma coisa: três semanas depois do casamento, será possível contar nos dedos de uma mão quantas pessoas conseguem se lembrar do tipo de flores que havia na cerimônia. Mas a questão das expectativas sexuais moldará seu lar e a satisfação de seu casamento pelos anos futuros.

Quando eu e Sande nos casamos, minhas expectativas eram as mais altas que você possa imaginar. Eu havia me guardado para ela — e agora ela iria obter tudo de mim, várias vezes por dia! Para minha surpresa, Sande não compartilhava dessas expectativas. Ela achava que, de fato, poderíamos dormir a maior parte da noite. Imagine só!

Por favor, por favor, *por favor*, sente-se com seu futuro cônjuge algumas semanas antes do casamento e seja bastante específicos sobre suas expectativas, incluindo a primeira noite. Muita dor e mágoa podem ser evitadas se os casais simplesmente conversarem sobre o que querem e o que não querem. Vamos encarar os fatos: se vocês não puderem conversar sobre sexo, qual é a real intimidade de seu relacionamento?

Sexo: ASAP

Quando se trata de sexo na lua de mel — ou, francamente, mesmo quando estou falando com homens em geral — gosto de falar sobre sexo ASAP. A maioria das pessoas entende que a sigla em inglês ASAP quer dizer "*as soon as possible*" ["o mais cedo possível"]. Neste caso, porém, gosto de usar a sigla para outra frase: "*as* slow *as possible*" [o mais *devagar* possível]. O noivo que deseja dar à sua esposa uma noite especial precisa ter esse lema gravado a fogo em sua mente.

Para começar, marido, sair do banheiro do quarto do hotel nu e exibindo o pênis ereto pode ser chocante, até mesmo horripilante, para uma mulher que nem ao menos tenha visto o genital masculino. Não é nem um pouco excitante para uma mulher como alguns rapazes aparentemente acham que é. É triste, mas essa tática é muito comum — é inacreditável o número de noivos que tentam isso na primeira noite. Ao que parece, todos eles estão lendo o mesmo livro — e ele é muito ruim!

Digo aos homens que sejam três vezes mais lentos e dez vezes mais gentis do que acham que precisam ser. Recomendo: "Você já esperou esse tempo todo; não vai morrer se esperar mais trinta minutos para criar o clima".

Esposa, para combater essa investida pesada, não tenha medo de ser bastante específica com seu cônjuge sobre suas expectativas para a primeira noite: "Gostaria que saíssemos para jantar e, depois, gostaria de tomar um banho primeiro para relaxar. Quando eu sair do banheiro, gostaria que você estivesse usando uma cueca de seda e um roupão. Vamos passar algum tempo nos beijando e, depois, podemos começar a tirar a roupa um do outro...".

Não pare por aí. Particularmente se ambos forem virgens (e realmente espero que sejam), essa não é a hora nem o lugar para experimentar todas as posições e práticas sexuais conhecidas de homens e mulheres. Diga a seu futuro marido ou esposa o que você gostaria de fazer — e seja igualmente específico em relação àquilo que você acha que seria ir longe demais na primeira noite.

Isso garantirá duas coisas. Primeiro, evitará os mal-entendidos, infelizmente tão comuns, que levam casais a um início conflituoso, sexualmente falando. E segundo, ajudará o futuro parceiro a frear suas expectativas e ter uma visão mais realista de como será a noite de núpcias, evitando potenciais desapontamentos.

Por exemplo, embora os rapazes costumem estar tão ansiosos por mostrar sua própria nudez tanto quanto querem ver o corpo de sua esposa, a mulher pode preferir entrar no quarto pela primeira vez com iluminação suave ou até mesmo no escuro. Ela pode concordar com luz de velas, mas talvez se sinta pouco à vontade até mesmo com isso.

Para ajudar os casais a lidarem com essa situação, dou a cada parceiro um pedaço de papel e peço que escrevam ali suas expectativas para a noite de núpcias. Se colocarem por escrito antes, não poderão mudá-las conforme ouvem seu futuro cônjuge falar, e isso normalmente serve para abrir os olhos dos noivos para que percebam quanto são diferentes.

É aí que são expostos os regulamentos sobre os quais falamos no capítulo dois. Um rapaz lê o que escreveu:

— Fico imaginando o momento em que estarei esperando que ela saia do banho em sua camisola curta — e eu quero dizer *bem* curta — e, por baixo, ela estará usando aquela calcinha tipo fio dental imitando pele de onça.

— *Fio dental!* — grita a jovem.

— Calma, ainda é a vez dele — destaco gentilmente.

— Eu a abraço, acaricio, ela me beija, nós nos deitamos na cama e...

— Você quer que eu use uma *calcinha de oncinha?!*

O sexo ASAP pode ser comparado àqueles perus prontos para assar. Gosto de dizer aos rapazes: As mulheres são mais ou menos como aqueles perus prontos para assar. Esses perus são legais; eles têm aquele pino no peito que salta quando a ave está finalmente pronta para ser servida. Às vezes eu gostaria que as mulheres tivessem o mesmo mecanismo! Mas, sabe de uma coisa? Elas funcionam do mesmo jeito. Você precisa fazer um monte de coisas antes que o botão do peru salte. A temperatura precisa estar correta. O tempo tem de ser perfeito. O forno precisa estar ajustado.

Sua esposa terá uma grande lista de condições para chegar à satisfação sexual também. Você pode se satisfazer a qualquer hora, em qualquer lugar. Nós, homens, podemos ir de congelado a trezentos graus mais ou menos no mesmo tempo que uma mulher leva para tirar a camisola. Ter dificuldade para chegar ao orgasmo quase nunca é um problema para um jovem. Mas com sua noiva não será assim. Ela precisa dos ajustes corretos. Ela precisa da temperatura certa.

O futuro marido também precisa perceber que o sexo vai muito além da genitália.

— Você sabe como deixar sua futura esposa excitada de verdade?

— Como?

Ele espera que eu fale sobre uma carícia especial, uma posição secreta ou algo desse tipo. Em vez disso, eu digo:

— Olhe nos olhos dela antes que entre no chuveiro e diga-lhe: "Sou muito grato porque, com a ajuda de Deus, pude me guardar para você. Só quero estar com você. Você é a única mulher com quem vou fazer amor — para sempre".

Isso faz chorar qualquer moça que ama o Senhor. E mostra ao rapaz que, para a mulher, o sexo envolve palavras e emoções, e outras coisas além do toque físico.

Ao discutirem a primeira noite, mantenham as expectativas em um nível realista. Vocês terão décadas para explorar um ao outro sexualmente — a primeira noite será um (ou dois, ou três, ou quatro!) dos literalmente milhares de encontros sexuais. Será especial, com certeza, mas a peculiaridade dela não virá de uma técnica sexual específica, mas, sim, do significado de duas pessoas que se juntam e se transformam em uma só.

Para ser honesto, a maioria das pessoas daria à sua noite de núpcias uma nota C, na melhor das hipóteses, e isso para ser generoso. É uma experiência de aprendizado. Lembre-se de que leva tempo para compor uma música excelente.

Questões importantes

À medida que se aproxima o dia do casamento, você se sentirá mais perto do que nunca de seu amor — e a tentação sexual pode chegar ao auge. Uma maneira bastante prática de lidar com isso é falar sobre sexo em vez de praticá-lo. Vocês devem ser cuidadosos em relação ao local, é claro — conversar em um quarto pode levar a algo mais do que uma atividade verbal. Permaneçam em público, peçam uma sobremesa especial num bom restaurante e tratem destas questões:

1. Quais são as questões difíceis que surgiram durante o namoro e sobre as quais vocês precisam conversar? (Existe alguma ferida ou mágoa não resolvida pelo fato de um dos parceiros sempre tentar forçar a barra?)

2. Quais são os temores que vocês têm no que se refere ao casamento? ("Será que ele ainda achará que estou linda ao acordar pela manhã?" "E se eu estiver com mau hálito?" "E se ela usar o banheiro logo depois de eu ter acabado de depositar uma boa parte do jantar da noite anterior e o cheiro a fizer desmaiar?")

3. Quais são os receios de vocês sobre ter uma vida sexual ativa? ("E se ela não tiver orgasmo?" "E se eu não souber como agradá-lo?")

4. Vocês evitarão filhos? Em caso afirmativo, de que maneira?

Isso serve para começar, e certamente vocês levantarão muitas outras questões particulares. Alguns casais têm dificuldade em se segurar pouco antes do casamento porque se sentem muito próximos um do outro. Permita-me compartilhar um pequeno segredo: conversar sobre questões como as levantadas acima pode ser ainda mais íntimo do que fazer sexo — e, no final, vocês não se sentirão culpados. Fazer sexo antes do casamento vai prejudicar sua relação;

conversar sobre sexo vai fortalecê-la. O que descobri é que os casais que começam a praticar sexo mais cedo acabam conversando menos sobre o assunto, e o resultado é que, mais tarde, tornam-se insatisfeitos.

Espero que vocês façam a escolha certa.

Antes da primeira noite
Para ela
As mulheres precisam fazer um exame médico completo pelo menos três meses antes do casamento. O que estou prestes a dizer pode ser difícil para algumas noivas, mas quero lhe dar uma tarefa: durante a consulta com seu médico, mencione a lua de mel e peça-lhe para examinar especificamente seus genitais. Se você for virgem, o médico precisará levar em conta seu hímen e talvez seus músculos vaginais. Se um dos dois tornar o sexo doloroso, seu ginecologista pode lhe indicar a realização de alguns exercícios para ajudar a preparar seu corpo. Hoje, existem até mesmo dilatadores vaginais reguláveis que você pode usar para, delicadamente, trabalhar a elasticidade da região antes da noite de núpcias.

Sei que isso pode soar embaraçoso, mas confie em mim nesta questão: é muito melhor passar por esse constrangimento com seu médico do que frustrar-se ou desapontar seu marido na noite de núpcias pelo fato de o sexo não significar nada além de dor para você. Com os avanços médicos de hoje, não há razão para não se preparar para a atividade sexual. O pênis ereto de seu marido terá de onze a catorze centímetros de circunferência. Isso é muito maior que um absorvente interno, e, se você não preparar sua vagina para essa atividade, sentirá mais desconforto do que prazer.

Uma jovem me confessou que, pelo fato de não ter feito nada para se preparar para a lua de mel, achou a primeira noite um tanto dolorosa. Quando seu marido olhou para ela e percebeu a expressão de dor em seu rosto, perguntou:

— O que há de errado?

— Simplesmente termine — respondeu ela.

Você não quer isso para sua primeira experiência, não é?

Considere o seguinte: você nunca pensou em participar de uma maratona sem treinar primeiro, certo? Você não tentaria andar de bicicleta por cem quilômetros sem nunca ter pedalado; em vez disso, você iria desenvolver os músculos das pernas e sua resistência até se sentir confiante de poder pedalar por cem quilômetros.

Se você é virgem — ou se está sexualmente inativa por um longo período de tempo — seus músculos vaginais estão prestes a ter bastante atividade num futuro próximo. Você precisa prepará-los.

Além de preparar seu corpo, você precisará de alguns acessórios. Provavelmente eu não preciso lhe dizer que homens adoram *lingerie*. Faça a vontade de seu marido. Se seu orçamento permitir, escolha várias peças com as quais você possa surpreendê-lo durante toda a lua de mel.

Segundo, uma vez que seu corpo não está habituado à atividade sexual — ou, certamente, não por tanto tempo e nem com tanta frequência — planeje levar um lubrificante vaginal. Talvez você não precise dele — e não há razão para envergonhar-se caso isso aconteça — mas, se precisar e não tiver, a penetração pode se tornar difícil e dolorosa para os dois (embora a saliva seja sempre útil numa emergência). Seu marido pode se sentir envergonhado demais para comprar vaselina ou algum outro lubrificante, de modo que, em geral, recomendo que a esposa faça isso com antecedência. É claro que, se vocês estiverem usando camisinha, não devem usar vaselina nem qualquer produto a base de petróleo, uma vez que essa substância destrói o látex.

Você também deve preparar-se mental e espiritualmente. Um pouco de medo é compreensível e normal. Você não sabe como vai ser o sexo, e está prestes a descobrir algo que será bastante diferente de qualquer coisa que já conheceu. Existe uma enorme probabilidade de que você não chegue ao orgasmo na sua primeira vez, mas vai se sentir excitada e próxima de seu marido. Se você passar tempo demais pensando como vai fazer isso ou aquilo, então não fará isso ou aquilo bem.

Gosto de recomendar que os casais leiam juntos o Cântico dos Cânticos (ou Cantares, conforme a sua versão bíblica). Aquilo é que é erotismo! Pode ser muito bom para casais religiosos entenderem como Deus não apenas permite como efetivamente celebra a sexualidade conjugal.

Simplesmente relaxe e lembre-se de que o sexo entre marido e mulher é uma coisa muito natural. Como um casal casado, não há lugar para a culpa e, com um marido dedicado, não há razão para o medo. Você está num lugar seguro, realizando um ato maravilhoso que foi planejado por um Criador habilidoso. O pênis e a vagina são feitos sob medida um para o outro.

Será muito significativo para seu marido se você puder dizer a ele: "Oh, que bom. Gosto disso". Se você tem desejos ou quer mais de uma determinada coisa, diga-lhe. Em contrapartida, se ele for muito bruto, peça de maneira gentil: "Mais de leve, com mais carinho". Entenda que tem um touro bravio em suas mãos e que você é como porcelana; pode levar um tempo até que ele acerte o passo.

Não se surpreenda nem se irrite se seu marido chegar ao clímax muito depressa. Isso é natural para um homem virgem ou inexperiente (ou mesmo para um que não faz sexo há bastante tempo). Com o passar do tempo, seu marido aprenderá a se controlar até que você tenha sido satisfeita, mas, como qualquer outra coisa, o controle da ejaculação é uma habilidade que precisa ser aprendida. Seja graciosa; se você fizer que ele se sinta tenso em relação a isso, as coisas só vão piorar no futuro.

Se você ler a seção para homens, verá que insisto com eles, particularmente na primeira noite, a ir devagar, a ser pacientes e a se concentrar em serem ternos e gentis. Quero lhe dar o conselho oposto. O melhor presente que você pode dar a seu marido é uma parceira sexualmente entusiasmada. Deixe as inibições de lado. Faça o possível para aceitar seu corpo, e entregue-o sem reservas a seu esposo. Acima de tudo, aproveite, e certifique-se de que ele veja e ouça seu gozo. Ajude-o a satisfazê-la.

Para ele

Para começar, se você pulou a seção "Para ela", por favor, volte e leia esse trecho. Há muita coisa ali que vai ajudá-lo a ser mais sensível e compreensível em sua noite de núpcias e durante toda a lua de mel. Você precisa saber que a maioria das mulheres sexualmente inexperientes terá algum desconforto quando começar a fazer sexo. Seu corpo não é assim, e, para ser bem direto, seu corpo não tem alguma coisa repetidamente inserida nele. Não existe sensibilidade em excesso na lua de mel; dê um desconto à sua esposa, indo devagar e sendo um amante sensível. No segundo dia, ela pode estar dolorida demais para repetir a *performance*. Não leve isso para o lado pessoal; ela pode querer muito fazer amor, mas pode também estar machucada. Não é culpa dela.

Para o homem, porém, aqui vai uma coisa que pode ajudar. Embora eu não creia que um homem precise de qualquer experiência anterior com o ato sexual antes do casamento, será útil para ele, no leito conjugal, aprender a controlar a ejaculação antes da lua de mel. Uma vez que considero que o sexo antes do casamento é prejudicial e imoral, a única maneira de um homem aprender a ter controle da ejaculação é por meio da autoestimulação. Assim como sua noiva está preparando a vagina para recebê-lo na noite de núpcias, você pode preparar seu corpo para aguentar por mais tempo de modo que possa agradá-la.

Em outro ponto deste livro falaremos sobre a ejaculação precoce. Siga os exercícios mencionados ali, começando um mês ou dois antes do casamento. Mantenha seus pensamentos puros; veja isso mais como exercícios físicos — como levantar pesos — do que qualquer outra coisa. É mais importante que você descubra como seu corpo reage e como manter distância do "ponto sem volta". Se você conseguir se familiarizar com esse sentimento, será capaz de recuar e aprender a controlar a ejaculação.

Você também pode considerar a prática da autoestimulação na noite anterior ou na manhã do dia do seu casamento. Mais uma vez, sei que algumas pessoas vão discordar de mim aqui, mas, em termos fisiológicos, se um homem não ejacula há bastante tempo, será difícil para ele não ejacular quase que imediatamente ao ser estimulado — em especial se essa for sua primeira experiência sexual. Presumindo que você deseja que sua primeira relação sexual com sua esposa seja memorável *num sentido positivo*, a habilidade em manter controle é um presente muito bem-vindo.

Não se esqueça de começar a fortalecer seus músculos pubiococcígeos (ou simplesmente PC). Pratique os exercícios mencionados no capítulo 6, pois eles o ajudarão no controle da ejaculação.

Se optar por usar camisinha (as lubrificadas são as melhores) como forma de evitar a concepção, talvez você deva praticar a colocação antes da noite de núpcias. Caso sua esposa seja virgem, ela não terá nenhuma prática nisso, de modo que, em particular na primeira noite, é sua função saber o que deve ser feito. E, uma vez que algumas mulheres preferem pouca iluminação ou até mesmo a escuridão para o primeiro encontro, é melhor poupar sua esposa da vergonha de ter de acender a luz enquanto você tenta descobrir o que vai aonde.

Espero que você esteja percebendo a motivação por trás dessas instruções: seu foco deve ser o de tornar a primeira noite a experiência mais amorosa e carinhosa que sua esposa jamais desfrutou. Está em suas mãos chocá-la e causar-lhe repugnância, ou amá-la com ternura e satisfazê-la. Essa é a sua única oportunidade de criar uma primeira impressão sexual positiva. Seja o tipo de amante que coloca a esposa em primeiro lugar, que pensa nela e se antecipa a suas necessidades.

Isso significa que você precisa colocar as necessidades emocionais dela acima de suas próprias necessidades físicas. Apresento aqui um conselho bastante prático: não se surpreenda — na verdade, espere por isso — se sua esposa quiser conversar sobre a cerimônia de casamento, revivendo todo o evento antes de mostrar o mais leve interesse em ficar nua na noite de núpcias. As moças sonham com seu casamento; sua esposa desejará desfrutá-lo, falar sobre ele e processar a experiência ao compartilhá-la com você.

Você pode estar imaginando como ela é *por baixo* daquele vestido esvoaçante, mas ela quer saber o que você achou quando a florista e o menino que levava as alianças trombaram um no outro; não foi engraçado quando o tio Alberto fez aquele brinde esquisito? Ai, você reparou a cara da Elaine quando viu o tamanho do nosso bolo?

Homens, isso é parte do sexo. Lembre-se: sexo ASAP não é "o mais rápido possível", mas "o mais lento possível". Mostre interesse pelos sentimentos de sua esposa. Contenha seus apetites o bastante para envolver-se emocionalmente com ela. Isso faz parte das preliminares para o sexo e deve ser tratado como tal.

Sua esposa precisará e desejará dez vezes mais preliminares que você, especialmente na primeira noite. Uma boa ideia é levar um pouco de óleo de massagem para ajudar nessa questão. É uma maneira relaxante e prazerosa de descobrir o corpo de sua esposa. Os toques, o calor e a proximidade física começarão a excitá-la, enquanto você deleita-se com uma gata (você esperou por isso; aproveite!). Mas preste atenção ao tipo de loção que você usa. A pele das mulheres é muito sensível, de modo que você deve ser especialmente cuidadoso em torno da genitália. A última coisa que você quer é que os genitais dela comecem a arder exatamente quando você está pronto para lhes fazer uma visita!

Se você não teve intimidades com sua amada antes, uma olhada em seus seios ou nas nádegas nuas pode ser suficiente para excitá-lo imediatamente. O simples ato de subir nela por trás, nu, e sentir o traseiro dela contra seus genitais quando você inicia uma massagem pode fazer um amante inexperiente chegar o clímax. Portanto, não se apresse, seja cuidadoso e tente manter o foco nela. A boa notícia é que se você é jovem e tiver um "acidente" logo de cara, provavelmente será capaz de ter outra ereção não muito tempo depois — então, não dê muita importância a isso. Apenas pegue uma toalha, limpe-se e continue dando prazer à sua esposa. O Sr. Feliz vai avisar quando estiver pronto para sorrir de novo!

Para os dois

Em termos sexuais, existem poucas maneiras *piores* de começar um casamento do que com uma cerimônia. Não me entenda mal — vocês devem se casar. Contudo, é muito comum que o ato de casar seja tão exaustivo que o casal entre aos tropeções no quarto da lua de mel, bem depois da meia-noite, tendo apenas seis horas para descansar antes de pegar o avião de manhã bem cedo.

Não façam isso a vocês mesmos. Planejem o casamento para *vocês*. A tia Mirtes e o tio Alberto tentarão sobrepujá-los, levando-os a escolher uma data que seja conveniente para eles, mas vocês são as pessoas nas quais devem pensar.

Escolham um horário suficientemente cedo para a cerimônia de modo que vocês não saiam depois da meia-noite — a não ser que os dois sejam pássaros noturnos e realmente não se importem. Tentem dormir o máximo possível na noite anterior ao casamento. Planejem seu dia para que não fiquem exaustos, famintos, nem irritados por terem se desgastado demais.

Sei que é difícil comer no dia do casamento, mas, por favor, tentem tomar um café da manhã saudável e ter um almoço completo. Os recém-casados esquecem-se totalmente de jantar, com exceção de algum pedaço de bolo que lhes é enfiado na cara diante do pedido de um fotógrafo ansioso.

Vocês dois vão pensar muito e por muito tempo sobre a primeira vez. Na verdade, é justo dizer que vocês passarão mais tempo pensando em como será o sexo na noite de núpcias do que em qualquer outra experiência sexual de sua vida. Isso é simplesmente natural — mas tenha em mente que, agora, vocês são um casal. Vocês precisam pensar em termos de "nós", não mais de "eu".

Isso significa que aquele que estiver mais cansado ou for o mais conservador é o que estabelece a agenda sexual. Sua primeira noite, em especial, deve ser uma noite que ambos valorizem e desfrutem. Não é hora de exigir satisfação de infindáveis fantasias adolescentes. Vocês têm a vida inteira pela frente e, portanto, devem valorizar esse momento. Tempere-o com ternura, aceitação, elogio, paciência e bondade.

Muitos conselheiros (e eu me incluo entre eles) recomendam que casais recém-casados tomem banho de banheira juntos na primeira noite. Se você permitir que a esposa entre na água primeiro, ela se sentirá coberta — ainda que esteja nua. A água morna alivia tensões e relaxa aqueles músculos doloridos por terem ficado em pé o dia inteiro com sapatos apertados demais. Uma vela acesa providencia uma ambiência maravilhosa — e não há nada como um corpo limpo para provocar ainda mais seu interesse sexual.

Finalmente, está chegando a hora em que vocês dois estarão num quarto de hotel, despertos, excitados e prontos para consumar plenamente o casamento. É aqui que muitos livros, infelizmente, param, deixando os casais sem a informação que eles mais querem. O que estou prestes a compartilhar é direto e específico; você não precisa seguir ao pé da letra, é claro, mas para aqueles que desejam receber essas instruções claras, aqui vão elas.

Depois de um período prolongado de preliminares, a esposa deve convidar seu marido a penetrar sua vagina quando ela estiver pronta. O jovem marido não terá experiência suficiente para saber quando chega esse momento, de modo que deve esperar pelas dicas da esposa. Além disso, dizer "Estou pronta — venha para dentro de mim agora" é praticamente a coisa mais maravilhosa e mais erótica que um homem pode ouvir! (Com o tempo, vocês poderão descobrir maneiras ainda mais criativas de expressar isso!)

Muito embora o pênis e a vagina sejam feitos um para o outro, fazê-los se conectar nem sempre é tão simples quanto parece, pelo menos não da primeira vez. Pegue gentilmente o pênis de seu marido e conduza a entrada dele em seu corpo. Então, descansem por um instante; vocês dois devem fazer uma pequena pausa. A esposa precisa deixar que os músculos da vagina se acostumem a envolver o pênis, e o homem pode usar essa pausa para evitar a ejaculação imediata. Apenas desfrutem do fato de que, deste momento em diante, o casamento está plenamente consumado! Beijem-se de leve e, quando os dois parecerem prontos, comecem a se mexer devagar.

Marido, você precisa ser extremamente gentil nesse ponto. "Venha para dentro de mim" não significa que você deve atingir a velocidade de cem quilômetros por hora, acelerando pela autoestrada rumo ao êxtase sexual. Você está dirigindo por uma rua sem saída; precisa parar um pouco, ser cuidadoso e dirigir de maneira delicada. A primeira penetração é melhor realizada por etapas: primeiro, apenas a ponta do pênis; depois, se for confortável, a esposa pode sinalizar ao marido que vagarosamente avance mais.

Atenção, marido: não coloque tudo de uma vez até que seja convidado. Sua esposa pode estar se sentindo violada, ou até mesmo ter um pouco de dor. Siga de acordo com a orientação dela. Se ela for virgem, o hímen pode precisar ser rompido. Para algumas mulheres, isso não chega a ser traumático — apenas uma pequena fisgada de dor que desaparece tão rapidamente quanto surgiu. Algumas poucas mulheres, porém, podem experimentar uma dor bastante intensa ou até mesmo sangramento — a tal ponto que seja necessário parar. Preparem-se mentalmente para essa possibilidade.

Também não se surpreendam se vocês não se "encaixarem" de imediato. É preciso prática para encontrar o ângulo certo. Simplesmente pratiquem e levem na brincadeira qualquer jogada errada. Através da tentativa e do erro, vocês encontrarão o melhor ângulo.

Se o pênis parecer não se encaixar, pode ser que os músculos da vagina da esposa não estejam elásticos o suficiente. Também é possível que a ansiedade dela esteja inconscientemente retesando seus músculos. Tentem relaxar. Desfrutem desse momento; vocês esperaram por isso.

Uma vez que a penetração tenha ocorrido, o marido deve continuar olhando para sua esposa para saber quando deve avançar. Talvez ela queira apenas ficar deitada ali e se acostumar à sensação de ter um pênis dentro de si. O marido não deve se tornar imediatamente uma máquina de guerra; deixe sua esposa direcioná-lo.

Não espere que sua esposa alcance o clímax apenas por meio de seu movimento. A não ser que você se movimente de tal modo que o clitóris seja diretamente estimulado, não é provável que sua esposa atinja o orgasmo. Use sua mão para acariciar-lhe o clitóris com delicadeza, ou, depois de ter ejaculado e se afastado, continue estimulando até sua esposa atingir o clímax ou até que sinalize que basta. As esposas, na *maioria*, não alcançam o clímax na primeira vez que fazem sexo. Pode levar algum tempo até que vocês dois aprendam como levar a mulher a chegar ao orgasmo. Isso não é um "fracasso", a não ser que vocês o chamem assim. Seu objetivo é desfrutar o corpo um do outro. Alguns casais nem sequer tentam consumar o ato sexual na primeira noite, de modo que vocês não devem permitir que expectativas indevidas roubem a alegria desse primeiro momento que é tão especial.

Grandes expectativas

Muitos casais confessam, depois da lua de mel, que, de certo modo, o sexo foi um pouco decepcionante para eles. Foi-lhes dito que o sexo deveria ser fantástico e, mesmo que tenham gostado, não os mandou à lua e os trouxe de volta.

Existem duas coisas a dizer sobre isso. Primeiro, vocês se aperfeiçoarão, e segundo, estejam certos de que nossa sociedade exagera a questão sexual em muitos aspectos. Chegará o dia em que, tendo a oportunidade de escolher entre uma costeleta de porco e o sexo, quase todos os homens acabarão, em uma ocasião ou outra, de fato considerando a opção da costeleta.

Em alguns aspectos, vocês provavelmente serão amantes ruins, mas aprenderão como loucos — e existe algum treinamento prático melhor que esse? O sexo é uma experiência eletrizante e maravilhosa, mas é apenas uma parte de seu novo relacionamento. Uma parte importante, sim, mas apenas uma parte.

_____ CAPÍTULO 5

Uma conexão muito especial: posições sexuais

Tenho um casal de amigos do time dos pesados. Mas se acha que pessoas gordas desistiram do sexo, você não conhece esses meus amigos.

Aliás, certa noite, eles decidiram se aventurar e tentar uma daquelas "novas" posições sexuais. Eles não se ofereceram para me dizer qual foi essa posição, e eu não perguntei, mas deve ter sido um pouco complicada porque, no meio do ato sexual, os dois acabaram caindo da cama.

Agora, imagine que você é um adolescente e está lendo um livro, sossegado, ou falando ao telefone, quando, de repente, às 23 horas, escuta um pacote de 250 quilos se movimentando e batendo dentro de sua casa. Você iria ver o que está acontecendo, não?

Infelizmente, isso aconteceu justo no dia em que meus amigos se esqueceram de trancar a porta do quarto. Os adolescentes, muito assustados, entraram direto no quarto, e lá estavam papai e mamãe em sua glória original, mansamente tentando se desembaraçar, ao mesmo tempo que mantinham as áreas mais sensíveis de seus corpos protegidas da visão pública.

Contanto que tranquem a porta antes, penso que é uma boa ideia que os casais já casados há tempo suficiente para ter filhos adolescentes ainda façam alguns experimentos de vez em quando — mas também desconfio do fato de nossa cultura tentar substituir a intimidade por técnica. Em busca da próxima grande experiência sexual, algumas pessoas parecem sair da linha para inventar um alinhamento de corpos ridículo ou algum novo método de proporcionar um novo prazer, quando o que elas realmente necessitam é trabalhar por seu relacionamento.

As pessoas já fazem sexo há vários milhares de anos, de modo que qualquer posição que você encontre não será novidade. Pode ser nova para vocês, mas garanto que outros já tentaram fazê-la.

A verdade é que a maior parte de nós se acomoda com algumas posições básicas. Assim como a maioria dos lançadores de beisebol tem um jeito preferido de jogar a bola e, depois, duas ou talvez três jogadas de velocidade ou de efeito para preencher seu repertório, assim a maioria dos casais se acomoda a uma rotina confortável. Isso se deve, em parte, ao fato de descobrirmos o que funciona melhor para nós, dadas as formas de nosso corpo e nossas preferências pessoais. Outra razão é que, às vezes, um cônjuge pode pedir ao outro algo que este jamais consideraria, mesmo em um milhão de anos. "Você quer que eu coloque *o que aonde*? Sem chance, camarada!"

De fato, enquanto escrevia este livro, mencionei à minha esposa uma das posições sobre as quais você vai ler. Sande estava lendo um livro, usando um par daqueles óculos de leitura, e simplesmente ergueu o olhar, levantou as sobrancelhas e olhou para mim como se dissesse: "Nem pense nisso!".

Lembre-se sempre: a melhor posição não é substituta de um relacionamento saudável. No decorrer deste livro, sempre retomarei a mesma verdade: sexo tem a ver com a qualidade de toda sua vida amorosa, não com o intrincado alinhamento dos seus corpos.

HOMEM POR CIMA

Esta é a clássica posição "papai e mamãe. A mulher deitada de costas, o homem por cima dela. Menciono esta posição em primeiro lugar porque, na maioria dos casamentos, isso é o que acontece na maior parte do tempo. É compreensível: o marido e a esposa ficam face a face, o marido fica livre para se movimentar como desejar, e o alinhamento não exige a flexibilidade de um ginasta. Dependendo da forma física do homem, ele precisará ser sensível e usar os cotovelos ou os braços para tirar o peso de seu corpo de cima da esposa, mas, fora isso, é realmente uma boa maneira de fazer amor!

Infelizmente, muito embora essa posição ofereça o maravilhoso benefício do contato face a face, ela não proporciona a melhor estimulação para a mulher porque deixa de envolver o clitóris, a não ser que se façam alguns ajustes. Contudo, muitos desses ajustes exigem uma esposa razoavelmente flexível.

Tente colocar um ou dois travesseiros por baixo da região lombar de sua esposa. Seu objetivo é fazer que a pélvis se eleve de modo a entrar em contato com o corpo do marido à medida que ele a penetra. Outra maneira de fazer isso (embora esta seja a que exige um certo grau de flexibilidade) é a mulher colocar os pés sobre os ombros do homem ou enrolar as pernas no tronco dele. Como cada corpo é diferente, vocês precisarão fazer alguns pequenos acertos até encontrarem o ponto certo, mas quando o encontrarem, acreditem, a esposa saberá — e não permitirá que pare.

O homem também pode ajudar. Em vez de entender essa posição como uma empreitada do tipo "entra e sai", ele deve considerar a ideia de "sobe e desce". Se a mulher elevar a pélvis ao mesmo tempo em que o homem faz um movimento para baixo, criando um efeito de balanço, o clitóris pode ser bastante estimulado.

Se vocês conseguirem fazer essa posição funcionar, será uma rota do tipo "mãos livres" para o orgasmo da esposa.

Variações

1. A mulher pode erguer os joelhos, permitindo uma penetração mais profunda.

2. A esposa pode colocar as pernas sobre os ombros do marido.

3. A esposa pode enrolar as pernas em torno do tronco do marido, trazendo-o para mais perto.

4. O marido também pode variar a maneira como posiciona as pernas para uma sensação diferente. Às vezes, ele pode colocar uma das pernas por fora da perna da esposa, mantendo a outra entre as pernas dela; ou então colocar as duas pernas para por fora das pernas da esposa. Toda variação cria uma sensação diferente, então, sintam-se livres para experimentar.

5. Em vez de o homem deitar por cima, ele pode se ajoelhar entre as pernas dela enquanto ela permanece de costas, apoiando as coxas dela sobre suas pernas. O marido mantém as costas eretas (de modo que seu corpo fique perpendicular ao dela) e pode trabalhar para encontrar o ângulo certo para estimular o clitóris da esposa.

6. Enquanto o marido estiver por cima, a esposa pode controlar o quadril dele (ou as nádegas, se preferir), movimentando-o para frente e para trás. De modo geral, o homem gosta quando a mulher toma a iniciativa para obter o que deseja, e a sensação de ser puxado mais para dentro é uma complementação muito boa. A mulher pode gentilmente assumir o controle da velocidade,

da direção, do momento e da profundidade dos movimentos dele. Vocês dois saem ganhando com isso!

MULHER POR CIMA

Adoro essa, e creio que a maioria dos homens também. O que é tão interessante em que a esposa fique por cima, pelo menos para um homem, é que ele obtém uma bela visão. E, já que os olhos são uma parte muito importante para o homem no ato de fazer amor, essa posição é o máximo. Para a mulher, o bom é que ela pode controlar diversas coisas de cima. Ela determina a velocidade e o ângulo da penetração, assim como a profundidade. Essa posição também incentiva a mulher a ser mais agressiva.

Uma vez que a mulher está "à mostra", essa posição exige que a esposa seja confiante e que não esteja muito constrangida em relação ao seu corpo; de outro modo, ela se sentirá exposta. Mas para aquelas que gostam disso, essa posição pode ser um verdadeiro banquete para o marido, já que ele poderá ver tudo. Também é vantajoso o fato de que ambas as mãos do marido ficam completamente livres, oferecendo mais opções de prazer. Se ele tem dores nas costas ou problemas no joelho (como acontece com muitos homens), esta pode ser a maneira mais fácil e mais confortável para fazer amor.

Outro benefício dessa posição é que ela dá como certo que a esposa esteja tomando parte de modo entusiasmado — os homens gostam disso mais do que tudo. Uma esposa que esteja deleitando-se com o sexo e que esteja visivelmente envolvida nele é uma das experiências mais excitantes que qualquer marido pode ter.

Para colocar o clitóris no jogo ao assumir esta posição, pense em ângulos. A esposa pode tanto se inclinar para trás — talvez usando os joelhos do marido como apoio (se ele os erguer), ou se inclinar para a frente. Se vocês buscarem esses ângulos, acabarão encontrando o lugar exato onde a esposa finalmente diz "Ah, sim..." e, então, vocês estarão no caminho certo.

Não são apenas as mãos do homem que ficam livres nessa posição, mas também as da esposa. Particularmente se ela se inclinar para trás, pode colocar uma mão por trás de si e delicadamente acariciar os testículos ou o períneo do marido (aquela extensão de pele bem sensível entre os testículos e o ânus dele).

Variações

1. A mulher pode virar-se, ficando de frente para os pés do marido. Confie em mim, esposa: o homem gosta muito dessa visão, ainda que ela possa fazer que você se sinta demasiadamente exposta.

2. A esposa pode se inclinar de modo a não ficar sentada, garantindo muitos dos benefícios da posição sem que se sinta "à mostra".

3. O marido pode erguer os joelhos, dando à esposa algo em que se apoiar.

4. Caso a esposa esteja inclinada, poderá usar a perna ou os pés do marido como pontos de "impulsão" para ter apoio para seu movimento para frente.

LADO A LADO

Depois de 35 anos de casamento e de vida sexual ativa, acho que sei o que estou dizendo quando afirmo que o ato mais íntimo e erótico entre um marido e sua esposa é o beijo. Dois amantes podem protagonizar esse ato dos mais sensuais por um longo tempo. De fato, conheço um casal jovem que, antes de se casar, passou *sete horas* se beijando num barco, numa agradável tarde de sábado. Em nenhum momento se acariciaram ou fizeram algo mais profundo — eles apenas desfrutaram o equivalente a uma jornada de trabalho inteira, durante a qual valeu a pena se beijar!

A maioria dos casais casados nunca vai experimentar isso porque, depois de um ou dois *minutos* de beijos, o maridão estará ansioso demais para inserir a peça A no orifício B. A posição lado a lado pode levar os amantes casados de volta a esse elemento básico da intimidade física, porque não há nada mais agradável do que um beijo doce e apaixonado.

Existem duas maneiras de se ficar lado a lado, é claro. A maneira que incentiva o beijo é ficar face a face. A outra é quando o marido se encaixa por trás da esposa. Também é conhecida como "posição da colher".

Esta última normalmente oferece a maneira mais delicada de relação sexual, e é frequentemente recomendada durante períodos específicos como gravidez, doença ou puro cansaço. Contudo, não é a melhor posição para o homem cujo comprimento do pênis é um problema.

Variações

1. Se o marido erguer a perna de cima e dobrá-la na altura do joelho, a esposa pode colocar sua perna de cima sobre o corpo do marido enquanto põe a perna de baixo entre as duas pernas do marido. Isso coloca o pênis bem no lugar onde ele precisa estar em relação à vagina!

2. A variação da "tesoura" não é exatamente lado a lado, mas está perto: o marido fica de lado e a esposa se coloca de costas. Ela ergue a perna que está próxima de seu marido no ar, e o marido coloca a perna de cima entre as

pernas de sua esposa. A perna debaixo dele está abaixo do torso dela. Embora essa posição não seja a melhor para um movimento ativo, ela permite que o marido use sua mão para estimular o clitóris, ou dá condições de que ele use o pênis para esfregá-lo contra o clitóris. Ele também pode escorregar o pênis para dentro da vagina. Essa pode ser uma variação bastante prazerosa durante a gravidez, quando a barriga da esposa está grande e protuberante.

SENTADOS

Gosto de qualquer posição, mas há algo de agradável numa mulher sentada sobre um homem: em uma cadeira, na cama ou em uma mesa — ou em algum refúgio isolado, sentados ao ar livre sobre uma pedra.

Sentados costuma ser uma posição "meio do caminho" em vez de uma posição final. Ou seja, um casal pode começar fazendo amor nessa posição e, depois, seguir para outra que permita movimentos mais vigorosos antes de cada parceiro alcançar o clímax.

Uma das coisas boas sobre essa posição é que você pode usá-la para "brincar" um pouco. O marido, por exemplo, pode usar apenas a ponta do pênis para massagear o clitóris da esposa, ou a esposa, para provocar, pode pegar o pênis do marido nas mãos e colocá-lo apenas na entrada de sua vagina, depois tirar e colocar parcialmente de novo.

Outra coisa formidável sobre fazer amor dessa maneira é que os parceiros têm acesso pleno um ao outro e ambos ficam com os dois braços livres. Uma vez que vocês estão olhando um para o outro, essa é uma posição emocionalmente íntima. Os dois estão com as mãos livres para acariciarem-se no rosto e massagearem o pescoço ou até mesmo as costas um do outro.

Isso pode nos levar de volta à importância do beijo: se vocês estiverem sentados de frente um para o outro, estarão perfeitamente alinhados para todo tipo de brincadeira prazerosa.

Uma vez que esta tende a ser uma forma mais lenta de expressão sexual, provavelmente não é para aquelas noites em que vocês dois estão simplesmente querendo "fazer". É melhor para as ocasiões em que a ideia é "Vamos nos aquecer lentamente e passar um tempo juntos".

Variações

1. Em vez de a mulher sentar-se sobre seu marido, os dois podem se sentar olhando um para o outro com travesseiros ou almofadas firmes nas costas. Cada parceiro se inclina para trás (mais ou menos como você ficaria à beira de

uma piscina), seguindo um na direção do outro até que seus genitais se conectem. Não façam disso algo mais complicado do que é; simplesmente deixem as pernas irem para o lugar que considerarem mais confortável.

2. A esposa pode se sentar sobre o marido, olhando *na direção oposta dele*. Ela pode então determinar a velocidade e a profundidade da penetração.

3. Esta é uma boa posição para fazer "ao ar livre". Uma vez que fazer amor em meio à natureza pode levar a certos problemas logísticos (insetos horripilantes, pedras e galhos machucando as costas), a posição sentados permite ao marido absorver o impacto desse desconforto enquanto que a esposa obtém um assento confortável. Também permite que vocês façam amor apenas abaixando as calças em vez de tirá-las completamente (mas espero que vocês encontrem um lugar onde não haja chance de serem descobertos).

HOMEM AJOELHADO POR TRÁS DA MULHER

Essa posição é bastante falada no consultório de aconselhamento, pela seguinte razão: a maioria dos homens gostaria de tentar, mas, ao mesmo tempo, ela às vezes deixa as mulheres se sentindo um pouco desconfortáveis. Do ponto de vista de um psicólogo, a razão pela qual os homens gostam tanto dela é que existe algo na mente masculina que faz que penetrar uma mulher por trás seja algo de grande erotismo. É provavelmente um dos desejos mais animalescos que os homens têm de tempos em tempos, e sejamos honestos: às vezes há um desejo "animalesco" por trás do sexo.

Marido, a mulher, em geral, se sente desconfortável com essa posição porque teme que você perca o desejo ao olhar diretamente para o traseiro dela — você pode se excitar com a visão, mas sua esposa talvez tenha dificuldades para acreditar nisso. A mulher também tende a se excitar menos com essa posição porque não consegue ver o marido. Você tem uma visão completa e desimpedida (e a sensualidade das costas de uma mulher recebe muito menos atenção em nossa cultura, devido a nossa obsessão com os seios), mas sua esposa está olhando para a parede do quarto. Como o sexo é uma experiência emocional para a mulher, essa pode ser a posição menos satisfatória em termos emocionais.

Agora que vocês entendem melhor um ao outro, talvez possam ainda usar essa posição quando quiserem "dar uma rapidinha", ou quando a esposa quer presentear o marido. Há dias em que um homem acorda muito excitado, mas o casal precisa sair da cama em apenas dez ou quinze minutos. Uma esposa amorosa pode dizer:

— Querido, não tenho tempo para uma longa sessão de amor, ainda que eu deseje isso mais do que qualquer coisa. Mas vou lhe dizer uma coisa: você tem dez minutos; diga qual é a sua posição.
— Eu estou mais para zagueiro.
— Não esse tipo de posição, bobo!
— Mas eu tenho um bom porte físico...
— Ah, sei, vamos ver que outra parte sua está em forma...

Nesse exemplo, a esposa está disposta a se acomodar a uma posição que ela normalmente não escolheria, porque, vamos encarar a situação: ela está fazendo sexo mais para agradar o marido do que por qualquer outra coisa. Se você, esposa, está surpresa diante da ideia de que uma mulher faça isso por seu marido, espero que esteja começando a entender quanto pode amar seu homem ao mandá-lo para o trabalho com aquela necessidade atendida, em vez de fazê-lo sair de casa tentando refrear seus pensamentos de desejo. Você pode dispensar seu marido e se esquecer do sexo por dez horas, mas lembre-se disto: seu marido rejeitado não se esquecerá simplesmente porque você consegue fazê-lo.

A ARTE DE FAZER AMOR

Alguns livros vão citar posições mais selvagens e exóticas, mas imagino que não há muitas esposas que tenham o tamanho e a flexibilidade de ginastas olímpicas como Daiane dos Santos ou Jade Barbosa. As posições mencionadas cobrem 90% do relacionamento sexual de um casal. Se você acha que inventou alguma outra posição, sinta-se livre para me mandar a descrição e eu tentarei com minha esposa (mas, cá entre nós, não creio que isso vá acontecer).

Quando falamos sobre posições, estamos falando de ciência — alinhar esta parte do corpo com aquela parte do corpo — mas, francamente, prefiro pensar no ato de fazer amor como uma arte. É o que você faz na posição — e não a posição em si — que resulta num sexo gratificante.

Para esquentar as coisas um pouco mais, tentem usar as partes do corpo com criatividade enquanto estiverem numa dessas posições. Por exemplo, use um dedo do pé em vez da mão, ou coloque a língua em algum outro lugar que não a boca de seu parceiro. Você pode imaginar como as coisas podem caminhar a partir daí.

Use posições para estabelecer o clima ou para satisfazer um desejo em particular. Se, por exemplo, você estiver cansado ou um dos dois não estiver se sentindo bem, essa pessoa deve ficar por baixo, permitindo que quem estiver por cima faça a maior parte do trabalho. Isso é apenas justo.

Se a esposa estiver preocupada com o tamanho generoso do marido, eventualmente até ferida pelo tamanho do pênis dele, a melhor posição para ela é por cima, pois poderá controlar a profundidade e a velocidade da penetração. (Nessas circunstâncias, vocês também podem tentar a "colher", que é o que muitas mulheres grávidas fazem quando perdem a mobilidade e ainda querem satisfazer o marido.) Para esses casais, a pior posição talvez seja a penetração por trás. Se o maridão se empolgar, talvez nem sequer perceba que sua esposa está sofrendo. Se o seu marido bem dotado gosta particularmente dessa posição, você precisará ser honesta quanto a suas preocupações e lembrá-lo de que deve ser gentil.

Ao estabelecerem o clima e o tom de sua sessão de amor, vocês logo descobrirão que certas posições tendem a acentuar certas emoções. Se quiserem relaxar, tentem uma posição na qual tudo se encaixe — face a face, mãos com mãos e pernas com pernas. Vão devagar e desfrutem do poder de estarem alinhados juntos.

Se vocês estiverem naquele estado animalesco em que querem simplesmente "traçar" um ao outro, ter o marido por trás pode ser excitante. Se vocês quiserem alcançar algo, tentem a posição sentados (ou até mesmo em pé!). Se a esposa estiver inclinada a travessuras, talvez se sinta bem em subir por cima do marido e assumir o controle.

Acima de tudo, tenham liberdade dentro do seu "reino" para fazer o que quiserem. Tudo isso remete a um ponto anterior em que falei sobre o marido que "lê" os ventos de sua esposa. Para a maioria de nós, homens, não importa onde, quando ou como a esposa quer fazer sexo; se ela estiver disposta, nós estamos! (Um homem que entrevistei disse: "Para um homem, até o sexo ruim é sexo bom!".) Mas para muitas mulheres, toda a "aura" da experiência precisa ser levada em consideração. Dependendo do humor feminino, uma, duas ou três posições podem ser ofensivas; outras podem ser completos becos sem saída, matando qualquer desejo na hora.

Lembre-se também, esposa, de que estar à vontade com qualquer posição em particular é apenas parte da arte de fazer amor. O que você verbalizar será mais importante do que a posição em si. Seu marido provavelmente escolherá a posição papai e mamãe cem vezes em cem se você estiver gemendo e suspirando, em vez das posições mais atléticas que se pode imaginar se você estiver dizendo: "Vamos logo e acabe com isso" ou, ainda pior: "Abaixe minha camisola depois que tiver terminado".

Gosto de incentivar as esposas a serem como líderes de torcida quando fazem amor. Não estou falando daquela fantasia adolescente na qual você de fato se veste de *cheerleader* e leva pompons para a cama (apesar de que, agora que você mencionou...). Refiro-me à maneira como você incentiva seu homem durante o ato sexual.

O que mais motiva o homem é o momento em que a mulher fala palavras ou age de tal maneira que demonstre que está realmente gostando do sexo: quando crava as unhas nas costas dele, pede mais ou diz coisas como "Quero você mais fundo", colocando a língua no ouvido dele ou gemendo como uma cachorrinha. Seja o que for que fizer para que seu marido saiba que você está a fim, faça!

Se seu marido sabe que você está se excitando, na maioria dos casos ele desejará ajudá-la a terminar. Escreva isto: ele fará de tudo para levá-la até lá. Ele irá um pouco mais fundo; reunirá as últimas reservas de força. Ele quer ouvir aquele orgasmo rasgando seu corpo!

CAPÍTULO 6

O grande "O"

Muitas mulheres ficam surpresas quando lhes digo que uma grande porcentagem de homens têm inveja do orgasmo delas. Embora as mulheres normalmente tenham mais dificuldade no início para atingir o orgasmo (em especial, na primeira vez), assim que conseguem — bem, da perspectiva do homem, parece que o mundo está explodindo.

Considere aquela famosa cena do filme *Harry e Sally – Feitos um para o outro*, quando a atriz Meg Ryan finge ter um orgasmo numa lanchonete em Nova York, para o deleite de todos (especialmente para a senhora que diz, com toda franqueza: "Eu quero a mesma coisa que ela está comendo"). Se você estivesse passando por um quarto e ouvisse o que estava acontecendo, seria tentado a chamar a polícia!

Não me entenda mal: nós, homens, adoramos o clímax feminino. Aqueles poucos e intensos segundos valem todo o esforço feito para chegar ali. Mas, quando olhamos para nossa esposa, vemos que ela começa devagar e, então, aparentemente pega uma onda de prazer atrás da outra. Além do mais, quando enfim chega ao orgasmo, ela é capaz de continuar! A maioria de nós, homens — pelo menos aqueles de nós com mais de 30 — são nocauteados e ficam fora de ação por pelo menos meia hora (se não por um dia ou dois). Mas as mulheres têm a habilidade psicológica de ser como o coelho da Duracell: elas continuam, continuam, continuam...

Fisiologicamente, a única coisa que limita o número potencial de orgasmos de uma mulher em determinado encontro sexual é ela própria. Algumas acham que um é suficiente. Outras se cansam e ficam sem energia para buscar algo mais intenso. Mas o corpo da mulher pode continuar de uma maneira que o homem simplesmente não pode.

Entre as mulheres, os orgasmos múltiplos variam. Algumas parecem pegar uma onda de orgasmos, na qual um se sucede ao outro. Outras chegam ao clímax e, então, passam por um período refratário ou de descanso antes que se sintam prontas para gozar outra vez.

Elas também têm mais controle sobre seus orgasmos. O homem consegue controlar sua ejaculação antes de alcançar um determinado ponto, mas, fisiologicamente, ele acaba cruzando uma linha a partir da qual ele simplesmente não consegue controlar se o orgasmo vai acontecer ou não (razão pela qual os homens precisam identificar como se sentem *antes* de alcançar esse ponto sem volta). Tão logo o homem chegue a um determinado ponto, o orgasmo vai acontecer.

As mulheres, por outro lado, podem parar em praticamente qualquer ponto. Uma esposa pode estar surfando nas ondas de êxtase, a poucos segundos de cair no oceano do orgasmo, mas então escuta o bebê chorar ou pensa que ouviu o vizinho do lado de fora da janela e, de repente, está tão longe do orgasmo quanto a Austrália do Polo Norte. (Minha esposa Sande aderiu à regra do quilômetro. Ela está mentalmente pronta para o sexo, desde que ninguém esteja a menos de um quilômetro da cama sobre a qual o sexo ocorrerá.)

Outra diferença entre o orgasmo do homem e o da mulher se baseia na última experiência sexual. Digamos que um marido tenha estado longe por duas semanas numa longa viagem de negócios. O corpo da mulher pode entrar num tipo de hibernação lenta, no qual ela não está sexualmente ativa. Se já fizer algum tempo desde sua última experiência sexual, ela, em geral, precisará de mais tempo, não de menos, para estar pronta.

Em contrapartida, com o homem acontece exatamente o oposto. Se ele não faz sexo há duas semanas, pode estar a ponto de bala, a afamada "maravilha de trinta segundos". Seu corpo estará a cem por hora *antes mesmo que a esposa o toque*. Apenas o *pensamento* de chegar em casa pode ser suficiente para provocar uma ereção, ao passo que a esposa provavelmente precisará ser "despertada" e conduzida de maneira um pouco mais lenta. Se o homem não tem um orgasmo há bastante tempo, será mais difícil para ele obter o controle ejaculatório. Ele provavelmente não precisará de nenhuma preliminar, enquanto sua esposa, ao contrário, precisará de uma preliminar mais longa.

O potencial para conflito é óbvio!

CHEGANDO LÁ

É bem provável que eu tenha uma visão um tanto tendenciosa, já que, por definição, as pessoas que me procuram, na maioria, o fazem porque têm problemas sérios o suficiente para justificar o pagamento a alguém para conversar sobre eles. Mas, com essa visão tendenciosa, descobri que um dos problemas sexuais mais presentes no casamento é o da mulher que tem dificuldades para alcançar o orgasmo.

O caso mais comum é o que tratei com Jéssica e Davi. Jéssica confessou que, mesmo depois de dez anos de casamento, chegar ao orgasmo era difícil.

— Tive alguns pequenos — disse ela, — mas foi só isso.

Tentei fazer o casal entender a importância de um vigoroso orgasmo feminino para ambos os parceiros.

— Jéssica — disse eu, — a primeira coisa que você precisa entender é que, da maneira como foi planejada por Deus, você tem a capacidade de ter um orgasmo capaz fazer o queixo de Davi encostar no chão. Você é como uma tigresa que saiu da jaula, e precisa trabalhar nessa direção.

Algumas mulheres esperam que o orgasmo surja do nada, sem qualquer trabalho da parte delas — mas as coisas não são assim para a maioria delas. Os homens são exatamente o oposto. Duvido que haja um homem vivo que não tenha chegado ao orgasmo pelo menos uma vez na vida. Ainda que seja celibatário e virgem, ele já teve uma polução noturna (ou doze). Além disso, não é difícil dizer se um homem chegou ou não ao orgasmo. Os sintomas físicos — sendo a ejaculação o principal deles — são bastante óbvios.

Na maioria dos casamentos, a principal preocupação do homem em relação ao orgasmo é adiá-lo até que a esposa esteja satisfeita. Chegar ao orgasmo normalmente não é o problema; a questão é prolongá-lo.

Muitas mulheres, em contrapartida, nunca chegaram ao orgasmo. Outras não sabem se chegaram ou não. A intensidade e a qualidade do orgasmo variam de mulher para mulher e, muitas vezes, é difícil dizer.

A melhor maneira de uma mulher saber se alcançou o orgasmo é perceber se, depois do sexo, se sente frustrada e "reprimida" ou relaxada e satisfeita. Um orgasmo leva a uma liberação em que as tensões acumuladas explodem e depois se dissipam. Um escritor chamou isso de "espirro pélvico".[1] Considero essa uma ótima descrição, pois todos nós já experimentamos o processo de formação de um bom espirro: o corpo inteiro parece se encolher até que, finalmente, vem o espirro e, em seguida, o alívio. Um orgasmo é assim. As carícias sexuais intensificam o prazer, mas também criam uma tensão sensível que exige ser satisfeita.

Se você enfrenta dificuldades para chegar ao orgasmo, apresento algumas sugestões.

1. Tenha o objetivo correto.

Permita-me ser direto: se o principal objetivo de sua atividade sexual é ter um orgasmo, você está no caminho errado. Existem muitos graus diferentes de prazer no sexo. Para alguns de nós, basta um arranhão nas costas e ficamos felizes; uma massagem com loção nos pés e ficamos satisfeitos. Se você for muito específico — com a obrigação de ter um orgasmo, ou, mais específico ainda, ter um orgasmo no exato instante em que seu cônjuge tem um também — só vai piorar as coisas.

O objetivo da sexualidade é expressar união e intimidade com seu parceiro. É uma resposta amorosa na direção de alguém com quem você está comprometido para a vida toda. Para aqueles que têm filhos ou que querem tê-los, é uma maneira de construir uma família.

O sexo é tão profundo, significativo e sério em tantos níveis que acabamos por barateá-lo quando o reduzimos a "Bem, você teve um orgasmo ou não?". Essa linguagem pertence à Mansão Playboy, não ao leito conjugal.

Mesmo quando a mulher aprende a ter orgasmos, provavelmente não terá um todas as vezes que fizer sexo. Poucas mulheres experimentam o clímax em todo encontro sexual. Se é assim com você, então pode se considerar uma mulher de sorte, mas também integrante de uma pequena minoria. Às vezes uma mulher vai simplesmente satisfazer seu marido (outras vezes o marido pode satisfazer a esposa sem que ele mesmo tenha um orgasmo). O sexo conjugal apresenta todo tipo de situações nas quais o orgasmo não é possível ou é deixado de lado por diversas razões.

2. Ter orgasmo é uma habilidade aprendida.

Devo continuar sendo direto: descobri que muitas mulheres são preguiçosas em relação a essa área de sua vida. Elas presumem que é responsabilidade de seu marido proporcionar-lhes um orgasmo, ou acham que o clímax vai surgir misticamente numa determinada noite debaixo das cobertas. Sinto muito, querida — a não ser que você seja muito sortuda, isso não vai acontecer. Para um pequeno percentual de mulheres, os orgasmos ocorrem sem muito esforço. Para a maioria, porém, é preciso um pouco de experiência para gozar regularmente. Para algumas outras, isso requer muito trabalho e descoberta.

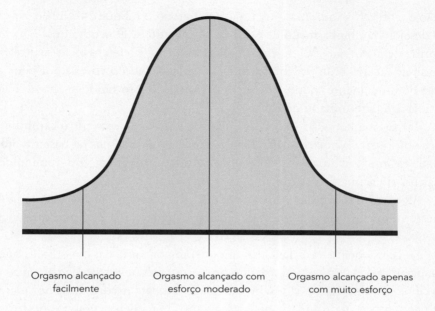

Pense da seguinte maneira: se você tricota, será que conseguiu fazer um trabalho elaborado na primeira vez que pegou uma agulha de tricô? É claro que não! Se joga golfe, será que conseguiu jogar a bola a duzentos metros logo da primeira vez em que pôs a mão no taco? Aposto que não!

Por que o sexo deveria ser diferente? É preciso tempo, experiência, conhecimento e prática para distinguir-se como boa amante.

Se você tem dificuldades para chegar ao orgasmo, a primeira coisa é não fazer o que várias revistas femininas recomendam: não imagine um outro amante ou um ex; não use pornografia ou filmes eróticos ou qualquer outra coisa que possa vulgarizar o relacionamento e o senso de intimidade com seu marido.

Em vez disso, procure conhecer a si mesma bem o suficiente para poder ajudar seu marido a descobrir o que a excita. Ainda que seu marido tenha tido experiência sexual antes do casamento, seu corpo é singular e exige uma abordagem única. Ajude-o a descobrir esse caminho.

Em outras palavras, você precisa fazer um pouco de exploração — tem de aprender o que a deixa ligada.

3. Tenha mais consciência de sua reação sexual.

Tome um banho longo e quente. Coloque algumas velas, produza-se um pouco e, então, sim, comece a tocar-se. Descubra o que é gostoso. O orgasmo não é o objetivo aqui, mas procure prestar atenção no que estimula o prazer e o desejo. Não tenha medo de explorar seus genitais. Descubra qual a melhor forma de manusear seu clitóris. Algumas mulheres preferem tocar-se de forma indireta, acariciando os lábios genitais ou alcançando o clitóris por cima em vez de diretamente; outras preferem o contato direto tão logo sua excitação atinja um determinado nível.[2]

Talvez seja necessário fazer isso diversas vezes até descobrir o caminho do seu corpo para o prazer sexual. Não se apresse e dê a si mesma bastante liberdade de movimento. Isso não é uma corrida, e ninguém está apontando o calendário acima da sua cama.

Algumas das minhas leitoras podem estar ficando com a face vermelha neste momento, pensando: "Dr. Leman, o senhor está pedindo que eu me masturbe?".

Às vezes odeio essa palavra, simplesmente por causa das conotações que se associaram a ela. Quando o marido ou a esposa se autoestimula para alcançar o clímax e evitar intimidade com o cônjuge, ou para participar de pornografia ou algo assim, na minha visão, está agindo de maneira egoísta e destrutiva. Contudo, quando uma esposa está aprendendo a reagir sexualmente ao marido para que os dois possam desfrutar de uma experiência sexual mais profunda e mais rica, ela está trabalhando na direção de uma maior intimidade, não de menor. Do mesmo modo, um marido que esteja tentando aprender a controlar a ejaculação ou que esteja em uma longa viagem de negócios pode ocasionalmente usar a autoestimulação para fortalecer seu casamento em vez de enfraquecê-lo.

Portanto, sim, há momentos em que a masturbação é errada e viciante, e deve ser evitada. Há outros momentos, no entanto, em que familiarizar-se com seu corpo é um ato de generosidade, já que você está treinando para tornar-se um amante melhor para seu cônjuge. Você sabe se o que está fazendo é egoísta e provoca distanciamento de seu cônjuge, ou se é uma preparação para se aproximar ainda mais dele.

Muitas mulheres tiveram mães que se referiam à vagina como "lá embaixo", como se elas mesmas não possuíssem um órgão genital ou simplesmente tivessem um buraco enorme e não mencionável. Se você está chegando ao casamento com esse tipo de bagagem, então com certeza se sentirá desconfortável em relação ao toque sexual. Mas pense da seguinte maneira: não é pecaminoso tocar seu tornozelo se você estiver na dúvida se o torceu; não é errado desfrutar da sensação agradável de pentear seu cabelo. Se você pode tocar todas as partes do seu corpo, por que não tocar as mais sensíveis?

Quando uma mulher se prepara para ter um bebê, normalmente pratica a respiração, a fim de que, quando chegar a hora do parto, ela seja capaz de encarar o desafio. Por que o sexo deveria ser diferente? Você está aprendendo como se preparar para o sexo ao aprender como chegar ao clímax.

Portanto, sim, deixe seus dedos caminharem pelas páginas amarelas! Diga a si mesma que isso é bom e certo. Seu Criador a planejou para dar e receber prazer sexual; a vergonha está em se contentar com algo menos que isso. Você quer ser uma boa amante para seu marido, e a melhor maneira para que isso aconteça é aprender a realmente desfrutar do sexo, o que significa aprender como ter um orgasmo. Esse é um presente maravilhoso, o melhor que você pode dar a um homem. Portanto, gaste todo o tempo de que necessite para alcançar esse objetivo!

Outra opção é pedir ao seu cônjuge que experimente com você uma sessão de toque "não relacional". Ele pode deixar os dedos fazerem a caminhada, e vocês dois podem experimentar o que a agrada.

4. Pratique os exercícios Kegel.

Os exercícios Kegel (chamados assim por causa do médico ginecologista dr. Arnold Kegel, que os popularizou) são úteis tanto para homens como para mulheres, para melhorar o ato de fazer amor. Os exercícios destinam-se a ajudar a mulher a se tornar mais orgástica e o homem a retardar o orgasmo.

Os exercícios Kegel trabalham os músculos pubiococcígeos (também chamados de PC), os mesmos que interrompem o fluxo de urina. A primeira coisa que você precisa fazer é localizar os músculos PC. A maneira mais fácil é introduzir gentilmente um dedo em sua vagina e tentar "apertá-lo". Os músculos que se contraem nesse movimento são os tais músculos PC. (Se preferir descobrir os músculos PC de outra maneira, tente interromper o fluxo de urina enquanto estiver sentada no vaso sanitário.)

Músculos PC bem desenvolvidos são recomendáveis por diversas razões. Eles não apenas têm o efeito de ajudar a diminuir a incontinência, como também podem acrescentar muito à sua vida sexual. Para as mulheres, esses músculos podem ser usados para contrair em torno do pênis, dando ao homem uma sensação de mais aperto. Essas contrações se tornam um tipo de massagem peniana, um prazer agradável ao seu marido. Elas também ajudam como parte de sua jornada para se tornar mais propensa ao orgasmo.

Assim que tiver localizado os músculos, comece contraindo-os e relaxando-os por apenas alguns segundos, dez vezes para começar, seguindo seu ritmo a partir daí. Assim que estiver mais acostumada a realizar essas contrações, você poderá exercitá-las enquanto estiver no carro, ao telefone ou em qualquer ocasião, sem que ninguém perceba. Pode ser bom estabelecer uma rotina, de modo que você se lembre de fazer os exercícios — por exemplo, durante a volta para casa ou assistindo a determinado programa na televisão.

5. Assuma a responsabilidade.

Um número muito grande de mulheres não assume a responsabilidade por seus próprios orgasmos. Elas precisam ser participantes ativas, não apenas receptoras dos avanços de seu marido. Se você quiser frustrar um homem, não lhe diga nada. Deixe-o continuar a lançar dardos no escuro, na esperança de que tenha sorte.

Com o cuidado de não passar a menor impressão de condenação ou acusação, converse com seu marido o mais que puder, sendo encorajadora ao fazer isso. Diga-lhe o que é gostoso. Se achar que ele está chegando perto, mas ainda errando o alvo, pegue gentilmente a mão dele e diga: "Bem aqui, querido, oh, sim, agora você achou...". Quem sabe quantas grandes sinfonias são criadas com o dedo indicador do marido? Mas aqui está o desafio: cada mulher é diferente, então, ajude seu marido a encontrar seus pontos favoritos.

6. Lembre-se de que o sexo tem mais a ver com relacionamento do que com técnicas.

Se você enfrenta dificuldades para ser sexualmente responsiva, o problema pode não ser se está sendo tocada no lugar certo ou não, se seu marido tem as habilidades sexuais necessárias ou qualquer outra coisa que aconteça debaixo das cobertas. Pode ser que você esteja lidando com algumas questões não resolvidas — talvez um abuso sexual no passado, talvez uma conversa dolorosa ocorrida dois dias antes, que a impeça de abrir-se ao prazer com seu marido.

Não significa que essa conversa tenha sido com seu cônjuge. Pode ser que você tenha se aborrecido com sua sogra; talvez alguém tenha criticado sua forma de criar os filhos ou fez alguma outra coisa que a deixou com um sentimento de inadequação. Você é uma pessoa, inteira, completa e complexa. O sexo às vezes faz brotar o que há de mais dolorido dentro de nós, e feridas podem se manifestar através da maneira como reagimos sexualmente.

Pode ser que seu quarto não seja um ambiente seguro o suficiente para você; talvez você se preocupe que as crianças entrem ou ouçam sua reação.

Quem sabe apenas ouvir a descarga de um vaso sanitário seja o bastante para esfriá-la.

Se esse for o caso, pense na possibilidade de sair por algum tempo. Esbanje um pouco e vá a um hotel, onde ninguém importante para você poderá ouvir ou ver o que está acontecendo, e onde ninguém entrará pela porta do quarto.

Em outras palavras, olhe para o seu relacionamento de maneira holística. Seu casamento é muito mais do que ter orgasmos ou não.

A maneira de ver o sexo indica uma grande diferença entre homens e mulheres. Muitos homens o consideram um grande apagador. Para eles, se o carro está quebrado, tudo o que precisam fazer é ter sexo e tudo mais ficará melhor (ainda que o carro continue sem funcionar). Teve uma briga com a esposa? Faça sexo e tudo ficará bem (ainda que nunca fale sobre os problemas). O homem geralmente não precisa conversar sobre o fato de sua esposa estar brava com ele por não ter aparado a grama. Para a mente masculina, "uma vez que tenhamos feito sexo, tudo ficará bem".

A mulher não funciona desse jeito. Para ela, os problemas apagam o sexo; o sexo não apaga os problemas. Se a esposa estiver chateada com o marido, pode se fechar sexualmente: "Que história é essa de problema resolvido? Ainda nem sequer conversamos sobre isso!". Se ela estiver preocupada se haverá dinheiro suficiente para pagar a prestação da casa daqui a três dias, pode perder todo o desejo sexual.

Se você tem dificuldades para atingir o orgasmo, olhe para o relacionamento como um todo e, depois, olhe para sua vida inteira. Existem outras questões que a estejam perturbando?

7. Homem, não deixe de apoiar.

Marido: na maioria das vezes, devagar, de leve e macio é a chave. (Naturalmente, chega um ponto em que sua esposa não estará interessada no macio. De repente, ela se torna Jane, a bárbara, e poderá querer toda a energia que Tarzan puder reunir!) Mas, de modo geral, você precisa criar um ambiente relaxante para sua esposa, não se concentrando com muita intensidade no orgasmo: "E então, querida? Gozou?". Ei, meu amigo, se você precisar perguntar é porque ela não teve um orgasmo! Ajude sua mulher a se sentir bem, mas não a pressione.

Também ajuda se sua esposa souber que você está gostando. Ela pode se fechar se achar que você está entediado ou impaciente. E se isso for verdade, sendo bem franco, você está sendo cruel. Já vi homens gastando horas para fazer um motor ronronar feito um gatinho, mas que parecem se ressentir do fato de que sua mulher precise de trinta ou quarenta minutos de preliminares para se aquecer adequadamente. Sua atitude deve ser: *leve o tempo que levar.*

Além disso, você é beneficiado por ajudar sua esposa a sentir prazer. Já disse isso antes e vou repetir: para mim, a melhor parte do sexo é saber que estou dando prazer à minha esposa. Às vezes acho que gosto dos orgasmos dela mais do que ela própria! Empenhar tempo e esforço para ajudar sua esposa a chegar lá é algo que vale a pena.

Você precisará se familiarizar com a linguagem de amor de sua esposa para saber o que a ajudará a reagir sexualmente. Se as palavras de afirmação são o que a motivam, diga frases doces, mas provocantes: "Querida, você está tão *sexy*. Você está tão molhada. Que corpo você tem!". Algumas mulheres talvez não gostem desse tipo de conversa; outras adoram. Você precisa conhecer sua esposa, e isso significa tornar-se mais comunicativo.

Agora que conversamos sobre ajudar a esposa a acelerar, vamos falar sobre ajudar o homem a ir mais devagar.

ATRASANDO O ORGASMO (EJACULAÇÃO PRECOCE)

Certa vez, no início do nosso casamento, Sande me deixou mais excitado do que nunca. Ela me parecia boa demais para ser verdade, e lembro-me de pensar: "Que foi que eu fiz para merecer uma mulher tão linda?". O fato de que ela estava excitada, de que *me* queria, era o maior fator de excitação que eu podia imaginar. Eu estava pronto para lhe dar meu amor durante a noite inteira. Planejei nos envolvermos em horas de jogos prazerosos, escalando as alturas do êxtase até que a luz da manhã nos forçasse a parar.

E assim começaram os trinta segundos mais intensos da minha vida.

Tudo bem, podem ter sido uns 120 segundos, mas, ainda assim, parei algumas horas antes da meia-noite, para minha decepção.

Isso acaba acontecendo com todo homem. Ejacular antes do desejado é um dos problemas mais comuns entre os homens (isso e a impotência).

É importante que as mulheres entendam isso (portanto, marido, se sua esposa pular esta seção e lhe entregar o livro de volta, devolva-o!). Uma ignorância básica sobre a fisiologia masculina, sobre a excitação feminina e sobre o orgasmo pode levar a diversas acusações. Pelo fato de as mulheres conseguirem controlar seus orgasmos e de poderem parar praticamente a qualquer momento, elas às vezes presumem que o mesmo acontece com os homens. Quando uma mulher pede ao marido para esperar e ele tenta, mas a ansiedade produz exatamente a resposta contrária, bem, às vezes ela leva a questão para o lado pessoal, como se o marido estivesse sendo egoísta de propósito.

Em certos casos, suponho que alguns homens sejam egoístas — na maioria das vezes, porém, a ejaculação precoce tem mais a ver com a falta de habilidade de controlar a ejaculação do que com o egoísmo. Assim que o homem alcança o "ponto sem volta", o orgasmo acontecerá em questão de segundos, e não há nada que ele possa fazer para impedir.

Quase todo homem enfrenta esse problema uma vez ou outra. Particularmente se ele não faz sexo há algum tempo, pode ser difícil manter o controle ejaculatório. Mas uma incapacidade persistente e constante de controlar o orgasmo (o que significa que não pode escolher quando vai gozar e, com mais frequência do que o contrário, atinge o clímax antes do que deseja) é um problema que, na maioria dos casos, pode ser resolvido.

O que exatamente é um orgasmo prematuro? Masters e Johnson descobriram que o homem comum ejacula depois de dois minutos de movimentos vigorosos. A maioria consegue adiar isso ao mudar o ritmo e a profundidade de seus movimentos, mas se você vai com tudo e acaba ejaculando dentro desses dois minutos, isso não é precoce, é a média. O problema é que poucas mulheres estarão suficientemente estimuladas depois de 120 segundos de movimentos! (Este é outro bom argumento para ajudar as mulheres a alcançar o orgasmo durante as preliminares; a imensa maioria delas chega ao clímax por meio da estimulação do clitóris, não da penetração.)

Penso que o melhor indicador da ejaculação precoce seja este: Você é capaz de escolher quando deseja ter o orgasmo, ou é mais comum que chegue ao clímax antes do que gostaria? Se, via de regra, você chega ao clímax poucos segundos depois de penetrar sua esposa, a tendência é que tenha ejaculação precoce.

Esposa, por favor, seja sensível quanto a isso. Sei que você nem sequer imagina gritar, gemer e cair num orgasmo tão logo seu marido penetre em seu corpo, mas não é assim tão incomum para um homem às vezes ejacular assim que ocorre a penetração. Do mesmo modo que o homem precisa ser paciente com a mulher que aparentemente leva uma eternidade para chegar ao orgasmo, a mulher precisa ser paciente com o homem que chega lá cedo demais.

Os terapeutas desenvolveram três métodos de aprendizado para aumentar o controle ejaculatório (e nenhum deles é agradável!). Se fizermos uma votação entre os homens de todo o país, esta seria uma seção que eles prefeririam ter fora deste livro. Alguns infelizmente têm a atitude de dizer: "Então, não aguentei. Você me deixou maluco. Não consegui parar! Qual é o grande problema?".

Não é um grande problema se isso acontecer de vez em quando. Isso *se torna* um grande problema se acontecer com muita frequência.

Homens com essa atitude indiferente estão sendo tão egoístas quanto as mulheres que não fazem nada para se tornarem mais orgásticas. Não use seu casamento ou o compromisso de sua esposa como uma desculpa para se tornar um amante preguiçoso; use isso como motivação para tornar-se um *expert* na cama.

Como precursora das terapias mostradas a seguir, comece a exercitar seus músculos PC com os exercícios Kegel. Para encontrar seus músculos PC, contraia a região como se fosse conter o fluxo de urina. Esses são os músculos que você deve trabalhar, e fazer isso melhorará seu controle ejaculatório.

Duas ou três vezes ao dia, contraia os músculos PC de dez a vinte vezes. Não use seus músculos abdominais — o erro mais comum ao fazer esse exercício. Em vez disso, certifique-se de que está contraindo os músculos pélvicos. Depois de algumas contrações, respire fundo e segure a respiração por cerca de três segundos.

Esses exercícios são simples e podem ser feitos no carro, enquanto assiste à televisão ou sentado à sua mesa — e ninguém perceberá. O tempo requerido também é mínimo — menos de cinco minutos por dia. Tenha em mente que você talvez tenha de fazer esses exercícios por duas semanas ou mais antes de perceber alguma mudança significativa.

1. *Start-stop*.

O primeiro método para tratar a ejaculação precoce é chamado de *start-stop* [começa-para]. Existem inúmeras descrições dele por aí, mas o método passo a passo mais amplo está no livro do dr. Bernie Zilbergeld intitulado *The New Male Sexuality* [A nova sexualidade masculina]. Embora eu não concorde com tudo o que o dr. Zilbergeld ensina em relação à sexualidade, seu trabalho sobre esse método é bastante amplo e fácil de ser seguido. Apresento aqui uma versão bastante abreviada; se ela não funcionar para você, talvez seja interessante consultar o livro do dr. Zilbergeld.

O marido dá início ao método *start-stop* ciente de que passará por diversos estágios. Ele iniciará diversas práticas sozinho e trabalhará no sentido de realmente brincar de amor com sua esposa. O objetivo é alcançar quinze minutos de estimulação sem ejacular.

Começando sozinho, o marido deve estimular-se até que esteja excitado, concentrando-se em tomar cada vez mais consciência da mecânica de seu corpo. Não use pornografia ou fantasias impróprias durante essa fase; encher sua mente com tais poluentes apenas prejudicará seu casamento. Sua meta é tornar-se um amante melhor para sua esposa.

Todo homem tem um "ponto sem volta", quando os músculos ao redor do pênis começam a se mover e a ejaculação é certa. Você deve estimular a si mesmo, mas parar um pouco antes do ponto sem volta. Assim que sentir que está chegando perto demais, pare toda estimulação e espere até a sensação passar. Então, comece de novo.

Homens mais jovens talvez precisem parar por mais tempo que os mais velhos, mas, repetindo, o objetivo é receber quinze minutos de estimulação sem a necessidade de ejacular. Se você não conseguir parar a tempo, simplesmente descarte essa experiência e tente novamente um dia ou dois depois.

Esses exercícios podem ser realizados três vezes por semana. Assim que você alcançar um determinado nível de controle — ou seja, quando conseguir suportar estimulação quase constante (mas variada em intensidade) por pelo menos quinze minutos — então poderá começar a envolver-se num erótico jogo de "começar e parar" com sua esposa. Você precisará da compreensão e da cooperação dela.

Assim que você estiver excitado e sua esposa estiver pronta, penetre-a bem devagar, mas ela deve ficar parada. Espere até se sentir confortável dentro da vagina sem precisar alcançar o clímax. Então comece a mover-se lentamente para dentro e para fora. Se sentir a necessidade de ejacular, pare todo movimento. Essa pode não ser uma experiência agradável para sua esposa — ela precisará ser uma parceira disposta e dócil, esperando pelo período em que você tiver alcançado um melhor controle (e ela será imensamente beneficiada). Isso é, na verdade, mais um "treino" do que uma relação de fato.

Mais uma vez, você deve permanecer dentro da vagina de sua esposa por quinze minutos sem ejacular. Podem ser necessárias várias vezes até que aguente todo esse tempo, mas trabalhe nisso. Com o tempo, você obterá uma melhor compreensão daquilo que o leva imediatamente ao clímax, assim como a maneira de variar seus impulsos e conter seus movimentos, de modo que possa segurar quanto quiser.

As duas técnicas a seguir podem ser usadas em conjunto com o método *start-stop*.

2. O método do aperto.

O segundo exercício é a técnica do *aperto*, que pode ser usada em conjunto com o método *start-stop*. Quando o marido sente que a ejaculação está se aproximando, ele tira o pênis da vagina de sua esposa, ela pega o pênis com o polegar, o indicador e o dedo médio. O polegar deve estar do lado de baixo do corpo do pênis e seus outros dedos devem estar logo abaixo da cabeça do pênis (se for mais confortável para ela colocar o polegar na parte de cima e os outros dedos na parte de baixo, não há problema). Ela deve então apertar gentilmente, mas com firmeza (e de maneira constante) por vários segundos. Na maioria dos casos, isso impedirá que o homem prossiga para uma ejaculação inevitável. O casal pode começar a ter a relação novamente e repetir o aperto sempre que necessário.

Esse método normalmente falha quando o homem espera tempo demais para pedir à esposa que aplique a técnica. Mais uma vez, tudo se resume ao homem aprender a entender seu corpo e suas reações sexuais.

3. Puxar o escroto.
Existem relatos variados sobre o sucesso desse método, mas ele é mais fácil de ser aplicado do que a técnica do aperto, e alguns casais o consideram igualmente bem-sucedido. Quando o marido sente que o orgasmo está próximo (mas antes que a ejaculação seja inevitável), deve pedir à esposa que intervenha. Ela alcança e segura (*muito* gentilmente) o escroto em sua mão. Sem apertar os testículos (o que seria doloroso), ela puxa o escroto para baixo, para longe do corpo do marido, e o mantém nessa posição por alguns segundos. Assim que a excitação do homem diminuir, o casal pode retomar a relação sexual.

FAZENDO ESFORÇO

Experimente e descubra qual método (ou métodos) funciona melhor para vocês, mas lembrem-se: não há razão para se contentarem com menos que o melhor. Mulheres podem aprender a ter orgasmos e homens podem aprender a retardá-los. Pode exigir um pouco de trabalho, mas a taxa de sucesso é bastante alta.

Uma vez que a tendência dos homens é ter ejaculação precoce, gosto de dizer-lhes que o pênis é a última coisa que eles deveriam usar para fazer amor. Por que fazer amor com seu pênis se há tantas outras coisas para usar?

"O que o senhor quer dizer, dr. Leman?"

Bem, você tem lábios, língua, pés, mãos, dedos, joelhos e cotovelos, respiração, dentes — e muitas outras partes, se for apenas um pouco criativo. Quando saca imediatamente aquela grande pistola, você está em dificuldades, porque assim que a coisa começa, é como uma carreta descendo a ladeira — sem acostamento!

Quando usa tudo o que tem para dar prazer a sua esposa, e até mesmo para ajudá-la a alcançar o orgasmo antes de penetrá-la, ela provavelmente não se importará com a velocidade com que você vem. Mas quando você se concentra apenas no seu pênis, e este não corresponde, ela ficará muito insatisfeita — e com razão.

Como um esforço de última hora para uma noite especial, alguns homens podem lançar mão da autoestimulação na manhã de um grande "encontro". Se você está sempre tendo problemas ao ficar muito excitado rápido demais, então algo tão básico quanto a masturbação na manhã daquela noite com sua esposa pode ajudar. Você não deve usar a masturbação para substituir o sexo com sua esposa — isso é alienante e destrutivo. Mas se você a estiver usando como uma preparação para dar mais prazer a ela, creio que é aceitável, e às vezes sábio.

Esposas que querem ajudar o marido em relação a isso também podem ser criativas. Se você costuma ficar frustrada com a rapidez que seu marido chega lá, planeje uma noite especial, mas, na manhã do encontro, acorde-o cinco minutos antes da hora com um rápido "trabalho manual". Então, estabeleça o clima dizendo: "Isso é apenas uma amostra do que vai acontecer hoje à noite, garotão!". Não são muitos os homens que vão reclamar que a esposa deseje que eles tenham dois orgasmos num só dia! Preparar seu marido com essa primeira ação pode ajudá-lo a aguentar mais — e, enfim, agradá-la mais — no final daquela noite. E trabalhos manuais rápidos não exigem assim tanto esforço.

CANTANDO JUNTOS

Afirmei isto no início deste capítulo e afirmo de novo no final: a maioria dos homens tem muito mais prazer vendo sua esposa chegar ao orgasmo do que experimentando os seus. O orgasmo de um homem, em geral, perde a importância em comparação com o experimentado por sua esposa.

Por essa razão, não dedico muito esforço ou preocupação em relação àquilo que as pessoas chamam de orgasmos simultâneos. Sim, ele acontece às vezes, e pode ser uma ótima diversão para ambos estarem no êxtase sexual exatamente ao mesmo tempo — mas, mesmo quando isso ocorre, francamente, sinto que estou perdendo alguma coisa. Fico tão envolvido com o que estou experimentando que não consigo contemplar todo o prazer de Sande. E, uma vez que sou muito ligado nela, isso parece de fato uma perda.

Meu conselho é: não pensem muito e nem se preocupem em alcançar orgasmos simultâneos. Agradem um ao outro do jeito que vocês sabem que a outra pessoa deseja ser agradada, e desfrutem plenamente de seus orgasmos.

Mas lembre-se, marido: cavalheiros terminam por último! Não precisamos de muito tempo. Dez ou quinze minutos, se tanto, serão suficientes. Mas um amante verdadeiro levará sua esposa até lá primeiro, e se ele achar que ela deseja, se oferecerá para dar-lhe alguns crescendos a mais. Fazer amor dessa maneira é como o zagueiro que analisa a defesa: você precisa reagir imediatamente àquilo que vê. Se ela estiver em intenso prazer e desejar que você a penetre e você não o fizer, ela ficará brava. Em contrapartida, se ela estiver gostando da maneira como você acaricia seu clitóris e estiver perto do clímax, mas você parar de penetrá-la, ela pode ficar frustrada com isso.

Você não encontrará a chave para essas situações em um livro, porque sua esposa é absolutamente singular em seus desejos e prazeres sexuais. Além disso, ela muda com o passar do tempo. Sua esposa na terça-feira não é igual a sua esposa no sábado. E sua esposa num sábado de janeiro não será igual a sua esposa num sábado de junho. Seja criativo, flexível e aprenda a se tornar um especialista em fazê-la se sentir bem por inteiro.

Agora tire esse sorriso do rosto e comece a trabalhar! (Que tal isso como um pouco de lição de casa?!)

CAPÍTULO 7

Deleites orais

Por alguma razão, os apresentadores de programas de entrevistas estão sempre interessados em ter um psicólogo falando sobre um assunto banal. Certo dia, eu estava assistindo a um desses programas do qual participavam três colegas cristãos "especialistas". Um desses convidados, infelizmente, parecia mais ansioso para discutir o que um casal *não poderia* ou *não deveria* fazer do que para falar sobre a grande liberdade e alegria que Deus planejou para todo casal casado. Ele denunciou em alto e bom som o sexo oral — até mesmo entre os casados. Naturalmente, ele não tinha um versículo bíblico sobre o qual se apoiar, mas, do jeito que falava, parecia que estava olhando o rosto do anticristo!

Meu bom amigo Charlie Shedd, a quem admiro há anos, inclinou-se e disse: "Não critique antes de experimentar!".

O rosto da "autoridade" ficou pálido, e não pude deixar de dar risada. Muito bem, Charlie!

Se Deus me desse uma varinha mágica que eu pudesse agitar sobre todos os casais, gostaria de uma que instantaneamente desse autocontrole e moderação aos casais não casados (Cabum! Seus zíperes estão travados até o dia do casamento!) e que, do mesmo modo, desse maior liberdade e senso de exploração aos casais casados (bem, bem, bem — veja o que temos aqui!). Realmente acho que as pessoas casadas precisam da atitude citada por meu dermatologista. Tive alguns "sustos" relacionados ao câncer de pele, de modo que o doutor deu uma tarefa a mim e a Sande: "A cada seis meses, você e Sande precisam explorar o corpo inteiro um do outro". Ele se referia a procurar por verrugas que mudam de cor e assim por diante, mas então acrescentou com um olhar maroto: "Vocês podem transformar isso em algo bem divertido, não é?".

Pode apostar que sim!

No passado, o sexo oral era olhado com desprezo. De fato, muitos estados norte-americanos ainda têm leis registradas que proíbem esse tipo de atividade. Na minha visão, são restrições ultrapassadas. Consideremos, em vez disso, a poesia bela e quase despreocupada apresentada na Bíblia. Sim, isto é poesia, mas ela demonstra um casal se entregando plenamente um ao outro:

> O seu fruto é doce ao meu paladar.
>
> Cântico dos Cânticos 2.3

> Que o meu amado entre em seu jardim e saboreie os seus deliciosos frutos.
>
> Cântico dos Cânticos 4.16

> Entrei em meu jardim, minha irmã, minha noiva; ajuntei a minha mirra com as minhas especiarias. Comi o meu favo e o meu mel; bebi o meu vinho e o meu leite. Comam, amigos, bebam quanto puderem, ó amados!
>
> Cântico dos Cânticos 5.1

> O meu amado desceu ao seu jardim, aos canteiros de especiarias, para descansar e colher lírios. Eu sou do meu amado, e o meu amado é meu; ele descansa entre os lírios.
>
> Cântico dos Cânticos 6.2-3

> Seu umbigo é uma taça redonda onde nunca falta o vinho de boa mistura.
>
> Cântico dos Cânticos 7.2

> Eu lhe daria vinho aromatizado para beber, o néctar das minhas romãs.
>
> Cântico dos Cânticos 8.2

Muitos estudiosos acreditam que algumas dessas passagens se referem diretamente ao sexo oral, isto é, estimular os genitais do parceiro com a boca. Mas, ainda que não tratem disso, elas certamente falam de uma entrega amorosa e de uma liberdade para expressar a paixão de formas criativas e excitantes. De fato, a Bíblia não diz se o sexo oral entre o casal casado é imoral — o que, para a maioria dos estudiosos da Bíblia, significa que não há problema com a prática. Se Deus estivesse tão preocupado em relação a isso, diz o raciocínio, com certeza o teria proibido.

Pense nisto: se não há problema em beijar alguém nos lábios (e não conheço ninguém que, com base em algum fundamento moral, se oponha a isso), por que um beijo em qualquer outro lugar seria "imoral"? Então o homem não pode beijar os seios de uma mulher? E os dedos do pé, a parte detrás do joelho ou outras partes do corpo conhecidas por serem, em algumas pessoas, sensíveis à estimulação oral? Onde se deve traçar a linha arbitrária?

Certamente não é uma questão de higiene. Falando de maneira bem direta, quando uma mulher beija o pênis recém-lavado de um homem, sua boca tem muito mais germes do que o pênis. Se você estiver realmente preocupado com higiene, esqueça o beijo na boca e vá direto ao sexo oral!

Dito isso, nenhum parceiro deve ser compelido a fazer alguma coisa que considere desagradável ou imoral — embora poucos líderes cristãos hoje em dia sugeririam que há algo biblicamente errado com o sexo oral. E a parte desagradável normalmente pode ser superada se ambos os parceiros cuidarem da higiene antes de ir para a cama.

Como psicólogo, também estou bem ciente de que pessoas mais velhas tendem a ver o sexo oral como "tabu". Com base em minha pesquisa pessoal e na prática de mais de trinta anos de aconselhamento, praticamente todos os casais mais jovens (na casa dos 20 ou 30 anos, casados ou solteiros) fazem sexo oral tanto quanto praticam o ato sexual em si, uma vez que é um "sexo mais seguro", enquanto que casais mais velhos (dos 40 em diante) tendem a praticar o sexo oral com muito menos frequência, se é que o fazem.

A ironia disso é que quanto mais velho fica o homem, mais ele precisa de estimulação! O sexo oral se encaixa perfeitamente nessa necessidade. Outra grande vantagem do sexo oral para casais mais velhos é que ele não impõe sobre o homem a pressão sobre sua capacidade de ter ou manter uma ereção. Se o homem sabe que é capaz de dar prazer a sua parceira independentemente da ereção, ele se preocupará muito menos em ter ereção (o que, ironicamente, aumenta a probabilidade de que ele *venha a ter* uma).

Se o sexo oral é algo que vocês não tentaram no passado, deveriam considerar a ideia de acrescentá-lo ao cardápio desta noite.

DISCUTINDO O CARDÁPIO

Se você gostaria de tentar o sexo oral, mas não tem certeza de que seu cônjuge seja receptivo, existem duas opções. Primeiro, você pode levantar o assunto numa conversa gentil e amorosa: "Meu bem, eu queria muito tentar algo novo que agrade você. Que tal se eu começasse a beijar todo o seu corpo?".

Se seu cônjuge recebe esse tipo de carinho, então pode ser que fique mais inclinado a dá-lo também.

Outra opção, embora você precise ser cuidadoso com esta, é avançar gradualmente para o sexo oral no calor da paixão. Mova-se para baixo dos seios de sua esposa, beijando sua barriga, depois talvez descendo para as pernas, seguindo devagar para a parte interna de suas coxas. Veja como ela reage. Ela demonstra desejar que você vá mais além ou está ficando desconfortável?

Não apresse nada e, se sua esposa estiver hesitante, *pare imediatamente*. A beleza da sexualidade entre os casados é que vocês têm a vida inteira para crescer, explorar-se mutuamente e desfrutar um do outro. Não há pressa para experimentar qualquer atividade. E pode ser que um dos parceiros nunca se disponha realmente a dar ou a receber o sexo oral. Também não há problema nisso. Existem muitas outras maneiras de um casal desfrutar a intimidade sexual ao mesmo tempo em que ainda experimenta uma variedade de atividades sexuais.

Para as mulheres que querem oferecer um tratamento especial para seu marido, vamos falar sobre fazer o "sr. Feliz" sorrir.

COMO FAZER O SR. FELIZ *REALMENTE* FELIZ

O Sr. Feliz gosta de ser beijado. Nada o deixa tão feliz como a carícia oral da esposa. Cada homem tem suas preferências, mas, de modo geral, todos seguem os parâmetros a seguir.

Provocação é legal — mas por cerca de dez segundos. Pequenas lambidas suaves ou uma passada gentil da língua podem ser muito excitantes, mas não demora muito tempo e o homem vai querer algo bem mais direto. Ele vai querer que você cubra o pênis inteiro com sua boca. Muitos homens dirão que quanto mais fundo, melhor.

Isso não quer dizer que, assim que tiver o pênis na boca, você não possa parar para respirar. Sinta-se livre para se afastar, lamber um pouco mais, soprar levemente e o que quiser, mas não espere muito tempo para voltar.

Aqui está uma coisa que muitas mulheres não percebem: a parte de baixo do pênis é mais sensível que a de cima. Uma lambida longa e exuberante ali, na fase da provocação, e seu marido vai agarrar o travesseiro e se contorcer de prazer.

Se isso é novo para você, a primeira pergunta que provavelmente desejará fazer é: "E os meus dentes?". A resposta curta é: "Sim, os dentes machucam!". Você deve colocar seus lábios acima deles e ser gentil — especialmente se usar aparelho.

A segunda pergunta que normalmente é feita é: "Estou fazendo do jeito certo?". Ouça, você não está sendo avaliada por juízes olímpicos! "Eu lhe daria um 10, mas os dedos do pé não estavam curvados, de modo que lhe darei um 9,5." Não se trata de estar certa ou errada, mas sim de seu marido estar ou não gostando. Para descobrir a resposta, você deve perguntar *a ele*, não a mim! Não se ofenda se, no início, ele disser: "Um pouco mais suave, mais devagar, um pouco mais forte...". Ninguém nasceu com as habilidades de ser um bom amante, e você não precisa se envergonhar diante do fato de que precisa de mais prática.

Uma terceira pergunta invariavelmente tem a ver com o clímax. Para algumas mulheres, a ideia de engolir o produto da ejaculação é repugnante. Não há nada de natureza prejudicial em relação ao sêmen do homem, e a quantidade expelida durante a ejaculação é relativamente pequena. Mas se a ideia de prová-lo lhe é repulsiva, simplesmente tire a boca antes que seu marido atinja o orgasmo. Com o tempo, você será capaz de perceber esse momento por meio das contrações do pênis. Um marido cuidadoso também pode avisar a esposa se souber de sua relutância. Embora você possa afastar a boca, continue estimulando-o com sua mão; certamente será uma decepção para seu marido se você parar toda a estimulação exatamente no momento em que ele mais estiver gostando.

Às vezes o homem aprecia que a esposa faça contato visual enquanto o beija. Lembre-se de que os homens tendem a ser mais visuais. Se você não se importar de ter uma luz leve no quarto, ou até mesmo algumas velas, seu marido poderá gostar da visão tanto quanto gosta da sensação. Isso talvez exija que você segure seu cabelo para trás de modo que ele não funcione como uma cortina.

Embora normalmente nos refiramos a isso como "sexo oral" por falta de uma expressão melhor, não significa que apenas a língua precise estar envolvida. De fato, você pode aumentar muito o prazer de seu cônjuge ao trazer as mãos para a brincadeira. Se sua boca estiver cansada, você poderá fazer uma pequena pausa enquanto acaricia seu marido com as mãos. Ou pode usar a boca e as mãos juntas, acariciando seu marido nas partes mais íntimas enquanto lhe beija o corpo todo.

Algumas mulheres que aconselhei se surpreenderam com o fato de terem aprendido a gostar de praticar o sexo oral. Isso deixou de ser uma imposição para se tornar um prazer verdadeiro. Quando uma mulher demonstra desfrutar do prazer que dá ao marido, ela está lhe oferecendo um presente de intensidade rara. Nada excitará mais seu homem do que saber que você está excitada — particularmente enquanto você faz algo que o atiça.

COMO FAZER SUA ESPOSA MORDER O TRAVESSEIRO

Alguns homens podem se surpreender com o fato de que, quando uma mulher se masturba, quase todas elas estimulam o clitóris; relativamente poucas inserem algo na vagina.

O que isso revela? Que a parte mais estimulável da genitália feminina está do lado de fora. Não me entenda mal: as mulheres gostam da sensação de ter o pênis do marido dentro de si. Mas quando se trata de estimulação sexual, elas preferem ser acariciadas e esfregadas, mais do que penetradas.

Considere o seguinte: não há maneira mais suave ou gentil de estimular sua esposa do que com sua língua. Se ela realmente preferir ser acariciada, que outro instrumento mais hábil você possui do que sua língua?

Não consigo imaginar outra coisa!

Mesmo assim, algumas mulheres são tão hesitantes quanto a permitir que o marido faça sexo oral nelas quanto hesitam em fazer sexo oral no marido. "Posso entender o fato de ela não querer fazer isso em mim", alguns maridos já me disseram, "mas por que ela não desejaria recebê-lo?".

Tenha em mente que não existe ato mais fisicamente íntimo que você possa praticar com sua esposa do que o sexo oral. Aqueles políticos do passado que tentaram sugerir que sexo oral não é realmente "sexo" não enganaram ninguém; todos nós sabemos disso. A mulher fica tão vulnerável quanto poderia estar, e é possível que pense: "Ele vai achar isso nojento? E se eu tiver um cheiro ruim, ou um gosto ruim? Será que ele não está de fato odiando isso?". Com pensamentos desse tipo, é difícil para algumas mulheres simplesmente se deitar de costas e desfrutar da experiência.

De fato, as mulheres com quem converso, na *maioria*, confessam que no início do casamento, elas não queriam que o marido fizesse sexo oral nelas e, quando isso por fim acontecia, elas tinham tanta vergonha que a prática não era algo particularmente agradável. Assim que superam essa dificuldade psicológica, essas mesmas mulheres passam a amar o sexo oral — quanto mais demorado, melhor. Mas isso é de fato uma dificuldade para muitas mulheres.

Por conta disso — mais uma vez, falando como psicólogo — esse é um dos exemplos no qual o prazer do marido é tão importante quanto o da esposa. Você se entrega a ela quando alivia esses temores ao garantir-lhe, verbalmente ou de outra forma, que isso é algo de que você gosta.

Para o bem dos dois, a esposa deve se banhar antes de ir para a cama. Se ela se sentir limpa, vai se constranger menos. Você, homem, vai seguir sem pressa para completar cada estágio. Embora você talvez não se importe que sua esposa o acorde com a boca em seu pênis, ela normalmente desejará que você comece devagar.

Beije-a atrás da orelha, vá descendo pelo pescoço, passe algum tempo em torno dos seios, não se esqueça daquele ponto adorável na parte de dentro do cotovelo e, de modo provocante, pule a parte do meio e vá direto para as pernas. Aquele ponto atrás do joelho pode deixar uma mulher louca se você souber lambê-lo do jeito certo. Esses lugares macios podem ganhar vida durante uma lenta sessão de amor. Ao mudar de direção, você pode descobrir que algo acontece quando beija gentilmente a parte interna das coxas de uma mulher que a faz deslizar para baixo! Se fizer isso do jeito certo, seguindo vagarosamente de volta ao norte, sua esposa estará praticamente (ou talvez literalmente, se você for sortudo) implorando que você a beije no lugar certo. Quando fizer que ela realmente deseje isso, e lhe der aquele beijo leve e sensual, poderá levá-la a começar a morder o travesseiro por medo de acordar as crianças.

Eis uma posição particularmente agradável para fazer isso: olhando para os pés dela, escorregue sua mão direita para baixo de sua esposa (debaixo das nádegas dela). Seus dedos estão logo ali, querendo fazer uma pequena dança na genitália dela, e sua boca tem pleno acesso às regiões vulneráveis; as bordas do clitóris e as dobras dos lábios estão todas ali para que seus dedos e sua língua trabalhem juntos.

Homens, tudo tem a ver com o clima e o tempo reservado para chegar lá. Se você deixar sua esposa no ponto, ela se esquecerá de onde está e se perderá no caminho por onde você a levar. Você se surpreenderá com o que uma professora de escola dominical faz e diz no calor de tal paixão. Quando sua esposa está excitada, toda essa área fica sensível. Não ignore nada, e varie os movimentos de sua língua. Você pode alternar lambidas, puxões carinhosos (com os *lábios, nunca com os dentes!*) e beijos. Acima de tudo, lembre-se deste mote: *Gentilmente, homem, gentilmente*. A reclamação mais comum nessa área é que o homem é muito bruto e acaba machucando sua esposa, em vez de lhe dar prazer. Isso é particularmente verdadeiro à medida que ele sente que sua esposa está esquentando e ele se deixa levar. Sua língua precisa ser insistente, mas leve. Preste atenção nas reações de sua esposa. Ela pode estar tensa demais para dizer "Ai!" (por não querer ferir seus sentimentos); portanto, verifique as indicações não verbais.

A propósito, não se esqueça das mãos. Deixe seus dedos tocarem qualquer lugar que sua língua não puder alcançar. A estimulação combinada pode fazer sua esposa estremecer. Estenda a mão e acaricie-lhe os seios, ou estimule o clitóris com os dedos enquanto lambe um pouco mais embaixo. Ou então, beije gentilmente seu clitóris com a boca enquanto penetra sua vagina com um ou dois dedos, talvez alcançando o ponto "dela".

Tendo esboçado os possíveis prazeres do sexo oral, quero acrescentar que homens e mulheres não devem nunca, *jamais* forçar o parceiro a fazer qualquer coisa que este não queira. Lembre-se daquele versículo: "O amor não procura seus interesses". Se o seu cônjuge — pela razão que for — considera o simples pensamento no sexo oral algo desagradável, detestável ou imoral, é errado de sua parte fazer que ele se sinta culpado ou pressioná-lo para que "ceda".

ALGUNS PRAZERES DO SEXO ORAL

Se você já é hábil nas artes do sexo oral, aqui vão alguns "prazeres" especiais nos quais talvez não tenha pensado:

- Chupe algumas balas de sabor forte (como menta e eucalipto) antes de beijar seu parceiro, ou deixe uma pastilha para garganta na boca enquanto você dá conta do recado. O "mentol" na sua língua provocará uma sensação bastante prazerosa.
- Outra boa ideia é colocar uma xícara de chá quente perto da cama. Vá tomando pequenos goles. Isso não apenas faz seu parceiro ter um gosto bom, mas o calor extra da língua deixará seu cônjuge louco.
- Sussurre enquanto dá prazer a seu parceiro.
- Esposas, lembrem-se de que os homens são bastante visuais. Se puder deixar que seu marido veja o que você está fazendo, e talvez até prender o cabelo para cima, ele ficará muitíssimo agradecido. Um contato visual de vez em quando é um poderoso afrodisíaco!

Mal posso esperar pelas correspondências que receberei sobre este capítulo!

CAPÍTULO 8

Apenas para homens

Nos próximos dois capítulos, quero conversar com cada cônjuge individualmente. Quero incentivar que as mulheres leiam o capítulo para homens, e que os homens leiam o capítulo para mulheres. Se vocês lerem juntos, terão muito a conversar. As questões que abordarei são aquelas que surgem mais frequentemente quando o sexo é discutido na sala de aconselhamento.

LIMPEZA É IMPORTANTE

Cara, uma das coisas que ouço com mais frequência de mulheres é que os homens vão para a cama cheirando a meião suado e, então, querem que a esposa chegue perto e tenha intimidade com simplesmente todas as partes do seu corpo.

Acho que não vai dar.

Anos atrás, fizemos um programa de rádio sobre higiene. Prefiro não saber antecipadamente o tema do programa do qual vou participar porque gosto de abordar o assunto como uma novidade — assim como acontece com o ouvinte. Não quero que o quadro pareça produzido ou artificial. Assim, como é meu costume, pouco antes de entrarmos no ar perguntei ao produtor qual era o assunto sobre o qual iríamos falar.

— Higiene e sexo — disse ele.
— Não, é mesmo? — disse eu.

— Higiene e sexo — repetiu ele.
— Você não está falando sério.
— Sim, estou.
— Bem, vou logo avisando, antes que o programa fracasse, que essa talvez seja a ideia mais estúpida que já tivemos.

Eu não poderia estar mais errado. Os telefones começaram a tocar assim que o tópico foi explicado, e as ligações continuaram entrando a todo vapor durante o programa inteiro, de uma hora de duração. Tivemos uma tremenda audiência porque maridos sujos que não tomam banho, não escovam os dentes ou não se preparam antes de ir para a cama de fato desanimam sexualmente as mulheres — e, finalmente, essas mulheres podiam falar sobre isso.

Deixe-me colocar a questão da seguinte maneira: às 10 da noite, o pelo da sua barba se parece com uma lixa grossa. Toda a tensão que você sentiu no escritório transpirou por sua pele, manchou suas axilas e fez seu pé cheirar como um monte de adubo. Muito embora você tenha poder suficiente para levar uma mulher ao êxtase e trazê-la de volta apenas com seu dedo indicador, se você nunca usar uma lixa para aparar as unhas das mãos, poderá fazer que sua esposa grite, mas por uma razão bastante diferente.

Rachel Herz, professora de psicologia experimental na Universidade Brown [em Rhode Island, Estados Unidos], publicou um estudo no qual fez a 332 universitários uma série de perguntas sobre o que lhes gerava atração pelo sexo oposto. As alunas disseram sistematicamente que o cheiro as atraía a um homem muito mais do que as características visuais.[1]

Em outras palavras, ainda que você seja "sarado", não irá muito longe se estiver cheirando a rato morto.

Portanto, aprenda a usar o sabonete. Tome banho antes de se enfiar na cama se você teve um dia ocupado e estressante, ou se quiser que sua esposa fique particularmente próxima (você sabe do que estou falando). Se você tornar a experiência da sua esposa mais prazerosa, ela será mais receptiva.

E lembre-se: sua própria "fungada" não é uma medida boa o suficiente. O olfato da mulher é fisiologicamente mais apurado que o do homem. Portanto, ainda que você ache que não está fedendo, isso não significa que o nariz superior de sua esposa não vá captar algum sinal ofensivo.

SUTIL É MELHOR

Por alguma razão, a maioria de nós, homens, ainda reside mentalmente em algum lugar próximo da era do homem das cavernas quando se trata de romance. O que quero dizer é que nós ainda achamos que as mulheres gostam de ser agarradas à força, apertadas e maltratadas.

Às vezes, se o cenário estiver adequado, "maus-tratos" pouco agressivos e brincalhões podem ser bem-vindos; mas, em 90% das vezes, uma mulher gosta que o toque de seu homem seja muito mais sutil. Ela não quer que você agarre os seios dela como se estivesse apertando uma bola de tênis para ver se ela fica plana; ela não gosta que você lhe dê um tapa no traseiro como se ela tivesse feito um gol. Ela quer que o seu toque seja *sutil*. Se você quer de fato passar o dia inteiro "aquecendo" sua esposa, precisa assumir uma abordagem mais suave e dar atenção a áreas menos óbvias.

Veja a seguir alguns comentários reais feitos por mulheres ao falarem sobre maneiras pelas quais homens no passado fizeram seu coração derreter:

"Tirando uma mecha do meu cabelo da frente do meu rosto."

"Penteando meu cabelo."

"Entrelaçando a mão no meu cabelo."

"Beijando atrás da minha orelha."

"Tocando minha face."

"Sentando-se perto de mim e colocando o braço ao redor do meu ombro."

"Colocando a mão na minha coxa quando estávamos sentados perto um do outro no cinema, num jantar ou no sofá assistindo televisão."

Uma mulher deu o seguinte testemunho: "Fazíamos nossa caminhada noturna. Paramos no topo da colina e, quando me virei para ele, ele passou a mão pelo meu rosto. Então, tocou meu cabelo. De repente, eu simplesmente o queria".[2]

Não existe no grupo um único "Eu simplesmente *adoro* quando ele agarra de repente a minha virilha!". Mas perceba quantas mulheres se referiram ao seu companheiro passando a mão por seus cabelos. Quando foi a última vez que você fez isso?

A diferença aqui é que, enquanto muitos homens tendem a ser *sexualmente* direcionados em seus pensamentos, as mulheres tendem a ser orientadas *sensualmente*.[3] Ir direto para as partes íntimas de uma mulher ou participar de um espancamento mamário não anunciado não é sensual; é sexual (ainda que não muito, pelo menos para a mulher!).

DEIXE QUE SEUS DEDOS FALEM

A maioria das mulheres, em geral, não experimentará o orgasmo por meio apenas do ato sexual. Não importa se seu primeiro nome é Don e seu último nome é Juan — fisiologicamente, o ato sexual parece planejado para um propósito: fazer que o homem deposite seu esperma. É um cenário ideal para o *seu* orgasmo, mas não necessariamente para o de sua parceira; portanto, vá com calma — você precisará que suas mãos também se envolvam.

A maioria das mulheres precisa ter seu clitóris estimulado para que consiga chegar ao orgasmo. O clitóris é um pequeno botão de carne localizado logo acima da abertura da vagina. Sua esposa, na verdade, tem dois conjuntos de lábios de carne, chamados de grandes lábios (ou lábios maiores) e pequenos lábios (ou lábios menores). Os lábios maiores são cobertos de pelos. Os lábios menores formam um V de cabeça para baixo. O clitóris é aquele botão de carne bem no vértice; ele é cercado por um capuz. Quando a mulher não está plenamente excitada, o "volume" do clitóris normalmente fica escondido em dobras de pele.

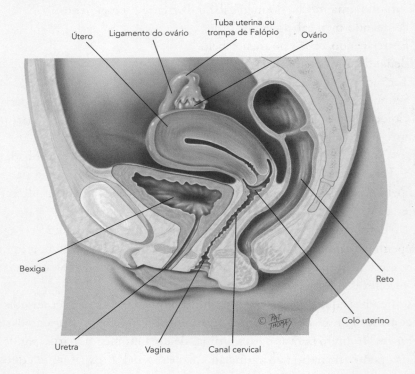

Assim como o pênis, o clitóris varia de tamanho de mulher para mulher. Alguns se sobressaem por entre os lábios e são fáceis de encontrar; outros são menores. Quando um marido sensível e amoroso faz bem o seu trabalho e excita ternamente sua esposa, o clitóris normalmente fica maior, facilitando sua descoberta.

Isto pode chocar alguns homens, mas o clitóris de uma mulher tem, na verdade, em média cerca de vinte centímetros de comprimento. Você só vê cerca de um décimo disso, é claro; o restante está aninhado dentro do corpo da mulher. A área que se destaca ao ser envolvida com o prazer é parte de um corpo principal muito maior, uma espécie de *iceberg* do amor com apenas a ponta disponível para o..., bem, olho nu (o trocadilho é proposital). Os outros quase vinte centímetros que você não vê se estendem para trás, na forma de um ossinho da sorte para dentro da pélvis.[4] Isso torna toda a área bastante receptiva ao toque sexual.

A concentração de vasos sanguíneos e nervos na ponta do clitóris o torna *hipersensível* ao toque. Marido, isso significa que ele é um extraordinário centro de prazer ou de dor intensa. Você está lidando com um instrumento extremamente sensível. Acima de tudo, por favor, entenda que o clitóris não é uma manivela que leva ao êxtase. Nem é como o acelerador de uma motocicleta, que basta ficar virando, virando e virando para que sinta o poder literalmente explodir debaixo de você. O clitóris é um órgão muito sensível que precisa ser manipulado com cuidado. Às vezes a manipulação indireta é a melhor. Um toque direto pode ser doloroso, dependendo da mulher. Nesse caso, você deverá mexer nos lábios ao redor do clitóris para estimulá-lo indiretamente. Algumas mulheres precisam que o clitóris seja lubrificado antes de ser tocado, e muitas gostam que ele seja acariciado com movimentos circulares.

Você também deverá variar a intensidade, o local e a duração dessas carícias. O que parece bom por dois minutos pode se tornar doloroso depois de três. Normalmente um toque provocante mais leve é o caminho preferido — contudo, com a proximidade do orgasmo, ela pode querer um toque mais vigoroso e direto. Essa é a vantagem do sexo conjugal: com o passar do tempo, você aprenderá o que sua esposa prefere.

Praticamente qualquer posição sexual permite ao homem ter pelo menos uma das mãos livre. Se você ou ela estiver por cima, se você estiver por trás e ela ajoelhada, ou se vocês estiverem na posição da colher, você pode passar com a mão e, com muito cuidado, encontrar esse pequeno e delicado amigo. Você precisa se familiarizar com esse pequeno botão se desejar fazer que sua esposa se sinta verdadeiramente satisfeita.

Mulher, permita-me acrescentar uma pequena nota aqui, especificamente para você: *ajude* seu marido a agradá-la. Cada mulher é diferente; cada clitóris, por assim dizer, prefere um toque singular. Em vez de deixar seu marido adivinhar, ou fazer que ele se sinta estúpido ou incapaz porque seu toque não é o certo, tome a iniciativa de guiá-lo.

Uma vez que essa pode ser uma questão bastante sensível, tente usar a motivação positiva. Assim que ele esbarrar em algo que funciona, seja efusiva: "Oh, sim, querido, é bem aí. Isso é perfeito". "Ah, você está me deixando tão molhada." "Oh, bem aí, esse é o ponto. Sim!" "Ah, não pare, oh, por favor, sim, bem aí, por favor, não pare!"

Se ele ficar excitado demais, não se envergonhe de pedir que ele se acalme um pouco: "Calma, querido, aqui é um pouco sensível". Com o passar do tempo, você pode se sentir suficientemente confortável para guiar a mão dele. Lembre-se: você é a única que de fato sabe como é um toque em seu corpo. Seu marido pode procurar indicações, mas você facilitará muito as coisas para ele se for um pouco mais verbal.

ELES NÃO SÃO TÃO SENSÍVEIS QUANTO VOCÊ ACHAVA

A aréola — a parte escura onde fica o bico do seio — não é tão sensível quanto os homens costumam achar. De fato, alguns pesquisadores de Boston sugerem que a aréola é de duas a três vezes *menos* sensível que o dedo indicador de uma mulher.

Isso *não significa* que você pode tratar o bico do seio como o botão do rádio do seu carro; mas de fato indica que você pode precisar ser um pouco mais firme para fazer uma carícia que sua esposa aprecie.

Assim, lembre-se mais uma vez de que os seios de cada mulher são diferentes — não apenas em tamanho, mas em sensibilidade também. Algumas podem alcançar o clímax simplesmente por terem os seios afagados. Outras não vão chegar nem perto.

FAÇA AMOR COM ELA

As mulheres sabem que os homens tendem a ter mais interesse no sexo do que elas. O simples fato de você estar excitado não significa outra coisa para sua esposa senão que você gosta de sexo e que deseja que ela o "sirva".

Por isso é tão importante garantir que sua esposa saiba que você está fazendo amor *com ela*. Você quer que ela saiba que seu desejo não é simplesmente ter um orgasmo (ainda que você não rejeite, caso ela o ofereça...), mas que seu desejo se concentra realmente *nela*. Ela é a única com quem você deseja estar.

Como fazer isso? Preliminares apressadas, movimentos vigorosos e, depois, sair de cima dela e cair imediatamente no sono não é a melhor receita. Deixe-me contar-lhe o que faz as mulheres se sentirem especiais durante o sexo, segundo elas mesmas:

"Quando ele conversa comigo durante o ato de amor, dizendo que me quer e por que e como eu o excito. Fale mais!"

"Contato visual. Quando estamos nos beijando. Quando estamos nos amando. Gosto de ver a expressão em seus olhos, porque, quando ele está me amando, sua expressão é muito carinhosa."

"Quando fazemos amor, ele me toca na face, diz meu nome, brinca com o meu cabelo. Isso faz que eu sinta que ele está feliz por estar *comigo*."[5]

Penso que, a esta altura, você já entendeu a questão: descubra formas de fazer que sua esposa saiba que você *a* deseja mais do que deseja o sexo. Torne o sexo *pessoal*, *apaixonado* e *relacional*.

O PONTO "DELA"

Hoje em dia, praticamente todo mundo já ouviu falar sobre o famoso ponto "G", que tem esse nome devido ao dr. Graffenberg, o médico que o descreveu pela primeira vez, meio século atrás. Para a mulher, o ponto G é, em termos anatômicos, a esponja uretral. Desculpe-me se isso estraga um pouco do mistério, mas agora você já sabe.

Embora haja variação em relação à sensibilidade do ponto G feminino, ele certamente é algo com que o cônjuge sensível quer se familiarizar. Mas não se empolgue demais. Em vez de falar sobre o ponto G, prefiro conversar com os casais sobre o que eu chamo de o ponto "dela".

O que descobri é que o ponto dela *se move*. Não importa do que você o chame — ponto G, ponto M, ponto Z, ponto quente — na terça-feira ele está aqui, mas no sábado está ali. Se você ficar muito obcecado por algo que leu num artigo de revista, vai perder o ponto dela.

Nosso trabalho como homens é descobrir o que faz a nossa mulher vibrar. O que faz a sua esposa vibrar talvez não seja o que mexe com a minha.

Mas agora que sua instrução se ampliou e você sente que o livro valeu o dinheiro gasto, vamos ver o que o famoso médico tinha a dizer sobre um ponto capaz de fazer sua esposa entortar os dedos do pé.

Antes de qualquer outra coisa, amigo, deixe-me adverti-lo: o ponto G não é um gatilho que pode ser apertado para disparar fogos de artifício à vontade. Você precisa encontrar o caminho que leva até ele. Se pressionar os dedos ali e começar a procurar, estará sujeito a transformar sua esposa em uma baleia assassina em vez de uma lânguida gatinha. Faça sua parte primeiro e, assim que sua esposa estiver excitada, coloque *gentilmente* um ou dois dedos (a palma da mão deve estar voltada para você) na vagina dela. A próxima parte varia de mulher para mulher, mas, de modo geral, cerca de dois a quatro centímetros acima da abertura da vagina na parede frontal, você terminará sentindo um pequeno ponto que tem alguns sulcos, ou que parece um pouco mais áspero que a pele ao redor. Uma vez que você estará tocando a uretra, sua esposa pode ficar preocupada com a sensação de querer urinar — mas logo depois, se você continuar aplicando uma pressão delicada, essa vontade se transformará numa sensação bastante agradável. Você saberá que tirou a sorte grande quando os gemidos começarem.

Talvez você ache mais fácil localizar o ponto G de sua esposa pedindo que ela se deite de bruços e abra as pernas para você. Nesse caso, você vai pressionar os dedos para baixo. Tente esfregar para cima e para baixo e também de um lado para outro, e incentive sua esposa a dar algum *feedback*. Esse ponto gera uma sensação diferente em cada mulher, de modo que você precisará descobrir o que é mais prazeroso para sua esposa. Ficará ainda melhor se você usar as duas mãos na brincadeira, estimulando o clitóris ao mesmo tempo em que massageia o ponto G.

Para atingir o ponto G durante a relação, costuma ser melhor colocar a esposa por cima. O homem deve se deitar com os joelhos erguidos, para que sirvam de apoio para a esposa. Com a prática, ela conseguirá direcionar o pênis de seu marido exatamente para o ponto certo.

Então fique firme.

Outra alternativa é o marido penetrar a esposa por trás, tentando conscientemente acariciar o ponto G com o pênis. Isso exigirá mais do que movimentos a esmo, é claro; será necessário um esforço sensível da parte do homem.

BRIGAS POR CAUSA DA FREQUÊNCIA

— Então — disse eu ao homem sentado à minha frente, o qual tinha três filhos e estava casado havia dezoito anos — o que você realmente gostaria de fazer na cama?

— Sexo seria muito bom — respondeu ele.

Eu deveria ter sido mais específico.

Quando um casal me procura para falar dos problemas em sua vida amorosa, as "brigas por causa da frequência" estão entre os desacordos mais constantes. Embora tenha conversado com algumas mulheres que desejam sexo mais frequentemente que seus maridos, de modo geral, os homens sentem como se tivessem de implorar para conseguir cerca de metade do sexo que eles gostariam de ter.

Não fique ressentido quando sua esposa não quiser sexo com a mesma frequência que você; a diferença costuma ser hormonal. Ela não tem a sua testosterona correndo pelo corpo, então, não espere que ela tenha o mesmo desejo que você, nem a culpe por isso. Ainda que algumas coisas possam melhorar o desejo, só dá para controlar o que fazemos com o desejo ou com a falta dele — nunca o desejo em si.

A maioria dos homens precisa de um ajuste para menos. Pare de esperar que sua esposa atenda a suas necessidades sexuais perfeitamente. Ajuste-se para que haja melhorias. A vida sexual perfeita que você tem em mente com certeza não existe; é muito melhor trabalhar na direção de algo que seja melhor do que brigar por um ideal que duas pessoas provavelmente nunca alcançarão.

Vou me expor um pouco aqui. Às vezes os autores se perdem no imaginário e apresentam exemplos irreais. Sou um homem de 48 horas; depois de mais ou menos 36 horas, o sexo se torna muito, muito importante para mim. Mas, sabe de uma coisa? Ter sexo a cada 48 horas raramente acontece no lar dos Leman. Seria uma semana atípica para Sande e eu ficarmos juntos três ou quatro vezes. Com minha agenda de viagens, cinco filhos e a loja de antiguidades de minha esposa, a Shabby Hattie, simplesmente não temos tempo nem energia para fazer sexo com a frequência que eu gostaria — mas, mesmo assim, temos uma vida sexual boa. Por quê? Porque não deixo o que *poderia ser* atrapalhar o que *realmente temos*.

FANTASIAS FEMININAS

As mulheres têm, *sim*, fantasias. Mas elas nunca se igualarão às masculinas. Contudo, felizmente para você, a maioria das fantasias femininas está de fato dentro do alcance do homem comum. Duas autoras fizeram uma pesquisa na qual pediram a mulheres que descrevessem suas fantasias românticas. As respostas foram animadoras:

> Você pode comemorar por descobrir que nenhuma das fantasias citadas mencionou o desejo de ser coberta por diamantes, envolvida em pele de marta ou sequestrada num iate particular e seguir para a Ilha da Fantasia. Não, as fantasias descritas por mulheres de todas as idades eram facilmente realizáveis pelo homem comum, que trabalha das 8 às 5 da tarde.[6]

As fantasias incluíam coisas como praticar esportes ao ar livre, fazer compras, ir a concertos e comer em bons restaurantes. A chave principal para essas "fantasias" é que as mulheres queriam que os homens cuidassem de todos os detalhes envolvidos, desde o cuidado com as crianças até as reservas. É muito comum o homem dizer "Querida, vamos viajar no final de semana?" e, então, deixar na mão dela a responsabilidade de procurar o hotel, fazer as reservas no restaurante, conseguir alguém para ficar com as crianças etc.

Se as fantasias de sua esposa envolverem um jantar, procure um cenário de intimidade. Salões menores e baias ou cabines com luz de vela são preferíveis a uma atmosfera barulhenta e agitada. Procure lugares em que se usem guardanapos de pano e que toquem música lenta ou suave. Vá com estilo: arrume-se um pouco e, quem sabe, compre para sua esposa uma joia ou bijuteria, talvez um vestido novo. E, uma vez lá, tenha em mente que sua conversa vai determinar o sucesso ou o fracasso de seu jantar. Sanna e Miller sugerem o seguinte:[7]

Ela quer ouvir:	Ela não quer falar sobre:
• Que ela está bonita.	• As crianças, os parentes.
• Que você sente saudades dela.	• O escritório.
• Como é bom estar com ela.	• Coisas que você tem de fazer que não a envolvem.
• Planos para o futuro de vocês.	• Qualquer coisa negativa, qualquer coisa que você não gosta em relação a *qualquer coisa*.
• Do que você gosta no relacionamento.	• Questões sobre as quais vocês discordam e que possam gerar uma discussão.
• Planos para o futuro dela (realizar sonhos e objetivos pessoais etc.).	• Tarefas de casa.
• Interesses dela (incentive-a nisso).	• Gastos, contas, impostos.
• Como vocês se conheceram (lembranças de um começo maravilhoso).	• Problemas do dia.
• Por que ela é especial para você.	• Outras mulheres, do passado ou do presente.
• Coisas positivas sobre o restaurante.	• Coisas negativas sobre o restaurante.
• As realizações dela.	• Suas realizações.
• O dia dela.	• Seu dia.
• As ideias dela.	• Suas ideias.
• O apreço que você tem por tudo o que ela faz.	• As dificuldades que você teve para planejar este grande encontro.

É claro que algumas mulheres *de fato* querem ouvir sobre como foi o seu dia, mas somente depois de você ter demonstrado interesse pelo dia dela. Mantenha o foco positivo sobre ela e seja relacional.

"Mas espere um instante, dr. Leman", alguns homens podem estar dizendo. "O que há de *sexy* nisso tudo?"

Ah, meu caro amigo, você cometeu o erro masculino fatal. Você presumiu que "fantasia" e "sexo" estão combinados na mente feminina. Isso não é necessariamente verdadeiro. Mas, sabe de uma coisa? Satisfaça essa fantasia e o interesse de sua esposa pelo sexo com você aumentará cem vezes — desde que ela esteja certa de que você não está fazendo isso apenas porque espera um grande "pagamento" em retribuição.

Uma pesquisa pediu a mulheres que preenchessem o espaço da seguinte frase: "Se ele fosse mais romântico, eu estaria mais inclinada a _____". As respostas foram:

1. "Ficar mais excitada por estar com ele."
2. "Manter-me atraente."
3. "Descobrir o que ele quer; tentar ajudá-lo a satisfazer suas necessidades."
4. "Ficar com ele em vez de encontrar um novo parceiro."
5. "Estar de bom humor perto dele."
6. "Atender suas necessidades sexuais."[8]

Dentre todos os bilhões de homens sobre a face da terra, sua esposa escolheu você. Por que acha que isso aconteceu? Foi porque ela pensou que a maneira como você agia durante o namoro seria a maneira como você agiria depois que se casassem?

Pensando bem, isso é bastante razoável.

Você está tratando o relacionamento com sua esposa como favas contadas? Você ainda faz as coisas que fazia para "cortejá-la" ou ainda "namora" com ela? Você teria ido ao baile da escola cheirando a óleo de motor de carro? Então por que vai para a cama com esse cheiro?

A maneira mais eficaz de melhorar sua vida sexual, incluindo o desejo de sua esposa por você, é concentrar-se nos outros 95% do seu casamento e trabalhar para edificá-los.

CAPÍTULO 9

Apenas para mulheres

Uma mulher que conheço decidiu aplicar alguns dos princípios sobre os quais falo neste livro para realmente surpreender seu marido. Ela queria fazer algo chocante. E, uma vez que seu marido estivera fora um mês inteiro numa viagem de negócios, ela teve a grande ideia de recompensá-lo por sua fidelidade.

Para entrar no clima, ela tomou um longo e agradável banho de espuma. Depilou as pernas, passou o perfume preferido de seu marido e, então, colocou uma cinta-liga, meias finas, um casaco longo — e nada mais. Depois, dirigiu-se ao aeroporto, estacionou o carro e entrou no saguão, na esperança de encontrar seu marido no portão de desembarque.

Mas ela se esqueceu da segurança. Assim que passou pela máquina, ouviu o apito: *Biiip*!

Foi então que ela se lembrou do metal na cinta-liga que estava usando.

Seu rosto ficou mais branco que os lençóis que ela havia acabado de colocar na cama. Ela olhou para trás e viu um casal de idosos, um jovem executivo e uma família impaciente esperando para passar. O que poderia fazer?

O segurança ainda tentou ajudar.

— Tenho certeza de que é apenas o cinto do seu casaco, senhora. Por que a senhora simplesmente não tira o casaco e o coloca na esteira para passar pela máquina?

— Tirar meu casaco? — perguntou ela, em pânico.

— Ou pelo menos o cinto.

Naquele momento, todo o sangue de seu corpo havia saído da cabeça. Suas mãos estavam dormentes e frias enquanto ela tirava o cinto e prendia o casaco com força, orando tão intensamente como jamais havia feito para que o metal da cinta-liga não fizesse disparar o alarme outra vez.

Ela passou novamente pela máquina, pronta para morrer de vergonha. Nunca o som do silêncio foi tão maravilhoso para uma jovem esposa. Depressa ela apanhou o cinto do casaco, colocou em volta da cintura e encontrou-se com seu marido no portão.

Naturalmente, ele achou a história engraçadíssima — e apreciou a atitude ainda mais do que aquela mulher pudesse imaginar. Mesmo assim, ela avisou: "*Nunca mais* espere uma surpresa como essa outra vez!".

POR QUE NÃO?

Receber e realizar gestos espontâneos como o citado é algo que pode fazer maravilhas por seu casamento. Na verdade, a essência do que quero tratar neste capítulo é: Por que *não* agora, e por que *não* aqui?

Seu marido já apareceu por trás de você, apalpando seus seios enquanto você passava maquiagem nos olhos, e levou um tapa na mão acompanhado de um curto e grosso "Agora não!"?

Por que *não* agora?

Quanto tempo leva uma carícia nos seios? Dez segundos? Vinte segundos? Será que você realmente não pode dar ao seu marido esse tempo?

Sei o que está pensando: "Você não entende, dr. Leman. Se eu deixar que ele toque meus seios, em dez segundos estarei de costas olhando para o teto. Minhas roupas serão arrancadas e espalhadas pelo chão, meu cabelo ficará um bagunça e terei de refazer toda a maquiagem. Aí, chegarei atrasada ao trabalho".

Às vezes é possível que aconteça isso mesmo. Como um evento raro, posso até dizer que chegar atrasada ao trabalho uma ou duas vezes por ano pode ser exatamente do que seu casamento esteja precisando! Mas muitas vezes seu marido quer apenas uma sensação breve. Portanto, da próxima vez, surpreenda-o ao virar-se e dar a ele uma sensação breve espontaneamente.

Existe uma enorme diferença entre a esposa que dá um tapa na mão do marido e o afasta e a que dá um sorriso maroto, se envolve em carícias leves por um minuto ou dois e sussurra no ouvido dele: "Isso é tão bom, mas infelizmente preciso mesmo me arrumar para o trabalho. Vamos deixar para hoje à noite, quando você vai conseguir tudo o que quiser e um pouco mais". A segunda mulher terá satisfeito seu marido, e ainda permanecerá vestida e com o cabelo arrumado. A primeira esposa terá frustrado seu marido e desprezado sua masculinidade, tudo por causa de sessenta ou noventa segundos.

Esse é um minuto caro.

POR QUE NÃO AGORA?

Os homens são mais frágeis do que a maioria das mulheres pensa. Eles querem agradar e seus sentimentos são feridos muito mais facilmente do que muitas mulheres poderão ao menos imaginar. Os homens não pensam apenas em futebol e carros — de fato, a razão de parecerem tão obcecados por essas coisas é que com frequência eles não se sentem amados em casa e, assim, procuram refugiar-se em coisas externas.

Você quer dar a seu marido um tratamento especial? Da próxima vez que ele vier por trás de você e gentilmente tocar um seio com a mão, esperando que você lhe dê um tapa, deixe-o assim por alguns segundos. Quando ele finalmente se afastar, vire-se diga, com voz enérgica: "Ei!".

Quando tiver obtido a atenção dele, diga: "Você se esqueceu do outro".

Minha fiel leitora, se você fizer isso, essa será uma conversa da qual seu marido talvez nunca se esqueça.

Quero ajudá-la a entender como um homem pensa. Quando vejo Sande curvada para retirar a louça da máquina de lavar, digo algo mais ou menos assim:

— Você quer saber no que estou pensando neste exato momento?

— Não, Lemey, eu *não quero* saber o que você está pensando; vá procurar o que fazer.

É comum as mulheres não entenderem que a simples visão delas se curvando pode provocar reações profundas em um homem. Somos criaturas visuais, e recebemos estímulos visuais o dia inteiro. Combinado com a testosterona que corre por nosso corpo, isso faz que muitos de nós vivam num estado elevado de alerta sexual.

Agora, veja outra cena. Se eu disser a mesma coisa para Sande quando ela estiver curvada sobre a lava-louças, ela pode responder: "Lemey, o Sr. Feliz tem mania de ficar todo excitado em momentos em que não há a menor chance de ele ter sorte. Mas vou lhe dizer uma coisa: o Sr. Feliz vai ter bastante trabalho hoje à noite. Estou ansiosa por isso. De fato, não há nada que eu queira mais".

Quando Sande age assim, é ainda melhor do que quando ela cede imediatamente! Sabe por quê? Ela está usando o poder da antecipação, e antecipação é melhor que participação, em termos emocionais, para um homem.

Isso a surpreende? Pense nisto. Quanto dura a participação? Dez minutos para uma rapidinha? Vinte minutos na média? Quarenta e cinco a sessenta minutos quando vocês realmente estão com tempo?

Mas a esposa que diz "Hoje à noite é a noite!" dá ao marido um *dia inteiro* de prazer. Dificilmente se passarão vinte minutos sem que ele pense nela, imagine-a e a deseje. Isso não lhe parece maravilhoso? Fazer o marido ter pensamentos amorosos e afetuosos sobre você o dia inteiro?

As palavras que você escolhe são realmente importantes. Você estará na cabeça de seu marido o dia inteiro, se, quando ele estiver prestes a sair de casa e for dar-lhe um beijo superficial, você o surpreender com um beijo de verdade — praticamente limpando os pré-molares dele no processo — e disser: "Tenho planos para você mais tarde, companheiro; portanto, volte logo do trabalho".

POR QUE NÃO AQUI?

Outra frase famosa que as mulheres despejam sobre o marido é: "Aqui não".

Por que não aqui? Quem disse que fazer amor é algo adequado apenas para o quarto? Por que não ter um pouco de aventura?

Não estou sugerindo que vocês façam amor no meio do *shopping* ou no jantar de formatura de sua filha, mas, ei, se seu marido começar com travessuras na cozinha e ninguém mais estiver em casa, existem, de fato, em praticamente todas as cozinhas, alguns itens bastante interessantes que podem ser usados no corpo no lugar do pão.

Pense nisso!

Eu participava de uma noite de autógrafos em uma livraria que também havia convidado o falecido comediante Steve Allen. Nós dois conversávamos com as pessoas enquanto autografávamos. O livro que eu estava assinando era *O sexo começa na cozinha*.

Steve e eu vimos um casal de idosos passar por ali, de braços dados, obviamente apaixonados um pelo outro, mas também obviamente na casa dos 80 anos. A mulher, de cabelos brancos como a neve e óculos de vovó, olhou para o exemplar do meu livro em exposição que proclamava audaciosamente que o sexo começa na cozinha. Ela se voltou para o marido e disse: "Não na nossa casa; há janelas demais!".

Eu e Steve caímos na gargalhada diante dessa tirada, pois foi muito engraçada.

Sabe, não estou pedindo que você seja sem vergonha, e certamente não estou sugerindo que faça alguma coisa pela qual possa ser presa. Mas se os filhos estiverem fora e se seu quintal tiver privacidade, ou se as cortinas da sala estiverem fechadas e seu marido estiver de repente atrás de você — bem, nesses casos, apenas pergunte a si mesma: "Por que não aqui?". Se não conseguir pensar numa boa razão para não fazer, talvez você deva dar o primeiro passo!

CONFORTÁVEL COM O SR. FELIZ

Afirmei em outro livro que o melhor amigo do homem não é um cachorro — e essa amizade começa cedo.

História real: uma jovem mãe estava dando banho no filho de três anos quando ele olhou para cima e disse:

— Mamãe, amo meu pênis.

Confusa, a jovem mãe começou uma lição de anatomia.

— Sabe, querido, Deus nos fez assim, e nos deu cotovelos, dedos, joelhos, orelhas e pés — e todas as partes são tão importantes quanto qualquer outra.

O menino não falou uma palavra, mas ouviu pacientemente a lição de sua mãe sobre as maravilhas do corpo humano. Quando ela terminou, ele disse:

— Mas, mamãe, ainda gosto mais do meu pênis.[1]

O "Sr. Feliz" — como prefiro chamá-lo — é alguém com quem você precisará se sentir confortável se quiser agradar seu marido. Isso não deve ser tão difícil; afinal de contas, há muito tempo sou da opinião de que o Sr. Feliz é adorável (embora minha esposa nem sempre concorde). Por favor, não diga o que já ouvi algumas esposas dizerem quando viram os genitais do marido pela primeira vez: "Essa é a coisa mais feia que já vi em toda minha vida!". Ainda que seja verdade, é melhor você guardar isso para si.

Se seu marido é jovem, na casa dos 20 anos ou início dos 30, você pode fazer o esforço mínimo, dando apenas uma piscadinha para o Sr. Feliz, que ele vai continuar respeitosamente cumprindo seu dever e batendo continência. Mas à medida que seu marido ficar mais velho, você precisará aprender a arte de estimular o pênis. Uma vez que pouquíssimas mulheres recebem instrução sexual efetiva, apresento a seguir uma rápida cartilha sobre como agradar o membro mais querido de seu marido.

Para começar, normalmente a cabeça e a parte de baixo do pênis são as regiões mais sensíveis dos genitais masculinos. Dê particular atenção ao sulco na base da cabeça. Existe um pequeno entalhe nesse sulco que é hipersensível. A língua ou uma lambida leve ali e seu marido pode chegar ao teto.

126 Entre lençóis

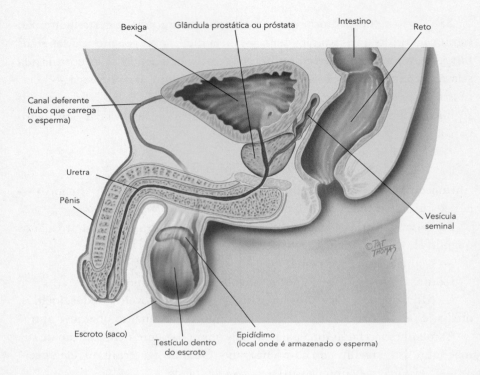

O pênis está cercado por muitos sensores diferentes. Acariciar a parte debaixo do pênis cria uma sensação, e normalmente é uma boa maneira de levar um homem à ereção. Concentrar-se na cabeça, mais sensível, é mais intenso e costuma ser o lugar propício para gerar um orgasmo. Com o tempo, você aprenderá como fazer seu marido se excitar sem levá-lo ao "ponto sem volta". É realmente uma amante habilidosa a mulher que é capaz de levar seu parceiro ao pico do êxtase sexual, mas que, então, sabe se afastar para prolongar o prazer e, em seguida, levá-lo de volta ao topo da montanha. Toques diferentes, diversos lugares para tocar, carícias especiais (algumas leves, outras firmes; algumas rápidas, outras lentas), todas elas criam experiências incomuns para seu marido. Em certos momentos do ato sexual, você notará que seu marido precisa de estimulação mais enérgica e direta; em outros, perceberá que a estimulação direta vai levá-lo diretamente ao orgasmo.

Especialize-se em conhecer seu marido, explorando de fato todo o corpo dele. Não são apenas as mulheres que gostam de carinho nos pés, nas costas e na cabeça. Os homens também gostam (só não fale sobre isso na frente dos amigos com quem ele joga futebol).

Algumas mulheres me perguntam se os homens possuem um ponto G. Alguns pesquisadores já foram bastante específicos, mas quando uma mulher me pergunta sobre isso, assumo uma abordagem diferente.

— Você quer conhecer o ponto G do seu marido?
— Sim.
— Certo, pense num leopardo cheio de manchas.
— Está bem.
— Está com a imagem na cabeça?
— Sim.
— Entendeu a comparação?

Os homens gostam de ser tocados, e todos os pontos funcionam muito bem. Apenas toque-os e eles vão reagir.

SEMPRE PRONTO

Para desgosto de muitas esposas, o Sr. Feliz não segue uma agenda. De fato, o Sr. Feliz nem mesmo sabe o que é uma agenda. Ele também tem uma memória muito curta.

Suponha, por exemplo, que você e seu marido tenham protagonizado uma agradável, longa e prazerosa sessão de amor na noite passada. No dia seguinte, seu marido a vê se esticando para colocar um livro na prateleira. É manhã de sábado, e você está arrumando a casa, de modo que não se preocupou em colocar o sutiã. Quando você se estica, seus seios se movem de modo provocante debaixo da camiseta.

Ora, como mulher, você deve estar pensando: "Fizemos sexo na noite passada, ainda não tomei banho e estou usando roupas horríveis. Numa escala de 1 a 10, o fator de sedução deve estar em 1".

Contudo, você percebe que, em alguns segundos, seu marido se levanta para lhe dar um abraço por trás e, de repente, fica muito, muito consciente de que o Sr. Feliz não está exatamente "descansando".

Você pensa: "O que há de errado aqui? Acabamos de fazer sexo na noite passada!".

Sinto muito, mas isso é um relacionamento: não há marcação de pontos ou competição. O fato pode ser particularmente difícil para minhas leitoras primogênitas, que tendem a querer que tudo funcione de acordo com uma programação preestabelecida. Boa sorte na tentativa de colocar o Sr. Feliz dentro de uma agenda!

Se você conversar com casais satisfeitos, ouvirá a palavra *espontaneidade*. Uma vez que homens são movidos pelo que veem, uma rápida olhada numa mulher só com as roupas de baixo ou saindo do chuveiro pode ser suficiente para disparar um gatilho — especialmente se o sexo ocorreu já faz alguns dias. Em tais situações, seu marido pode não se importar se o culto da igreja começará daqui a quinze minutos ou se ele tem uma reunião importante no escritório. Uma das cenas de cinema mais famosas (a que não assisti, mas sobre a qual já li muito) é a de um dos primeiros filmes de Sharon Stone no qual ela aparentemente leva um tempo extra cruzando as pernas. Os homens por todo o país ficaram hipnotizados; tenho certeza de que as mulheres que assistiram à cena [de *Instinto selvagem*] pensaram: "O que há de tão importante nisso? Ela cruzou as pernas. Acabou antes de você perceber o que estava acontecendo".

Confie em mim, esposa: um vislumbre é mais do que suficiente.

Não é apenas a visão que nos atrai. Uma mulher pode fazer muitas cabeças virarem apenas escolhendo o perfume certo. Os homens se transformam em cachorrinhos, totalmente conquistados por certos aromas.

— Quer se casar comigo?
— Mas eu nem conheço você!
— Isso não importa; se você sempre cheira bem assim, quero ser seu marido.

Lembro-me de uma vez, alguns anos depois de casados, em que Sande me disse: "Certamente não é preciso muita coisa para fazer que você fique ligado, Leman". A mulher inexperiente pode pensar: "Onde é que eu fui me meter?". Converso o tempo todo com esposas jovens que ficam realmente chocadas diante da frequência e da duração do interesse sexual de seu marido. Algumas me disseram que achavam que se elas simplesmente cedessem e fizessem sexo por seis dias seguidos, seu marido ficaria "curado". Sem chance. Ele pode estar sorrindo nesta semana, mas na semana que vem, ele ainda estará interessado.

Essa mentalidade masculina "sempre ligada" não é uma conspiração; é a maneira como Deus nos criou. Tenha em mente o seguinte: "Deus criou meu marido assim". Deus acha importante que seu marido se sinta quimicamente atraído por você e motivado a estar próximo de você de modo físico com regularidade e constância.

Não sei quantas mulheres já repreendi gentilmente dizendo: "Por favor, não culpe seu marido por ele ser homem".

— O que você quer dizer com isso?
— Se queria alguém que adora conversar sobre as mesmas coisas que você faz e adorasse fazê-las também, deveria ter ficado solteira e cultivado amizades femininas. Mas você se casou com um homem que tem gostos diferentes e necessidades diferentes, entre as quais está o sexo.

NOVA ATITUDE

Mais importante que o tamanho de seus seios, que a medida de sua cintura, que o comprimento de suas pernas, é a sua atitude. A imensa maioria dos homens escolheria ter uma esposa de medidas menores, mas que tivesse uma atitude de disposição sexual, em vez de ter uma linda mulher fria, que trata o marido com desprezo, deixando-o constantemente na geladeira.

Uma atitude positiva também significa admirar e respeitar seu marido. É isso o que os homens querem. Infelizmente, tornou-se culturalmente aceitável atacar os homens e transformar os machos em criaturas de mente limitada que só pensam com o pênis. Isso não é verdade; homens sexualmente satisfeitos pensam em sexo muito menos do que homens sexualmente frustrados! Se seu marido é obcecado por sexo, talvez isso aconteça porque ele sente que não tem o suficiente!

A mulher precisa estar disposta a defender seu marido, mesmo nas conversas com suas amigas. Não há nada que deixe um homem mais orgulhoso e mais apaixonado por sua esposa do que saber que ela se colocou a favor dele e de sua espécie durante uma conversa acalorada entre mulheres. A propósito, as chances de isso chegar até ele são muito boas; é tão raro uma esposa respeitar seu marido dessa maneira que as pessoas quase que invariavelmente falam sobre isso.

SEXO FALADO — TRÊS MIL QUILÔMETROS DE DISTÂNCIA

Se você vive numa cidade grande, abra um jornal local e poderá encontrar (dependendo da legislação vigente) dezenas de anúncios de "disque-sexo". Nos Estados Unidos os homens chegam a pagar três dólares ou mais *por minuto* nas ligações para esses números especiais para ouvir uma mulher lhes falar coisas obscenas.

Não há nenhuma dúvida de que isso é algo pervertido. Mas para que essa indústria prospere dessa forma, deve haver algo por trás dela. Nunca liguei para esses números, embora tenha sido tentado a fazê-lo com base em uma perspectiva psicológica, apenas para ver do que se trata. Quando ouvi falar disso pela primeira vez, não pude acreditar que um homem seria capaz de pagar tanto dinheiro por algo que parece um serviço tão estúpido.

Mas você sabe o que os fornecedores desse serviço pornográfico por telefone descobriram? O poder das palavras. Quando uma mulher diz algo que um homem consegue visualizar, essas palavras vívidas podem levá-lo direto ao orgasmo. Garanto a você que esses homens não estão ligando para ter uma conversa informal. Se não houvesse uma compensação, por assim dizer, eles não pagariam tanto dinheiro.

O que aquelas mulheres estão de fato dizendo (de uma maneira falsa e doentia)? "Quero você." "Preciso de você." "Se eu estivesse com você neste exato momento, você poderia fazer qualquer coisa que quisesse." Tenho certeza de que é tão vulgar quanto pode ser, mas é um negócio próspero que movimenta muitos milhões de dólares.

Sabe qual é o tipo de marido que liga para esse serviço? Aquele que recebe uma dose constante de "Agora não", "Aqui não", "Você vai acordar as crianças" e "É só nisso que você pensa?".

Já pensou em usar uma linguagem criativa com seu marido? Falaremos mais sobre isso em um capítulo mais adiante, mas quero plantar a ideia em sua mente agora mesmo.

"Mas, dr. Leman! O senhor não quer que eu fale como se fosse uma atendente do disque-sexo, não é?"

Não exatamente, mas considere o seguinte: imagine uma menina de 15 anos tendo um filho. É um pensamento triste, não? Você sabe que o pai provavelmente não estará por perto, e não há uma menina de 15 anos neste planeta que seja madura o bastante para cuidar sozinha de uma criança.

Agora imagine uma moça de 25 anos, casada há três, dando à luz. Você pensa nos avós felizes, no quarto arrumado, na alegria no rosto do casal.

O mesmo evento está acontecendo — o nascimento de uma criança — mas um é bastante certo, enquanto que o outro parece bem errado.

A brincadeira sexual pode ser assim. Não estou pedindo que você seja grosseira, rude e ofensiva. Mas quero que entenda que as palavras que você usa na cama são mais do que apenas ouvidas; elas são saboreadas, examinadas e celebradas. Se você lançar uma frase ou duas que pareça inadequada do lado de fora do quarto, pode se surpreender com a excitação que ela provoca em seu marido dentro do quarto.

SÓ PORQUE É GROSSEIRO NÃO SIGNIFICA QUE NÃO SEJA REAL

Muitas mulheres já ouviram o clichê grosseiro de que a abstinência sexual é fisicamente dolorosa para o homem devido à não liberação de esperma acumulado. Valendo-se disso, o namorado ou noivo tenta envolver a mulher numa relação sexual para que a condição dele seja aliviada. Você já sabe o que penso sobre isso.

Mas numa situação conjugal, a esposa precisa entender que existe um tanto de verdade nesse clichê. Em algumas ocasiões o marido vai acordar num estado de plena ereção. Ele pode se aproximar de sua esposa e ser rejeitado, mas a recusa não diminuirá o desejo dele.

Como posso colocar essa questão de uma maneira que não venha a ofender as leitoras mais sensíveis? Deixe-me dizer da seguinte forma: essa situação realmente *pode* machucar! Seu marido não está mentindo para você. Há momentos em que o alívio sexual é muito semelhante a uma necessidade urgente do homem. Serei honesto com você: se existe algo pior do que essa sensação, eu ainda não descobri. (Exceto, talvez, levar um chute ali.)

A mulher precisa entender que se o homem começa a ficar animadinho, ela pode dispensá-lo bem depressa dizendo "Ai, você está sempre excitado", e esquecer totalmente o assunto. Mas o homem ainda estará literalmente dolorido. A arma está carregada, a última bala foi colocada no tambor, o alvo foi avistado e o gatilho está se movendo para trás. Portanto, ser jogado para o lado com toda naturalidade quando se está tão perto é demasiado frustrante.

"Eu jamais atiçaria meu marido para depois pular fora", poderiam dizer algumas esposas, mas não estou falando disso. Às vezes o marido *acorda desse jeito*. Às vezes ele volta para casa, vindo do trabalho, vê a esposa se despir e fica assim. Você talvez não perceba quanto ele foi longe na escala de excitação porque seu corpo trabalha de modo diferente — mas é como se ele estivesse praticamente morrendo para ter intimidade.

O que isso tem a ver com você? Aquelas rapidinhas e os trabalhos manuais sobre os quais conversamos podem ser algo muito prático e bastante amoroso que uma esposa pode fazer. Seu marido não está querendo levá-la na conversa. Ele está pedindo que você o ajude; ao responder de maneira generosa, você fará que ele se sinta amado.

TORNE-SE MAIS SEXUAL

Um número muito grande das minhas clientes presume que o interesse sexual existe ou não existe. Elas acreditam que a presença de excitação é algo que tem vida própria. Ela vem e vai; não há nada que se possa fazer para aumentá-la ou mantê-la.

Isso simplesmente não é verdadeiro. Talvez você não pense naturalmente em sexo com tanta frequência quanto seu marido gostaria, mas, por amor a ele, você pode cultivar um interesse maior pelo sexo, e eu a incentivo a fazer isso.

O dr. Douglas Rosenau tem uma maravilhosa lista de dez coisas que você pode fazer para "manter o ato sexual como prioridade máxima em seu casamento":[2]

1. Coloque em seu orçamento e invista algum dinheiro por mês em sua vida sexual, com coisas como *lingerie*, lençóis novos e noites ou finais de semana a serem passados juntos.

2. De vez em quando, use uma peça de *lingerie sexy* o dia inteiro e permita que essa sensação incomum a lembre constantemente do sexo.

3. Vá a um encontro social sem a roupa de baixo e diga a seu marido como está vestida assim que vocês saírem. Você o deixará louco e, ao mesmo tempo, ficará excitada.

4. Planeje uma surpresa sexual pelo menos uma vez por mês, na qual você tente surpreender seu marido de maneira sexualmente provocante.

5. Mantenha um lembrete mental e, apesar do cansaço ou do baixo interesse, inicie o sexo pelo menos uma vez por semana.

6. Brinque com a excitação sexual visual de seu marido, e exponha seu corpo nu em momentos incomuns, simplesmente para apreciar as reações dele.

7. Tome um banho de espuma e entregue-se a alguns deleites sensuais no final de um dia cansativo — é um grande afrodisíaco e a coloca em sintonia com seu próprio corpo.

8. Crie fantasias sexuais românticas sobre sua vida amorosa enquanto dirige e compartilhe-as com seu parceiro no final do dia.

9. Use um perfume especial que você associou em sua mente com o ato de fazer amor, e use-o na noite ou no dia em que você espera ter atividade sexual.

10. Pratique os exercícios Kegel (dos quais tratamos no capítulo 6).

E se você quisesse que seu marido conversasse mais e ele apenas dissesse: "Sinto muito, conversar simplesmente não me interessa tanto quanto interessa a você"? Você ficaria sentida, não é? De fato, é provável que algumas mulheres tenham maridos que disseram algo bastante semelhante. Ou se seu marido fosse habitualmente preguiçoso, recusando-se a ajudar, dizendo que trabalhar na casa não lhe desperta nenhum interesse, você logo se cansaria de seu desinteresse e desejaria que ele mudasse, certo?

Quando diz a seu marido que simplesmente não tem nenhum interesse em sexo, você está fazendo a mesma coisa. Na verdade, é pior. Você sempre consegue ligar para uma amiga para conversar ou contratar alguém para consertar alguma coisa na casa, mas seu marido não tem outro lugar aonde ir para expressar intimidade sexual.

O interesse sexual pode ser cultivado e mantido. Você pode precisar fazer algumas mudanças conscientes, mas elas podem acontecer — e se isso for o necessário para que você ame mais seu marido, então é isso o que *deve* acontecer.

SALMÃO MORTO

Outra questão que surge constantemente no consultório de aconselhamento se refere ao que acontece depois do sexo. Logo que me casei, fui surpreendido ao descobrir que quando o ato estava consumado, Sande queria que eu acariciasse suas mãos e continuasse mexendo nos braços dela por meia hora ou mais. Quando converso com homens, tento enfatizar para eles a importância da atenção após o sexo, mas, agora que estou falando para mulheres, deixe-me ser advogado dos homens.

Tenho um amigo que vive na região da costa noroeste do Pacífico, nos Estados Unidos. Todo mês de dezembro ou janeiro, ele e sua família fazem uma longa caminhada ao longo do rio Nooksack para ver as águias-de-cabeça-branca. Esses grandes pássaros se reúnem às dezenas, sendo que, às vezes, oito ou nove águias se sentam na mesma árvore.

O que leva essas águias-de-cabeça-branca para a costa noroeste do Pacífico? Salmões mortos ou moribundos. Sabe aqueles peixes pelos quais você paga bem caro no supermercado? Em dezembro ou janeiro é praticamente possível atravessar o rio Nooksack a pé, pisando em salmões mortos. Assim que desovam, eles viram de lado e morrem.

Depois de fazer sexo, o homem se sente como um salmão. É uma realidade biológica — deitamos de lado e damos um último suspiro antes de cair no sono. Pode parecer descaso para com a mulher, mas não é a nossa intenção. Temos que lutar conscientemente para não cair direto num profundo relaxamento ou sono.

Por favor, tente ser compreensiva. Seu marido está pensando: "Linda, eu acabei de lhe dar toda a atenção que tenho e um pouco mais, e você quer mais coisa?". Maridos atenciosos tentarão superar isso, mas, às vezes, todos nós sucumbiremos ao "grande sono".

Portanto, a escolha é sua: com sua disposição, atitude e palavras, você pode fazer seu marido se sentir o homem mais sortudo da face da terra; ou, com suas negativas repetidas, comentários mordazes e ressentimento, você pode castrá-lo e fazer que ele se sinta miserável. Isso é muito poder! Mas nosso Criador deve ter achado que você poderia lidar com esse poder, uma vez que planejou homens e mulheres dessa maneira. Se Deus fosse medir sua bondade e generosidade apenas pela maneira como você trata seu marido nessa área, o que acha que ele diria?

CAPÍTULO 10

31 sabores: e nenhum deles é de sorvete!

Eu e Sande vamos ao Caruso, um restaurante aqui em Tucson [cidade do Estado norte-americano do Arizona], há quase quarenta anos. Apesar disso, a única coisa que já comi lá foi lasanha.

Isso deixa Sande maluca.

— Por que você não pede o frango à caçadora? — ela me perguntou certa vez.

— Porque eu não gosto de frango à caçadora!

— Mas se você pedisse o frango à caçadora, eu poderia provar um pedaço.

— Ouça, querida, se você quer um pedaço do frango à caçadora, vou pedir um frango à caçadora para você.

— Mas assim não vou comer o frango à Giovanni! Você sempre pede lasanha aqui!

Lasanha me satisfaz. Por que me arriscar?

Mas, aí é que está: por mais que eu ame lasanha, não quero comer isso todas as noites. Uma vez por semana, talvez. Duas vezes? Provavelmente não. Por mais que adore aquela massa macia, aquele queijo grudento e um molho de tomate escorrendo, não conseguiria comer tanto.

PREPARE ALGUMAS PEQUENAS SURPRESAS...

Você provavelmente já sabe onde quero chegar. A posição "papai e mamãe" é uma maneira maravilhosa de alinhar dois corpos. Não consigo pensar em uma melhor. É íntima, terna e os resultados são comprovados há muitas gerações. Provavelmente três quartos do mundo foram concebidos dessa maneira, e quem sabe quantos orgasmos de enlouquecer foram alcançados assim?

Mas se vocês vão fazer amor duas vezes por semana ou mais, até mesmo a posição mais comum vai cansar um pouco. Neste capítulo, vamos fazer algumas experimentações. Esteja ciente de uma coisa: um ou outro exercício podem melindrar alguns de vocês, mas tudo bem. Se alguma coisa não fizer seu motor funcionar, não se dirija à saída. Siga em frente e veja a porta seguinte.

Mas se seu cônjuge estiver curioso, talvez, em uma noite especial, você possa preparar uma pequena surpresa...

Quase nua

"Por que devo gastar cinquenta reais numa *lingerie* nova? Ele nunca me deixa usá-la por mais do que cinco minutos!"

A reclamação de Márcia faz sentido — para uma mulher. Mas qualquer homem poderá dizer que aqueles cinco minutos são bastante especiais. A verdade é que a maioria dos homens quer que sua esposa vá para a cama vestida, e não nua.

"Por quê?", você deve estar perguntando.

Para que possa despi-la.

Sou um forte defensor da monogamia — duas pessoas que, por toda a vida, nunca compartilham relações com qualquer pessoa que não seja seu cônjuge. Mas vamos encarar o seguinte: as pessoas gostam de variar. A *lingerie* prepara o terreno para a variedade. Homens diferentes desejam estilos diferentes. Alguns gostam de laços, outros, de transparência; alguns apreciam cetim, outros, couro; alguns gostam de cores vivas, a maioria provavelmente gosta de preto. A escolha que você faz da *lingerie* pode estabelecer o clima — clássica, "maliciosa", vitoriana. Varie um pouco, deixe seu homem tentando adivinhar, e você vai fazê-lo feliz.

Além disso, o uso de *lingerie* vai demonstrar a seu marido que você pensou naquele encontro sexual antes que ele acontecesse — e isso vai excitá-lo de fato. Ele vai perceber que você decidiu ir a uma loja de *lingeries*, procurou nas prateleiras, comprou uma peça que achava que ele iria gostar e, então, planejou uma noite para exibi-la. O que eu não daria por uma câmera que pudesse lhe mostrar o que essa atitude faz um homem sentir por dentro. Se você pudesse ver a reação dele, faria isso o tempo todo. As pessoas da loja de *lingeries* passariam a conhecê-la pelo primeiro nome.

Acenda o meu fogo

Isto pode soar vulgar para algumas pessoas, mas experimente para ver. Algumas lojas vendem lâmpadas semelhantes a vitrais coloridos que lançam uma luz diferenciada no ambiente. Ou você pode tentar usar um abajur que crie o mesmo efeito. Isso pode ser interessante para ocasiões especiais.

Na minha opinião, a melhor maneira de variar a iluminação é com o uso de velas; o número e até mesmo a cor das velas pode influir na ambientação. De qualquer modo, o que vocês estão fazendo é modificar o local — ou pelo menos a aparência do local — onde fazem amor. Fazer isso por menos de cinco dólares é um bom negócio.

Perfumes e odores

O perfume é outra maneira de manter as coisas novas e frescas na cama. Portanto, esposa, experimente um perfume novo. Use um novo gel de banho. Seu objetivo é que, assim que você subir na cama, o nariz de seu marido seja agradavelmente atingido por uma fragrância que ele nunca sentiu antes. Isso vai despertá-lo de uma maneira tal que você poderá ficar surpresa.

Marido, apenas por brincadeira, você talvez queira saber que os pesquisadores de fato estudaram quais são os odores mais atraentes para as mulheres:

> Pesquisadores da Fundação de Tratamento e Pesquisa do Olfato e Paladar de Chicago [...] descobriram que uma combinação de doce de alcaçuz, pepino, talco de bebê, lavanda e torta de abóbora causou o maior incremento na excitação sexual feminina. Alcaçuz com pepino foi o odor mais excitante; cereja foi o mais inibidor [...]. Os pesquisadores descobriram que colônias masculinas na verdade reduzem os níveis de excitação.[1]

Pepino...?? Oh, bem, eles são pesquisadores.

Em outras palavras, rapaz, prepare uma salada de pepino, espalhe talco de bebê no peito, coma um pedaço de torta de abóbora e uma barra de doce de alcaçuz, jogue algumas borrifadas de lavanda no quarto e sua esposa estará prontinha!

Aqui vai uma sugestão esperta para a esposa: diga a seu marido que você "escondeu" seu perfume em alguma parte do seu corpo e quer que ele descubra onde foi. Ele gostará da busca tanto quanto você!

Troque os lençóis

Marido, aqui está uma maneira de realmente agradar sua esposa. Lençóis de linho, algodão e seda têm cada um seu toque particular. Uma vez que as mulheres gostam tanto do aspecto sensual do sexo, pode ser um verdadeiro prazer surpreendê-la com um novo jogo de cama. Os lençóis tocam mais o corpo de sua esposa do que você mesmo, de modo que peças novas podem realmente fazer diferença no modo de perceber o ato de amor.

Mas, aqui vai uma dica: dar a sua esposa um novo jogo de lençóis ainda dentro da embalagem não é uma coisa particularmente *sexy* a se fazer. Troque a cama você mesmo e surpreenda sua mulher quando puxar a colcha.

O tipo de lençol que você escolher pode determinar o ritmo de sua sessão de amor. O algodão é a escolha mais apropriada para o sexo longo e lento. A seda pode aumentar a intensidade. E se você realmente quiser ficar fogoso, considere a ideia de usar uma cobertura plástica (ou uma cortina de banho) e um frasco de óleo de bebê — essa é uma sensação completamente nova!

Outra coisa que o homem pode fazer além de usar lençóis totalmente novos é colocar algo sobre eles. Fiquei hospedado em um hotel certa vez e percebi que, quando puxei as cobertas, logo atrás da cabeceira, no chão acarpetado, havia uma quantidade de pétalas equivalente a uma dúzia de rosas. Algum marido atencioso deve ter criado uma cama de pétalas de rosa para sua esposa numa viagem anterior. Que ideia maravilhosa!

Qualquer flor delicada serve — simplesmente arranque as pétalas e jogue-as por cima da cama. Elas criarão uma sensação nova assim que vocês se deitarem sobre elas, e você também pode usá-las para acariciar sua parceira. Talvez você queira apanhar um punhado e jogar sobre sua esposa antes de se colocar por cima dela. A fragrância e a sensação fornecerão uma experiência original e muito prazerosa.

O corte ousado

A jovem esposa pega o marido cansado no aeroporto e segue pela rodovia.

— Estou ansiosa para que você veja meu novo corte de cabelo.

— Perdão, querida — desculpa-se ele. — Não percebi.

— É claro que não — provoca ela. — Não estou falando da minha cabeça.

Uau! Agora ela conseguiu a atenção dele!

Você pode ter um pouco de receio de cortar os pelos "lá embaixo", uma vez que pode ser desconfortável, mas algumas mulheres usam depiladores, o que significa que não haverá coceira quando os pelos crescerem novamente. Uma simples acertada nos pelos também pode fazer maravilhas.

Pense nisto: você gasta centenas ou até milhares de reais por ano para arrumar o cabelo da sua cabeça, e muitas mulheres gastam pelo menos trinta minutos por dia arrumando as madeixas antes de sair de casa. Que tal oferecer um tratamento especial a seu marido ao arrumar outros "cabelos" que crescem em seu corpo?

A questão do desconforto (especialmente à medida que os pelos voltam a crescer) provavelmente impedirá muitas esposas de transformarem isso num estilo de vida, mas naquelas ocasiões especiais, uau! Lembre-se: para o seu homem, o novo é quase sempre mais excitante.

O sexo termina na cozinha

Muitos leitores devem estar familiarizados com meu livro *O sexo começa na cozinha*, no qual falo sobre como um marido precisa enxergar a ajuda com a louça como sendo uma preliminar — mas por que reservar a cozinha apenas para a preliminar? Se as crianças estiverem fora, vocês podem ter uma experiência *gourmet* sexual completa na cozinha!

Sejam criativos. O rolo para massas, se usado com delicadeza, pode oferecer uma massagem revigorante. A peneira para açúcar pode ser usada para algo além do bolo — criando uma "doce" experiência sexual para ambos. Canudos comuns podem promover brincadeiras tentadoras nas mãos de um cônjuge criativo. Soprar o ar de leve em várias partes do corpo de seu amante cria sensações maravilhosas.

Dê uma olhada na geladeira ou no *freezer*. Sabe aqueles cubos de gelo? Encontre maneiras criativas de fazê-los derreter. E aquelas raspas de gelo... Hummm. O que podemos fazer com aquilo? Ah, olhe — há um pouco de cobertura de chocolate, mel, talvez um pouco de chantili.

Por que vocês nunca usaram esse cômodo antes?

Luzes!

Certo, imagine a cena: o quarto está totalmente escuro. Vocês dois estão debaixo das cobertas, tão nus quanto vieram ao mundo, a não ser pelas alianças. De repente, seu cônjuge pega uma lanterna pequena e começa a explorar seu corpo, que parece quase novo sob a escuridão; a luz destaca partes prazerosas que ele ou ela talvez nunca tenha apreciado antes — pelo menos não assim!

Adequadamente divertido

Esposa, se você tem alguma peça de roupa íntima que está prestes a ser descartada, não a jogue no lixo. Em vez disso, choque seu marido colocando-se na frente dele usando apenas aquela peça e diga: "Se você conseguir tirá-la de mim, sou toda sua".

Resista um pouco, mas não muito. Você pode até mesmo balançar uma tesoura na frente dele.

Eu sei, a ideia de seu marido cortar aquela peça de roupa íntima pode parecer tola, mas a grande maioria dos homens vai achar que é bastante provocante.

Acredite em mim.

Espelho, espelho e parede

Existe um hotel de luxo na cidade de Buffalo, no estado norte-americano de Nova York, chamado The Garden Suite, que aprendeu como manter o romance vivo em muitos casamentos. Um dos quartos de luxo tem uma banheira de hidromassagem que é grande o bastante para duas pessoas, mas uma banheira grande não é assim tão especial. O que a torna um pouco diferente são os dois espelhos de parede inteira ao lado dela.

Esposa, seu marido é despertado pela visão. Não estou falando aqui de pôster de meio de revista. Acredito que a pornografia pode destruir um casamento. Você não precisa ter a aparência de Pamela Anderson[2] para atrair seu esposo. Ele quer vê-la.

Aqui está o truque: olhar para *você* num espelho cria uma sensação completamente diferente. Uau, ele adora isso!

Deixe que ele tire sua roupa — na frente de um espelho. Se precisar diminuir as luzes para não se sentir tão destacada, que assim seja. Em vez disso, talvez você queira usar luz de velas. Mas permita a seu marido fascinar-se por seu corpo. Você não quer que ele leia a *Playboy* ou que vá a uma boate de *striptease* — e se ele for um marido amoroso, também não desejará nada disso — por isso deixe-o olhar para você.

Se você quiser partir para a ousadia, deixe-o fazer amor com você na frente do espelho. Deixe-o encher os olhos. Quando fizer isso, criará nele um desejo ainda maior por você. O coração dele se elevará e, como resultado, ele se sentirá extraordinariamente próximo de você.

A não ser que possuam um espelho móvel por perto, talvez vocês precisem encontrar um hotel que tenha um espelho que sirva. Se ele estiver mal posicionado, alguma coisa do outro lado do quarto parecerá muito distante (como se você estivesse olhando pelo lado errado de um telescópio) e estragará completamente o efeito. Se você e seu marido tiverem de entortar os olhos para ter uma ideia do que está acontecendo, terminarão desvirtuando o propósito da coisa.

Considere a ideia de colocar uma manta ou lençol ao lado de um espelho. Se vocês conseguirem encontrar um lugar onde existam espelhos em duas paredes diferentes, poderão incrementar o efeito. Para algumas pessoas, ver o que estão fazendo será muito estimulante; é algo que acho que todo casal deveria experimentar pelo menos uma vez.

Deleites da tarde
Já li a Bíblia inteira. Em nenhum lugar está escrito que você precisa esperar até que escureça para fazer sexo. Muitos casais casados — especialmente aqueles com filhos — caem na armadilha de esperar até que todas as coisas estejam arrumadas antes de até mesmo pensar em fazer sexo. As crianças precisam estar na cama, os tapetes devem estar aspirados, a louça do jantar tem de estar lavada e guardada etc. Então, e só então, a hipótese do sexo é considerada. Infelizmente, a essa hora, um dos dois — ou ambos — provavelmente estará dormindo.

Que casal já não enfrentou esse dilema? Vocês levantam pensando em sexo e até mesmo se envolvem numa pequena e leve preliminar. Talvez estejam com pressa — é hora de ir para o trabalho ou as crianças devem estar prontas a tempo de pegarem o transporte escolar — de modo que vocês prometem um ao outro que a paixão vai voar como um caça a jato mais tarde, naquela noite. Durante toda a manhã, os dois pensam no que vão fazer um ao outro mais tarde; de tarde, vocês imaginam como as coisas serão. Às 18 horas, vocês estão apressados. O jantar ainda não está na mesa e Melissa está demorando muito para fazer o dever de casa. Finalmente, às 19h05, algo semelhante a um jantar está diante da família. Às 20h30, todos estão alimentados e a louça está a meio caminho.

Enquanto isso, Jonas começou a encher a banheira, foi procurar seu brinquedo favorito e se esqueceu da água, até que a irmã grita dizendo que há um rio saindo por baixo da porta do banheiro. Melissa, a irmã mais velha, está pedindo mais ajuda com aquela lição de matemática. E vocês dois estão para lá de cansados.

Às 22h30, a última criança está finalmente na cama e, de repente, o sexo parece mais uma obrigação do que um prazer. Como uma coisa que parecia tão maravilhosa apenas dez horas atrás pôde se transformar agora em algo mais parecido com um trabalho?

Não deixe que o sexo se transforme no último item de uma longa lista de coisas a fazer.

Fisiologicamente, o corpo do homem está pronto para se envolver com o sexo como a primeira coisa a ser feita pela manhã. A maioria dos encontros amorosos dos romances no trabalho acontece durante a hora de almoço. E muitos casais enamorados descobrem que quando marcam um encontro durante um jantar, o jantar é a última coisa em sua mente. Então, por que apenas casais casados parecem adiar o sexo para ser a última coisa do dia?

Eu sei, eu sei, vocês são muito ocupados. Falaremos mais sobre isso em outro capítulo. Se tiverem condições, contratem uma babá, reservem um quarto em um hotel próximo e desfrutem do potencial do sexo para salvar casamentos, bem no meio do dia. Vocês terão uma cama arrumada e não precisarão arrumá-la ao sair. Pode não ser barato, mas o divórcio é muito mais caro no longo prazo.

Mantenha seu cônjuge na expectativa

Uma das maiores reclamações que ouço de esposas é que o marido parece estar seguindo algum mapa predeterminado: "Ele me beija três vezes, passa noventa segundos beijando e acariciando meu mamilo direito, trinta segundos no esquerdo, coloca a mão entre minhas pernas por três minutos e, então, está dentro de mim".

Tanto para homens quanto para mulheres, uma das chaves para a satisfação sexual é manter o cônjuge na expectativa. Uma esposa que aconselhei era muito condescendente, mas também pouco imaginativa. Ela estava sempre disposta, mas seu marido queria mais do que disposição — queria vigor. Certa noite, ela praticamente abalou o mundo dele. Ele estava por cima dela, nas preliminares, quando, de repente, ela assumiu as rédeas, colocando-o de costas, agindo como se estivesse com pressa, como se mal pudesse esperar pela penetração. Então ela subiu em cima dele com entusiasmo, como se *precisasse* daquilo. Ele era um dos maridos mais felizes que já vi enquanto descrevia o que havia acontecido.

O ponto principal é manter seu cônjuge na dúvida. É claro que você não pode fazer isso toda semana, ou talvez nem mesmo uma vez por mês — mas, de tempos em tempos, é vital que você realmente surpreenda seu cônjuge. Deixe que ela fique pensando no que poderá vir em seguida. Se você é um daqueles caras que sempre começam "no andar de cima", então inicie "no andar de baixo" e a surpreenda! Comece passando cinco minutos *acariciando os pés dela*, talvez passando alguma loção, talvez até mesmo beijando-os, e então comece a subir. Ou talvez deixe-a deitada de bruços e descubra algumas coisas para fazer nas costas dela.

Se você é uma mulher que normalmente se veste de maneira conservadora, por que não comprar um vestido que você *jamais* usaria em público

— mas que vai usar para receber seu marido quando ele chegar em casa? Ou considere a ideia de fazer que ele tire toda a roupa enquanto você permanece vestida!

Barulho, barulho, barulho
O silêncio não é de ouro — pelo menos não no quarto. Marido, quando você murmura ou verbaliza sua aprovação, sua esposa se sentirá maravilhosa. Todo mundo quer ser bom na cama, mas sua esposa talvez não saiba quanto o faz sentir-se bem até que você lhe diga.

Esposa, duplique ou triplique sua atividade verbal. Muitas mulheres não percebem que podem levar um homem ao orgasmo simplesmente dizendo as palavras certas. Lembre-se: o entusiasmo sexual de uma esposa é o excitador número um para os homens. Quanto mais barulhenta você for, mais ele vai gostar. Use palavras, gemidos, murmúrios, rom-rons, até mesmo grunhidos ou gritos. Seu marido vai adorar.

O ruído mais íntimo, é claro, é ouvir seu próprio nome falado no ardor da paixão — talvez o maior excitador que existe. Diga o nome do seu cônjuge. Em vez de dizer "Você me excita", diga "Você me excita, Roberto. Não acredito no quanto quero você". Os homens poderiam dizer: "Ah, Andrea, você é tão bonita. Adoro o seu jeito".

Se a conversa sexual é difícil para vocês, tente isto: usem uma venda na próxima vez em que fizerem amor. Eliminar o visual pode ajudá-los a enfatizar o verbal. Descrevam o que estão fazendo ou o que querem que seja feito. Comuniquem-se apenas por meio de palavras de modo que, com o tempo, a "carícia verbal" se torne uma parte natural do jogo de amor.

Já sei o que alguns estão pensando: "Mas, dr. Leman, temos crianças dormindo no quarto ao lado!".

Não ter de se preocupar com o barulho é um dos prazeres do sexo no hotel. Mas mesmo quando estiverem em casa, vocês podem transformar o quarto num ambiente à prova de som ligando um ventilador barulhento, o aparelho de ar-condicionado ou colocando uma música suave. Vocês também podem considerar a ideia de fazer um isolamento acústico no quarto. Existem opções que não são tão caras quanto se imagina e, se isso faz que o casal tenha menos inibição no quarto, é um investimento que vale a pena.

Enquanto isso, se você sussurrar algo bem erótico direto no ouvido de seu marido, não existe a menor chance de seus filhos ouvirem — ou de seu marido esquecer!

De tirar o fôlego

Quer dar a sua esposa um tratamento especial? Na próxima vez em que estiver beijando os seios dela, afaste-se o suficiente para poder soprar sobre eles. Se estiver próximo, o ar sairá quente. Depois, afaste-se alguns centímetros a mais e sopre gentilmente — isso fará que o ar esfrie. É uma sensação deliciosa.

Mulher, você também podem fazer o mesmo no pênis de seu marido durante o sexo oral. Mas, marido, você precisa ser cuidadoso: soprar na vagina de sua esposa durante a gravidez é perigoso.

BRINCADEIRA SEXUAL

Nesta seção, quero olhar para o lado mais leve do sexo. Embora eu creia que o sexo seja um ato bastante significativo e espiritual, vamos encarar uma verdade: ele também pode ser muito divertido! Veja a seguir apenas algumas ideias para juntar riso e sexo.

Concentração

Se vocês estiverem a fim de uma forma mais leve de sexo, tentem isto: um dos cônjuges escolhe um desafio enquanto estão deitados na cama. Veja um exemplo: "Aposto que consigo citar mais estados que começam com a letra M do que você".

À primeira vista, esse jogo parece simples e chato, mas deixei de fora alguns detalhes. Primeiro, nenhum dos dois está usando roupa. Segundo, o cônjuge que faz a pergunta está completamente livre para fazer *qualquer coisa* que quiser no corpo do outro cônjuge para "distraí-lo". Lamber é permitido. Da mesma forma, beijar, soprar ar quente ou qualquer outra distração criativa.

Pebolim erótico

Alguns garotos pré-adolescentes provavelmente ficariam bravos e envergonhados se soubessem quanto seus pais estão se divertindo com seu presente de Natal favorito. Veja você, uma noite a esposa decidiu desafiar para um jogo o marido que só ficava diante da televisão. Ele não estava nem um pouco interessado até que ela disse: "E se a cada ponto o perdedor tiver de tirar uma peça de roupa?".

Em menos de três segundos, o marido estava no jogo. A esposa ficou surpresa — ele já a vira sem roupas sabe-se lá quantas vezes, mas ainda existe algo de excitante em ver isso acontecer a cada preciosa peça.

Talvez você não tenha uma mesa de pebolim (também chamado de *totó*). Que tal usar um tabuleiro, um jogo simples ou um antigo jogo de cartas (*strip* pôquer)? Você não gosta da ideia do *strip* pôquer? Tudo bem; então que tal um *strip* paciência?

Comida e sexo

— Então, a qual restaurante você vai levar minha filha? — perguntei ao rapaz, adorando vê-lo embaraçado.

— Ao Bar das Ostras do Joe — responde ele.

— Esse é um restaurante de frutos do mar, não é? — perguntei. De repente, a temperatura na sala começa a subir cerca de dez graus por minuto. O restaurante do Joe é famoso, obviamente, por suas ostras. E ostras são conhecidas por serem afrodisíacas — exatamente o tipo de jantar planejado para diminuir as inibições naturais de uma jovem.

— Sim, é — disse ele, com uma cascata de suor escorrendo pela testa e pingando pelo nariz.

— Muito cheio às noites de sexta-feira, não acha?

— Já fiz reservas, senhor.

— Reservas? Então você já planejou tudo, hein?

— Creio que sim. Pensei que sua filha...

— Olha, quer saber? O Bar do Hambúrguer do Bob é mais barato. Minha filha adora um bom hambúrguer.

— Com certeza, estava mesmo pensando que talvez pudéssemos ter uma noite um pouco informal. Vou cancelar a reserva.

— Puxa, veja só; por acaso tenho um telefone bem aqui...

Aquele rapaz e eu sabíamos o que estava de fato sendo discutido. Ostras, M&M's verdes, morangos com chantili, você escolhe — alguém já tentou atribuir poderes afrodisíacos a todas essas coisas. Embora a ciência não comprove essa associação, o sexo é tanto mental quanto físico. Portanto, se você achar que uma comida é *sexy* e excitante, ela *se torna* afrodisíaca.

Juntar comida e sexo é uma maneira popular de desfrutar de dois passatempos preferidos. Como duas escritoras observaram:

> Um grande número de mulheres nos disse que compartilhar chocolate com o parceiro é algo especialmente erótico: chocolate na banheira, chocolate com champanhe, chocolate na cama. Se você acha que seu parceiro está aberto a esse prazer em particular, mantenha uma caixa de chocolates especiais por perto.[3]

Ainda que a ciência esteja longe de considerar o chocolate um genuíno afrodisíaco, é verdade que ele aumenta o nível de serotonina no cérebro, o que, sem afetar diretamente a libido, de fato tende a criar uma sensação feliz e agradável.

Há um hotel nos Estados Unidos, o Hotel Hershey, em Hershey, Pensilvânia, que oferece um serviço de imersão em chocolate a seus hóspedes. É possível pedir o "banho de chocolate espumante" diretamente no The Hershey Spa,[4] ou criar a própria versão, adicionando três colheres de sopa de chocolate em pó, uma colher de leite em pó, muita água quente, uma banheira que ninguém se importa de sujar um pouco e dois corpos nus. Algumas pessoas gostam de adicionar chantili ao seu "chocolate quente" — o lugar onde o creme é *aplicado* depende totalmente do casal.

Você também pode usar a comida para estabelecer o clima, fazendo dela um convite. Não existe um homem neste planeta que não saberia a intenção da esposa se abrisse sua pasta e encontrasse um pacote de M&M's verdes com um bilhete dizendo: "Coma bastante disso e venha do trabalho direto para casa!". A maioria das esposas entenderia instantaneamente se o marido entrasse no quarto com alguns morangos e chantili.

Naturalmente, não é apenas *o que* você come que pode estabelecer o clima, mas *como* você come. Reduzir as luzes pode ser uma experiência maravilhosamente sedutora. Se as crianças não estiverem em casa, ou se vocês estiverem jantando no quarto do hotel, diminuam as luzes e comam sem roupa! Uma esposa deu a seu marido um tratamento especial ao chamá-lo no celular, exatamente na hora em que sabia que ele estava no pior trecho da volta para casa.

— Querido, tenho más notícias — disse ela.

— O que foi?

— O dia foi muito difícil e não há um prato limpo na casa. Isso nos dá duas opções.

— Quais são elas?

— Bom, podemos comer fora, ou você poderia correr para casa e usar minha barriga nua como prato.

Não preciso dizer que o rapaz chegou em casa em tempo recorde!

Vestidos ou não, dar comida um ao outro é uma experiência bastante sensual, uma vez que ambos estão comendo do mesmo prato. Existe algo de bastante íntimo em compartilhar a mesma comida. Vocês precisam se sentar bem próximos, e o processo de colocar comida na boca de seu cônjuge é um poderoso ato de intimidade que pode dar início a todo tipo de paixões deliciosas e até mais voluptuosas.

Um rapaz com quem trabalhei me contou sobre quando levou sua esposa a um restaurante que atende pessoas que querem jantar com tranquilidade.

Não há pressa, as baias são até certo ponto isoladas, e a atmosfera é mais que romântica. Lembro-me de ouvi-lo contar como alimentava sua esposa, colocando comida gentilmente em sua boca, quando ela o chocou quando disse "da próxima vez, coloque o dedo na minha boca".

— E aí? — disse eu.

— Kevin, você não faz ideia de como aquilo foi excitante.

Realmente *há* algo de sensual em comer.

PERGUNTAS MAIS COMUNS

Embora eu seja um grande fã da variedade, com certeza é verdade que casais podem ir longe demais em algumas coisas. A Bíblia é maravilhosamente irrestrita naquilo que permite e até mesmo no que encoraja um casal a fazer na cama, mas a tecnologia moderna fornece algumas opções em relação às quais alguns cônjuges se sentem compreensivelmente cautelosos. Veja a seguir algumas das perguntas mais comuns a esse respeito.

O que dizer sobre o uso de "brinquedos" sexuais, incluindo vibradores?

Não há nada na Bíblia que proíba o uso de tais complementos conjugais, desde que não sejam degradantes ou indesejados pelos parceiros. Como uma maneira de prover variedade dentro do casamento, o uso ocasional de brinquedos pode ser uma ideia muito boa. De forma geral, porém, a maioria das mulheres achará esse tipo de orgasmo menos satisfatório em termos emocionais do que o que resulta do contato corpo a corpo. Falando como psicólogo, creio que vocês descobrirão que materiais de apoio como esse são ocasionalmente divertidos, mas não são o tipo de coisa que produz intimidade duradoura.

E quanto ao sexo anal?

Estou surpreso com a frequência com que essa pergunta surge. Não sei onde os homens estão pegando essa ideia, mas, cada vez mais, até mesmo entre casais cristãos, isso está se tornando uma questão importante, em geral, com o homem desejando realizá-lo e até pedindo, e a mulher demonstrando forte relutância.

Penso que parte da atração se deve ao fato de que, para alguns homens, o sexo anal parece "malicioso", e eles acham que seria um bom tempero para o casamento. Contudo, Deus planejou a vagina para receber o pênis; ela foi projetada especificamente para o ato sexual. O ânus, sinceramente, não foi feito para isso. O sexo anal vai doer. Sim, algumas mulheres relaxam essa área para gradativamente receber o marido, mas existem outras questões — higiênicas e de outra ordem — que colocam essa prática sob questionamento. A área retal de uma mulher pode se romper facilmente, resultando em problemas de saúde dolorosos e embaraçosos — e como ela vai explicar isso a um médico? E quando você lança a questão das hemorroidas (que 70% das pessoas enfrentarão em algum ponto da vida) e coisas semelhantes, é melhor deixar essa prática de lado. Por acaso falei tudo isso de maneira muito leve? Se o fiz, peço desculpas. É pervertido, e creio que é errado!

Essa é uma área sobre a qual digo aos homens que eles precisam deixar de lado e se livrar de qualquer tipo de expectativa ou fantasia. É razoável e compreensível que uma esposa diga: "Quero experimentar e manter a variedade em nosso casamento, mas isso é algo que eu simplesmente não quero fazer".

E quanto aos casais que assistem a filmes pornográficos juntos?

Uma das coisas que sabemos sobre as compulsões hoje — e temos aprendido muito sobre elas — é que uma das mais poderosas compulsões da humanidade é ao vício na pornografia. São os homens que, na grande maioria, alugam pornografia, mas, no fim das contas, muitos casais decidem alugar um filme picante apenas para "apimentar as coisas".

Acredito que esse é um ato bastante perigoso. Para começar, por que o marido não consegue se satisfazer apenas com a esposa? Por que um homem gostaria de olhar para outra mulher nua? Sou um homem com uma libido alta, mas não preciso de nada além de Sande para ficar excitado. Na verdade, consigo ficar excitado ao ver minha esposa com mais de 50 anos colocar louça na máquina de lavar!

Depois, falando como psicólogo, assistir a pornografia pode ser um caminho escorregadio. Se está casada com um homem cuja mentalidade é "Vale tudo, incluindo sacanagem, se isso nos excitar", você acabará participando de algumas práticas bastante questionáveis. Por quê? Porque a pornografia, de modo geral, é viciante para o homem. Ela provavelmente não será viciante para você, mulher, mas não é com você que estou preocupado. Muitas esposas me confessam que assistir a pornografia de fato as coloca "no clima", mas pergunto a elas: *no longo prazo*, isso é bom ou prejudicial para seu casamento? Aqui vai uma dica: assistir a pornografia não fará que seu marido a trate melhor, que passe mais tempo com as crianças ou que esteja mais presente em casa... Justamente as coisas que fazem a maioria das esposas desejar mais o marido.

Uma das minhas breves teorias sobre criar filhos é que os pais não devem cultivar hábitos os quais não desejam que os filhos tenham na época da graduação. A pornografia é um hábito que se tornará ainda mais exigente e provavelmente mais insensato.

Acrescente-se a isso o fato natural de que a esposa começará a se comparar às mulheres que vê no filme ou nas páginas da revista. Isso é simplesmente humano da parte dela. Nesse caso, em que medida uma mulher vai se sentir querida e amada? Ela se sente admirada ou pensa em segredo: "Quando fechou os olhos, ele estava fantasiando fazer isso *com ela*?".

Outra coisa que realmente me preocupa em relação à pornografia é a indústria que você está apoiando ao consumi-la. Pense nisto: não é a organização Focus on the Family [Foco na Família] que publica esse material! Você está apoiando pessoas que, de modo geral, são hostis à religião, à fé e à família. Elas ganham dinheiro explorando mulheres jovens e levam muitos homens a compulsões que durarão a vida inteira. A verdade é que aqueles atores são adúlteros! No meu modo de pensar, esse não é o tipo de gente a quem quero dar o meu dinheiro.

A maioria dos casais puros que entram nisso terminam sentindo o que eu chamo de fenômeno "oh-oh" — aquela agitação interna que sinaliza que alguma coisa simplesmente não está certa. É melhor prestar muita atenção a esse mal-estar, pois, em geral, é a nossa consciência tentando nos proteger.

MUITO É MUITO MESMO

A sexualidade matrimonial fornece uma sólida base para a máxima intimidade sexual. Pelo fato de ambos estarem comprometidos um com o outro até que a morte os separe, vocês nunca estão sob julgamento. Não precisam temer se uma "grande ideia" para a diversão sexual aparecer, nem precisam se preocupar se um ou outro vai partir caso, durante uma determinada época, a intensidade sexual esfrie um pouco.

Vocês também não precisam se desculpar se simplesmente quiserem a boa e velha posição sexual papai e mamãe com mais frequência do que qualquer outra. É utópico esperar que toda e qualquer experiência sexual vá fornecer orgasmos memoráveis que mandam vocês à lua e depois os trazem de volta. A intimidade sexual é construída em torno de momentos divertidos de amor; longos, lentos e sensuais momentos de amor; amor excitante e ousado; e também amor rápido e apaixonado.

Por favor, não se sintam na obrigação de ter de variar *todas as vezes* em que pulam na cama juntos. Há uma razão para que tenham suas posições favoritas:

vocês gostam delas! Desfrute do sexo rotineiro, do sexo excitante, do sexo rápido, do sexo lento e do sexo inesperado. Aceitem tudo, apreciem tudo e deixem que se forme entre vocês a intimidade que Deus planejou.

CAPÍTULO 11

Desligue aquilo que desliga

Meu primeiro cigarro foi um Viceroy, fumado no guidão da bicicleta de Eddie Schutts, quando eu tinha apenas 7 anos. Eu tinha cerca de 1,20 metros de altura naquele tempo, mas, com aquele bastão branco pendurado nos meus lábios, me sentia mais alto que o jogador de basquete Wilt Chamberlain (2,38 metros).

Esse único incidente deu início a um hábito de catorze anos que cresceu bastante quando cheguei aos 12 anos. Durante o verão, os motoristas que passavam costumavam jogar guimbas pela janela do carro, achando que toda a vida já havia sido sugada dos cigarros. Eles nem imaginavam. Eu e meus amigos corríamos até lá e as pegávamos, roubando algumas pequenas baforadas até que não houvesse mais vestígio de tabaco nelas.

Eu também "reciclava" os Lucky Strikes de meu pai. Meu trabalho em casa era limpar os cinzeiros, o que eu fazia com alegria, guardando as guimbas maiores no bolso para consumo posterior. Aqueles Lucky Strikes eram fortes — iam direto aos pulmões.

Recentemente alguém me perguntou quando e por que deixei de fumar. Será que eu tinha lido o relatório com as advertências do Ministério Público?

Não. Sou velho demais; não havia advertências naquele tempo.

Fiquei preocupado com o dano aos meus pulmões?

Também não.

Era caro?

Está de brincadeira? Na minha época, os maços custavam apenas vinte centavos. Isso foi antes de o governo descobrir que os impostos sobre os cigarros podiam se tornar uma verdadeira máquina de fazer dinheiro.

Eu não gostava do sabor?

Au contraire! Mesmo hoje, três décadas depois de eu ter parado, ainda consigo me lembrar do gosto bom que tinha um cigarro após uma refeição.

Então, o que me fez parar?

Apaixonei-me por uma linda moça chamada Sande. Desde nossas primeiras conversas, descobri que ela ia à igreja.

"Hum", pensei. "Fumar pode ser um problema."

Esse "pode" foi removido quando Sande sentiu um cheiro em mim no começo de um encontro. "Eeeii!", disse ela. "Você andou fumando!"

Foi um desafio divertido, mas eu estava louco por aquela garota e não queria me arriscar. Assim, caro leitor, aquele foi o último cigarro que fumei na vida. Não me entenda mal: eu gostava dos meus Salems, mas amava Sande ainda mais.

O vício na nicotina era real — física e psicologicamente. Mas, em favor de meu relacionamento com Sande, eu estava disposto a dar as costas aos meus pequenos amigos brancos. Não deixaria que uma história passada ou um hábito roubassem meu futuro.

Esta é a chave: você vai deixar que uma história passada ou um hábito roubem seu futuro?

Já conversamos sobre nosso passado sexual, mas, neste capítulo, vamos dar uma olhada em como você pode se desligar daquelas coisas que o desligam do sexo. Se o sexo é tão importante para um casamento como acredito que seja, é fundamental que você aprenda como se sentir menos sobrecarregado na cama. Você não é escravo de padrões de pensamento que roubam a liberdade sexual; você pode resistir.

Veja como.

INIBIÇÕES PARENTAIS

Uma das minhas primeiras ações como psicólogo quando estou trabalhando com casais recém-casados é fazê-los cortar o cordão umbilical com mamãe e papai. Você precisa romper antes de se unir, e as mulheres, em particular, podem ter dificuldade para fazer isso. Às vezes há determinada inibição sexual por parte da esposa, e, quando exploramos a razão do problema, ela diz: "Mas e se minha mãe ou meu pai soubessem que fiz isso? Eles ficariam indignados!".

Como você sabe? Quando Sande e eu tivemos nossa caçula, com respectivamente, 47 e 49 anos, o primeiro pensamento de nossos filhos mais velhos foi: "Ei, quer dizer que vocês dois ainda fazem aquilo?". Eles sabiam que tínhamos feito sexo em pelo menos cinco ocasiões diferentes (uma vez que temos cinco filhos), e então imaginavam que talvez pudesse ter acontecido cinco outras vezes, quando decidimos comemorar algum aniversário, totalizando dez vezes. Ah, se eles soubessem que este número está perto do nosso recorde semanal!

Embora talvez não seja adequado discutir atividades sexuais específicas com seus pais, vocês de fato não sabem se eles se ofenderiam. Escutem o que diz um velhinho: pode ser que seus pais tenham *aperfeiçoado* aquela pequena prática que vocês acham que os faria morrer só de ouvir falar.

Segundo, ainda que vocês soubessem que eles ficariam incomodados, *e daí?!* É hora de cortar o cordão umbilical. Vocês por acaso devem se contentar com menos só porque é isso que seus pais fariam? É hora de desligar isso que desliga vocês!

Alguns leitores podem ter crescido num ambiente hiperconservador. Logo cedo na vida, eles receberam a mensagem que o sexo é errado, sujo, horrível e nojento. E sabe de uma coisa? O sexo *pode* ser exatamente isso, particularmente fora do casamento. Mas ele não foi planejado para ser assim. Dentro da abrangência e proteção do laço matrimonial, o sexo é um presente grande e maravilhoso. Infelizmente, esse conhecimento nem sempre ajuda uma mulher que teve formada em sua cabeça desde a infância a ideia de que o sexo era algo a ser evitado.

Uma nota para todos os pais: o que vocês estão comunicando a seus filhos sobre o sexo? Espero que não seja que sexo é ruim, pois, francamente, chegará o dia em que eles descobrirão o contrário. Vocês terão se colocado numa posição péssima porque, daquele dia em diante, seus filhos pensarão: "Papai e mamãe não sabem de nada!".

Quando converso com um casal em que a mulher vem de um histórico hiperconservador, começo falando com o marido. Ele tem de enxergar com os olhos da esposa e entender quanto medo ela tem do sexo. Esta parte não é opcional: ele *tem de* se tornar um amante extremamente gentil e paciente. Ele precisa aprender a aceitar as pequenas ofertas que sua esposa é capaz de lhe dar e se concentrar com gratidão naquilo que ela *faz*, em vez de ficar obcecado por aquilo que ela *não* fará.

Depois converso com a esposa. Se achar que ela consegue aguentar, direi algo chocante e direto para que ela se lembre: "Mariana, o que vejo é que você tem duas opções diante de si: ou *você* tem um caso amoroso com seu marido ou outra pessoa terá".

Há momentos em que uma declaração como essa faz que uma mulher fique realmente brava. "Como você pode dizer uma coisa dessas? Se ele vai ser assim, não quero mais ficar casada com ele!".

Você percebe a caixa na qual ela colocou o casamento? É claro que vou insistir com o marido para que ele não tenha um caso, mas ela está despreocupadamente negando a ele uma intimidade sexual regular e, ao mesmo tempo, esperando que ele seja fiel. Maridos comprometidos, homens de fé e integridade, na maioria, se mostrarão à altura do desafio, mas um bom número deles, infelizmente, não. Por que arriscar?

Passamos então a falar sobre uma série de pequenos passos que a mulher pode dar para começar a relaxar. Normalmente dou a ela uma tarefa de leitura: Cântico dos Cânticos. Deus é muito favorável ao sexo, e a Bíblia é um livro bastante descritivo.

Peço-lhe, então, que, de maneira consciente e corajosa, faça algumas coisas que podem fazer com que ela se sinta desconfortável. Compre uma camisola — e a use! Faça amor com o corpo iluminado por luz de velas. Assuma Fique por cima. Inicie o sexo.

Com uma série de pequenas escolhas, uma mulher gradualmente deixa as marcas negativas para trás. Quando ela percebe como o marido reage, aprende que desenvolver a sexualidade é muito mais satisfatório do que se fechar — mas o pensamento dela não mudará até que ela comece a *fazer* as coisas de maneira diferente.

Felizmente, tenho visto muitas mulheres alcançarem grande progresso. Isso nunca acontece da noite para o dia, mas se as mulheres forem fiéis em continuar fazendo essas pequenas escolhas, por fim aprenderão que uma boa vida sexual é importante para seu marido e muito divertida para elas!

Como uma esposa me disse com um sorriso maroto: "Quem vai saber?". Ela não podia acreditar no que ela e o marido estavam fazendo depois de dez anos de casamento, mas, agora, ela estava desfrutando de cada minuto daquilo.

INIBIÇÕES RELIGIOSAS

Ah, se a juventude de hoje soubesse até onde foi a nossa sociedade. Na minha mocidade, nenhuma mulher decente e temente a Deus diria a palavra *grávida* em público. Se fosse professora, era dispensada assim que a barriga começasse a aparecer — mesmo que fosse casada! Já viu os episódios do *Show da Lucy*? Percebeu as camas separadas?

Esta é a nossa sociedade e essas são as nossas raízes; as coisas eram assim. Grupos religiosos realmente censuravam filmes de Hollywood. Ainda que você não tenha crescido numa sociedade como essa, *seu pai e sua mãe cresceram*, e eles ajudaram a passar adiante algumas dessas inibições.

Loretta Lynn, a lendária cantora de música *country* americana, hoje na casa dos 60 anos, confessou:

> Quando me casei, eu não sabia nem sequer o significado da palavra gravidez. Eu estava grávida de cinco meses quando fui ao médico e ele me disse:
> — Você vai ter um bebê.
> — De jeito nenhum — disse eu. — Não vou ter um bebê.
> — Você não é casada?
> — Sim.
> — Você dorme com seu marido?
> — Sim.
> — Você vai ter um bebê, Loretta. Acredite em mim.
> E eu tive.[1]

Nossa cultura caminhou muito, mas muito mesmo, nas duas últimas gerações, no que se refere a ser aberto em relação ao sexo — mais do que nossos avós jamais poderiam imaginar. Isso teve alguns efeitos positivos e negativos.

Enquanto algumas igrejas e sinagogas se esforçaram muito para abordar a questão dessa nova abertura sexual, muitas permanecem na década de 1950. Pergunte a você mesmo: quando foi a última vez que um pastor ou rabino anunciou uma série de sermões sobre o Cântico dos Cânticos, ou mesmo *um único sermão* sobre sexo? Falo regularmente em algumas das maiores igrejas dos Estados Unidos e quase nunca ouço uma discussão franca sobre sexo acontecendo nas dependências dos templos. Isso simplesmente não acontece. Mesmo nos primórdios do século 21, a igreja e o sexo simplesmente não são vistos como duas coisas que caminham juntas.

O engraçado é que, quando levanto o assunto na igreja, dando com isso permissão para as pessoas discutirem sexo e fazerem perguntas sobre o tema, é impossível fazer as pessoas pararem. Elas não querem ir para casa. Essas são as mesmas pessoas que censuram o pastor por deixar o culto avançar três minutos após o meio-dia!

Já vi um bom número de mulheres tentando usar a religião como desculpa por não estarem sexualmente disponíveis ao seu marido.

— Não quero nenhuma dessas coisas esquisitas — uma mulher me disse.
— Como o quê? — perguntei.

— Como eu ficar por cima. Isso simplesmente não é natural.

Sim, algumas pessoas têm essa visão estreita sobre o sexo. Elas acham que o sexo é *apenas* para procriação. A maioria das pessoas que estão lendo este livro provavelmente não vem desse posicionamento — se fosse o seu caso, você já teria parado de ler há muito tempo! Mas você pode estar em algum lugar próximo desse *continuum* religioso.

O pastor Stephen Schwambach oferece um excelente conselho pastoral àqueles que se preocupam que o fato de serem sexualmente expressivos dentro do casamento possa de alguma maneira ofender seu pastor. Ele sugere:

> Você provavelmente não sabe ao certo o que seu ministro aprovaria ou não. Você poderia se surpreender ao descobrir a ampla gama de liberdade sexual que ele acredita que a Bíblia permita que um marido e uma esposa desfrutem.[2]

O que você espera que seu pastor faça? Que se levante na frente da igreja e leia uma lista de práticas aceitáveis? "Beijo de língua profundo? Ótima ideia. Sexo oral — também não há problema. Transar com as luzes acesas? Tranquilo. Afinal de contas, Deus criou a luz e também fez o sexo — por que não colocar os dois juntos? Chantili e morango? Bem, contanto que vocês não estejam na quadra central de Wimbledon, claro; por que não?!"

Você entendeu. Isso não vai acontecer.

No que se refere ao cristianismo, a experiência sexual entre marido e mulher é virtualmente ilimitada em sua criatividade e prazer. No judaísmo, toda mulher casada tem três direitos fundamentais: comida, roupa e expressão sexual (chamada de *onah*). Deus nos diz em muitos lugares que não devemos envolver uma terceira pessoa — mas dois adultos casados e com consentimento têm diante de si liberdade de fazer tudo, contanto que ninguém seja ferido ou degradado e que ambos estejam agindo com sensibilidade e amor.

É claro que você vai ouvir coisas diferentes disso. Vários assim chamados líderes cristãos colocaram a si mesmos como a patrulha da moralidade sexual para a igreja cristã. Não vejo problemas quando alguns desses líderes se apegam à Bíblia, que claramente proíbe a prostituição, o sexo fora do casamento, a homossexualidade e coisas semelhantes. Dentro do casamento, porém, contanto que nenhum dos parceiros seja ferido, as proibições bíblicas, na prática, são silenciosas.

INIBIÇÕES POR AMIZADE

Algumas mulheres ficam bloqueadas ao imaginar o que suas amigas iriam dizer. "Identidade de grupo" pode ser algo muito forte dentro do gênero feminino: "Ah, Ana, não *acredito* que o Beto chegou a *pedir* para você fazer isso! Meu Jorge jamais seria assim tão pervertido! Coitadinha... Vou pedir um café com leite pra você".

Em primeiro lugar, você não tem nada que discutir suas atividades sexuais com mais ninguém a não ser com um conselheiro profissional. Quer um grande brochante? Este pode ser o maior para os homens. Eles consideram ser um ato de infidelidade o fato de você conversar sobre questões sexuais com outras pessoas — especialmente se a conversa for com um dos parentes dele.

Segundo, para as mulheres que se sentem intimidadas com a aprovação ou desaprovação de suas amigas, aqui está o conselho do pastor Schwambach:

> Suponhamos que suas amigas tenham feito uma longa lista de favores sexuais que elas jamais se disporiam a conceder aos maridos. Seria isso algo do que elas deveriam se orgulhar ou é uma vergonha gritante, egoísta e míope?
>
> Como resultado de seu senso distorcido de "dignidade" feminina, elas provavelmente estão casadas com homens tensos e insatisfeitos. Mas o profundo amor que você tem por seu marido jamais permitiria que ele sofresse, como deve acontecer com o marido delas.
>
> Se você quer ter esses pensamentos, então vá em frente e desenvolva-os até o fim: "Sim, minhas amigas me causariam muitas dificuldades se soubessem o que estou disposta a fazer por meu marido. Mas o marido delas provavelmente daria qualquer coisa para que elas, como esposas, estivessem dispostas a tratá-los tão bem quanto eu gosto de tratar o meu marido!".[3]

Se você está realmente preocupada que as pessoas descubram o que vocês dois fazem, *não conte a ninguém!* Ninguém precisa saber! Não deixe que outras pessoas, que estão fora do quarto, roubem ou estraguem o prazer e a intimidade que vocês construíram dentro dele. Chute-as para fora da sua cama e, quando estiver amando seu cônjuge com todo vigor, chute-as para fora de sua mente. Concentre-se unicamente em dar a seu cônjuge o maior prazer que puder.

INIBIÇÕES PESSOAIS

Outro grande inibidor do prazer sexual é a vergonha. Talvez seu marido queira que você faça um *striptease* ou sua esposa queira que você leia poesia ou cante para ela. Parte de você realmente quer fazer esse agrado, mas você fica morrendo de medo só de pensar, e simplesmente não consegue fazê-lo.

Ou pelo menos você *acha* que não consegue. A verdade é que, quando retém alguma coisa que não tenha base moral ou que não seja pessoalmente ofensiva ou degradante, você está roubando de seu cônjuge. Quando se casou com você, seu parceiro esperava, com razão, que vocês dois viessem a desfrutar de intimidade sexual e de prazer. Uma coisa é ter vergonha, mas outra completamente diferente é deixar essa vergonha continuar a roubar de seu cônjuge o prazer sexual, a espontaneidade e a alegria.

Schwambach acrescenta:

> Quando pensar nisso, pense de fato que [...] existe algo muito mais vergonhoso que as ações que você rejeitou até agora. É você ter de explicar por que escolheu privar seu cônjuge amado de prazeres íntimos que ele tinha todo direito de esperar que se realizassem quando abriu mão de todas as outras pessoas e escolheu você para ser seu par pelo resto da vida.[4]

Às vezes precisamos nos forçar a crescer, e este pode ser um desses momentos para você. A melhor maneira de fazer isso é reconsiderar o pedido feito por seu cônjuge anteriormente, aquilo que você achou que até poderia ser divertido — fazer amor com as luzes acesas, fazer uma refeição nus, qualquer coisa —, mas que rejeitou por conta da vergonha. Agora é a sua vez de levantar a questão. Você não vai acreditar no sorriso no rosto de seu cônjuge quando decidir iniciar o ato que um dia rejeitou. O coração de seu cônjuge (e outras coisas também!) vai pular, sentindo-se apaixonado por você por ter dado esse enorme passo de coragem, intimidade e amor.

Outra inibição pessoal é o falso senso de conveniência. Em parte isso decorre de perceber que a mesma atividade é apropriada ou imprópria em dois lugares diferentes. Algumas pessoas simplesmente nunca fazem a troca — jamais percebem que o que elas acham ser impróprio em público pode ser mais do que apropriado em particular.

Ministro muitos seminários e palestras públicas. Quando apareço na maioria das igrejas nas manhãs de domingo, as pessoas querem que eu use um terno, ou pelo menos um casaco e gravata. Nas tardes de sábado, quando vou assistir ao jogo de futebol americano do meu querido Arizona Wildcats, terno é a última coisa que vou usar. É mais provável que eu use uma camiseta do Arizona.

Em eventos diferentes, também ajo de maneira diferente. Quando o Arizona marca, levanto do meu assento, grito e agito as mãos. De volta à igreja, não participo de uma *ola* depois de uma oferta bem-sucedida, porque simplesmente não se faz esse tipo de coisa. Além do mais, já pensou na amada irmã Mirtes desmaiando se o grupo de jovens começasse a *ola* depois de um recorde de oferta ou de presença no culto?

Ora, é conveniente ou não usar camiseta? Depende de onde você vai. É adequado ou impróprio que eu participe de uma *ola*? Depende de onde eu estiver sentado.

A mesma coisa é válida na cama. Não, não é adequado você esfregar os seios — ou o decote, a propósito — no rosto de estranhos. Mas, ah, que maravilhoso é atiçar seu marido dessa maneira quando vocês dois estiverem sozinhos: "Você quer, querido? São todos seus!".

O problema surge quando um cônjuge fica obcecado com a "decência" no lugar errado. A modéstia não é apenas uma boa ideia — ela é um mandamento das Escrituras. O apóstolo Paulo é muito claro sobre essa questão: "Quero que as mulheres se vistam modestamente, com decência e discrição" (1Tm 2.9). Em outras palavras, não venha para a igreja com uma camisola justa e transparente, nem com um vestido de decote profundo.

No quarto, porém, decência significa algo completamente diferente! Aqueles seios que Paulo manda cobrir em público devem agora ser usados para atiçar seu marido: "Gazela amorosa, corça graciosa; que os seios de sua esposa sempre o fartem de prazer, e sempre o embriaguem os carinhos dela" (Pv 5.19). De acordo com Keil e Delitzsch, dois comentaristas do Antigo Testamento, o hebraico aqui se refere claramente ao "amor sensual". A coisa é quente! Esses autores sustentam que Salomão "fala aqui de um êxtase amoroso moralmente permissível, [...] uma intensidade de amor conectada ao sentimento de felicidade superabundante".[5]

Algumas pessoas, particularmente as que vêm de lares bastante religiosos, de vez em quando têm dificuldades para fazer a transição do que é apropriado em público para o que é apropriado em particular. É essencial saber o que é adequado em público, mas a "decência" inadequada em particular pode ser mortal para sua vida sexual. Aprenda a deixar para lá, até mesmo a esticar os limites.

Em muitos aspectos, o ensinamento das Escrituras é este: não deixe que ninguém, além de seu cônjuge, desfrute de seus encantos sexuais em qualquer aspecto, mas lance esses encantos em toda sua plenitude sobre seu marido ou sua esposa. Canalize todo seu apelo sexual em uma direção. Mantenha as barragens levantadas para os outros ao redor; não deixe escapar nem uma gota sequer pelas paredes. Mas quando você estiver a portas fechadas, sozinho com seu cônjuge, abra as comportas e deixe a água fluir com toda força.

OPÇÃO PELA MATURIDADE

Uma das coisas que aprendi sobre o comportamento humano é que a vida se constitui de uma série de escolhas. Alguns teóricos chegam a sugerir que a doença mental é uma escolha — você opta por ser depressivo ou não ser depressivo. Não vamos discutir essas teorias aqui, mas há algo a ser dito quanto a todo o conceito de amor ser basicamente uma *decisão*. Sentimentos vêm e vão, mas a única maneira de eles permanecerem é que sejam regados e nutridos por pensamentos. Você tem a opção de dar-se a essa pessoa plenamente ou, por qualquer razão, resguardar-se. Se você se resguardar, os dois saem perdendo. O casamento é uma submissão voluntária mútua. Essa é uma alegre realidade quando é vivida de maneira altruísta. É horrível quando um ou os dois parceiros começam a afastar o outro.

Uma vez que você se levantou diante de sua família e de seus amigos e disse "Sim, aceito", não se vire de noite dizendo "Não aceito". Isso é o que acontece em muitos casamentos. Minha esperança é que traumas pessoais, forma de criação, um falso senso de religião, vergonha ou qualquer outra coisa não o desliguem do sexo. Mesmo que tenha vivenciado um ou mais desses fatores, você pode avançar de modo que sua vida sexual seja tudo o que pode ser.

Por fim, seja honesto. Não diga a si mesmo algo como "Não consigo fazer isso". Em vez disso, admita: "Eu *não farei* isso" ou "Não quero fazer isso". A realidade é que você *poderia* fazê-lo, mas está *escolhendo* não fazer.

Se for seu cônjuge quem tem as inibições, você pode ajudá-lo sendo compreensivo e paciente, ainda que firme, ao encorajá-lo a buscar aconselhamento. Seja o tipo de parceiro amoroso que diz: "Meu bem, vamos passar por isso juntos". Com os dois trabalhando por esse objetivo de liberdade na expressão sexual dentro do casamento, a maturidade um dia será alcançada. Seus gostos vão mudar.

Lembro-me de mim mesmo, quando estava no oitavo ano. Eu me achava muito legal sentado naquele restaurante com uma música tocando na *jukebox*, comendo minha rosquinha com glacê, tomando cerveja preta numa caneca congelada enquanto fumava umas guimbas de Lucky Strike do meu pai. Mas, conforme fui crescendo, descobri algo melhor. Quando se tem 12 anos, julga-se um restaurante pelo *cheeseburger* duplo, pela cobertura quente do sorvete e pelo *milk-shake* de chocolate. Quinze anos depois, avalia-se o restaurante pelo molho bechamel.

Tudo tem a ver com maturidade. O casal que vocês são hoje não é o casal que serão amanhã. Espero que sejam mais amorosos, mais generosos, mais próximos um do outro e ainda mais livres para expressar esse amor na cama.

CAPÍTULO 12

O maior inimigo do sexo

Já conversei com alguns poucos casais que não desejam uma vida sexual gratificante e significativa. Até mesmo indivíduos que perderam quase todo interesse sexual, quando são honestos, normalmente ainda *gostariam* de poder ter seu interesse de volta.

Se praticamente todo mundo quer ter uma vida sexual melhor, por que tão poucas pessoas se sentem satisfeitas e realizadas nessa área? O maior inimigo do sexo não é o aumento de peso. Não é a falta de informação. Não são os problemas financeiros, nem ter filhos pequenos em casa. Depois do advento do Viagra, não é nem mesmo a impotência!

Na verdade, o maior inimigo do sexo entre as mulheres é...

Cansaço.

Uma revista feminina coloca a questão de uma forma melhor:

> Qual é a última coisa a fazer quando você está ocupada, cansada e estressada? Se respondeu sexo, você não está sozinha. Estima-se que 24 milhões de mulheres norte-americanas dizem que não têm tempo, que estão cansadas demais ou que apenas não estão no clima para fazer sexo, e mais de um terço das leitoras da *Redbook* dizem que estar muito cansada é a desculpa número um para não fazer sexo. Assim, o deixamos para depois — mas depois pode facilmente tornar-se nunca. No caso de você não ter percebido, a abstinência não faz que os quadris pareçam mais atraentes; ela apenas gera mais abstinência.

O sexo, em contrapartida, gera mais sexo. Estudos mostram que o ato de fazer amor eleva os níveis de substâncias químicas no cérebro associadas ao desejo. Portanto, a melhor maneira de aumentar seu desejo pelo sexo é praticá-lo.[1]

Tenho falado e escrito há anos sobre como o ritmo acelerado das famílias norte-americanas está nos matando em termos sociais, relacionais e psicológicos. Estamos simplesmente ocupados demais. Muitas famílias com as quais trabalho poderiam facilmente cortar metade de suas atividades e ainda assim continuariam cansadas. Isso *não é* um exagero. Em sua maioria, as famílias que me procuram costumam ficar chocadas com o jeito como consigo arrancar um pedaço enorme de sua agenda.

Quando vivemos a vida na velocidade de um carro de fórmula 1, o sexo é uma das primeiras coisas a ir embora. Mais uma vez, se vocês quiserem melhorar sua vida sexual como casal, precisam examinar o relacionamento fora do quarto. O que vocês estão fazendo que os impede de ter intimidade sexual?

A revista *Redbook* realizou uma pesquisa em sua página na internet na qual fazia a pergunta: "O que você faria com uma hora de tempo livre?". Mais de dez mil homens e mulheres responderam. *Sexo* foi a resposta de 85% dos homens e 59% das mulheres — ampla maioria em ambos os casos. Apenas 12% das mulheres escolheram fazer compras ou dormir, respostas seguidas por assistir televisão, fazer exercícios, ler e comer.[2]

O que isso lhe diz? Se tivesse tempo de sobra, provavelmente você não iria para o *shopping center*. Não pegaria um livro, não ligaria a televisão, nem iria para a academia. Você ficaria sem roupa com seu cônjuge — e seu casamento seria muito melhor por isso.

Como os casais começam a superar os efeitos do cansaço?

MUDE A AGENDA

Não faz sentido tentar construir uma linda casa sobre uma fundação prestes a cair. Se você quiser realmente que sua vida familiar e sua vida sexual sejam mais significativas, então precisará abrir mão de algumas coisas. Nada de correr de um lado para outro cinco noites por semana nos dias úteis. Eu diria que se você sai mais de duas noites por semana, alguma coisa precisa mudar.

Quase dou uma gargalhada quando as pessoas me perguntam: "Mas meus filhos não vão perder diversas oportunidades se eu insistir que não podemos sair mais do que duas vezes por semana?". Eu acho graça porque é de tempo com a família que os filhos *realmente* sentem falta. Quando pessoas me procuram em busca de aconselhamento e falam sobre a infância, nenhuma delas olha para trás com doces lembranças de um estilo de vida que as fazia sair de casa às segundas para os escoteiros, terças e quintas para o futebol, quartas para a igreja e sextas para o jogo na escola. As lembranças que as pessoas mais prezam são as noites em que a família inteira ficava em casa jogando Uno, assistindo a um filme ou simplesmente conversando.

Você e seu marido dirigem uma empresa de táxi?

— OK, Jeremias, você precisa sair do trabalho mais cedo para pegar a Wendy no balé.

— Por quê?

— Preciso pegar o Daniel na aula de tênis. Mas você tem de fazer a Wendy sair dez minutos mais cedo do balé, porque a Jenifer precisa ir ao grupo de jovens, e não dará tempo se você esperar até o final da aula da Wendy...

Diga-me: como você espera nutrir um relacionamento amoroso, emocionalmente gratificante e próximo com esse tipo de diálogo acontecendo com frequência?

Vá mais devagar. Apague algumas coisas de sua agenda. Abra espaço para o sexo.

Na verdade, deixe-me ser mais direto: se você não está fazendo sexo com seu cônjuge pelo menos duas ou três vezes por semana, significa que está ocupado demais.

FUJAM!

Uma mulher escreveu numa pesquisa: "Gostaria que eu e meu marido tivéssemos investido mais tempo e dinheiro em nosso relacionamento amoroso. O divórcio foi muito mais caro — e muito mais traumático para as crianças do que saídas ocasionais de fim de semana teriam sido!".[3]

Infelizmente, muitos casais só percebem isso depois de terem passado pela reviravolta do divórcio. Sei que seus filhos podem reclamar por perder um jogo de vez em quando. Seu orçamento pode gemer enquanto está sendo esticado para acomodar aquele final de semana numa pousada. Encontrar alguém para ficar com as crianças é uma encrenca. Mas, como casal, vocês precisam simplesmente fugir.

Pelo menos uma vez por ano creio que é bom fugir, principalmente pelo sexo. Passem um final de semana onde vocês dois planejam ficar bastante tempo dentro de algum lugar. Desfrutem da expectativa — talvez até mesmo se abstendo um pouco na semana anterior à sua partida. Programem um banquete sexual, sem desculpas e sem vergonha. Agora é hora de ler de novo o capítulo sobre variedade e realmente pensar em maneiras de temperar sua vida amorosa. Talvez a esposa se "depile" pela primeira vez. Talvez o marido esconda um saco de pétalas de rosa e as jogue sobre a cama enquanto sua amada estiver no banho. Talvez a esposa faça a reserva de um quarto com espelhos. Talvez o marido traga algum creme para os pés.

No fim das contas, por mais que seus filhos possam reclamar no início, eles vão agradecer por vocês se dedicarem a amar um ao outro (embora, é claro, eles nunca venham a saber a verdadeira razão de vocês terem fugido).

CUIDE DOS DETALHES

Hospedar-se num hotel pode estar além de alguns orçamentos. Na realidade, algumas famílias podem sofrer diante da tensão de ter de contratar uma babá.

Se esse é o seu caso, encontrem um casal com quem possam alternar regulamente a atividade de babá. Se as coisas forem muito urgentes, ligue para Júlia e diga:

— Júlia, eu e o Carlos realmente precisamos de algumas horas sozinhos, sem as crianças. Você poderia tomar conta delas das cinco às sete da noite de hoje?

— Parece que alguém está planejando um pequeno prazer de fim de tarde, não é? — Júlia pode perguntar.

— Ficarei feliz em retribuir o favor amanhã ou em algum dia da próxima semana — você poderia responder.

Marido, se você percebe que sua esposa está ocupada demais para realmente apreciar o sexo, surpreenda-a contratando uma pessoa para fazer a limpeza, consiga alguém para ficar com as crianças e então permita que ela desfrute da intimidade sexual antes das 11 da noite pelo menos uma vez na vida! Imagine como será bom para ela não ter de reunir energias depois de passar aspirador na casa inteira, fazer o jantar, lavar a louça, dar banho em duas crianças pequenas, colocá-las na cama e então tentar não cair de sono de tanta canseira. Cuide dos detalhes para que sua esposa possa realmente relaxar.

FAÇA SACRIFÍCIOS

Uma das coisas mais difíceis em ser mulher hoje é que todo mundo quer um pedaço de você. Seu chefe quer aquele memorando; a igreja está pedindo "apenas uma" noite por semana; as crianças querem ir a três lugares diferentes; os professores querem uma ajudante para a sala de reuniões. E, claro, para guardar dinheiro para a faculdade das crianças, você vende Avon para as amigas.

Se isso se parece, um pouco que seja, com a descrição de sua vida, já sei o que seu marido me diria se estivesse sentado na minha sala de aconselhamento. Talvez ele usasse palavras e imagens diferentes, mas em essência ele diria: "Se eu tiver sorte, ficarei espremido entre o noticiário do fim da noite e o Jô Soares".

Não sou ingênuo — acredite em mim, passei da fase da inocência há algumas décadas. Trinta anos no ramo de aconselhamento são capazes de remover todas as fantasias. Assim, percebo quando o que estou prestes a dizer será difícil para alguns ouvirem e muito trabalhoso para outros colocarem em prática: vale a pena se sacrificar por um bom casamento e uma boa vida familiar. Talvez vocês precisem passar sem algumas coisas a fim de preservar o tempo de intimidade conjugal — isso sem falar em apenas estar disponível para seus filhos. Podem ter de ficar com o mesmo carro por dez anos ou mais. Podem ter de esquecer férias caras. Podem ter de se contentar com doações feitas por alguém ou compras em brechós ou em lojas populares em vez de irem a lojas caras para comprar o material escolar de seus filhos.

Mas os sacrifícios valerão a pena. Não digo isso levianamente porque sei que, para alguns, abrir mão das "boas coisas da vida" é algo que vai doer muito, muito mesmo. Sem negar a dificuldade por trás desse sacrifício, eu ainda acho que vocês ficarão muito satisfeitos por investir mais tempo na família, ainda que isso signifique uma conta bancária bem mais magra.

UM INIMIGO DO HOMEM

Para a maioria dos homens, a exaustão não é o maior inimigo do sexo. Falando em nome do meu gênero, posso dizer que é seguro afirmar que podemos estar "pescando" de sono, depois de permanecer 36 horas sem nem sequer dar um cochilo — mas se nossa esposa tocar exatamente no lugar certo, *boing!* Estamos prontos para ir em frente!

O maior inimigo do sexo, para a maioria dos homens, é a falta de imaginação por parte da esposa. Se um homem não se sentir procurado ou desejado, ou se sua esposa for inábil ou relutar em comunicar quanto ela gosta de estar com ele e o quanto deseja o corpo dele, o maridão perde o interesse. Seu marido quer ser necessário, desejado e valorizado; nesse aspecto, ele é como um menino.

O desafio é que você precisa ter tempo, energia e perspicácia para conseguir procurar seu marido dessa maneira — coisas que uma mulher muito ocupada simplesmente não terá. Mas aqui está a ironia. O homem que é amado de maneira plena é aquele que, quando sua esposa liga e lhe pede que compre dois litros de leite na padaria a caminho de casa, ainda que ele tenha passado por lá três quilômetros atrás, vai voltar à padaria e pegar o leite, dando com isso mais tempo a você.

Quando o marido diz "Sem problema", é porque quer agradar sua mulher. Se ele se sentir amado e valorizado, derrubará muralhas por você.

Já falamos sobre esse assunto, de modo que não vou cansá-los sendo repetitivo. Apenas lembrem-se: se desejam uma vida sexual excelente, vocês precisam proteger sua agenda. Abram espaço para o ato sexual criativo e sem pressa.

CAPÍTULO 13

Seu Q.I. sexual

Sabe qual é o problema que tenho com livros como este? É muito comum eles partirem da premissa de que as pessoas não têm conhecimento sexual básico. Embora eu tenha descoberto que isso é verdade para alguns poucos casais que aconselhei, o fato é que esta geração talvez seja a mais bem informada sobre sexo dentre todas as gerações da história do mundo.

Na mesma medida, porém, muitos casais são lamentavelmente ignorantes em relação às preferências particulares do seu *cônjuge*. Por quê?

Primeiro, creio que a experiência sexual passada é contraproducente. Um homem acha que sabe do que gostam as "mulheres em geral", mas isso o impede de saber do que uma mulher em particular (sua esposa) de fato gosta. Ele pensa que é o Don Juan, mas não sabe bulhufas sobre os interesses sexuais, os medos, as esperanças e as fantasias da mulher com quem está casado.

Do mesmo modo, uma mulher pode saber o que agradava seu namorado da faculdade, mas isso não significa que a mesma coisa agradará seu marido. Se ela teve vários amores, pode até mesmo se confundir com lembranças passadas.

Segundo, a maior parte de nossa "informação" chega até nós pela mídia. A verdade é que os artigos se destinam a vender revistas; o repórter não conversou de fato com o *seu* cônjuge. Aqueles títulos sensacionalistas de artigos — "Acenda o fogo dele com o ponto secreto que você nem sabia que existia" ou "Faça-a gemer a noite inteira com uma nova posição" — são apenas isso: sensacionalistas. Podem ter ou não alguma semelhança com a verdade.

Você não descobrirá em que lugares seu cônjuge gosta de ser tocado lendo a *Nova* ou a *Alfa*. Vocês precisam falar um com o outro, especificamente sobre sexo — algo que, por incrível que pareça, poucos casais fazem. Podemos ler sobre sexo mais do que qualquer outra geração antes de nós, mas são poucos os casais que de fato conversam sobre sexo.

Estou mais interessado em seu Q.I. sexual no que se refere aos gostos e aversões pessoais de seu parceiro do que estou em saber se você é capaz de descrever todas as posições. Você pode ser um ginasta sexual, mas se seu cônjuge gosta das coisas lentas, suaves e brandas, todos aqueles movimentos vão apenas irritá-lo.

Se você não souber as respostas às perguntas apresentadas a seguir, passe as próximas semanas tentando encontrá-las em conversas com seu cônjuge. Estou ciente de que muitas das respostas podem ser "Depende", mas não use isso como uma desculpa. Discutam as circunstâncias nas quais as respostas se encaixam. Você deve conhecer seu cônjuge tão bem a ponto de poder respondera muitas dessas perguntas de várias maneiras diferentes.

1. Seu cônjuge prefere luz de velas, escuridão total, luzes leves, coloridas ou completamente brancas durante o sexo? Ele gosta de fazer experimentos com a luz? Em caso afirmativo, quando e em que clima?

2. Seu cônjuge gosta de algum cheiro particular durante o sexo? Ele gosta de velas aromáticas? Se sim, de qual fragrância? Seu cônjuge tem preferência por algum perfume?

3. Qual é a hora favorita de seu cônjuge para se envolver em relações sexuais? Você já abriu espaço em sua agenda para incluir esse período?

4. Seu cônjuge gosta que você fale durante o sexo? Que faça mais barulho durante o sexo? Ele quer que você fale mais antes de vocês fazerem sexo? Seu cônjuge preferiria que você começasse a orar de vez em quando antes ou depois do sexo?

5. Sua esposa tem uma loção de massagem preferida? Ela gosta da loção aquecida ou tirada direto do frasco?

6. Seu cônjuge gosta de brincar durante o sexo ou é mais sério?

7. Quais são os três lugares favoritos em que seu cônjuge gosta de ser tocado? E beijado?

8. Qual é a posição favorita de seu cônjuge?

9. Qual é a prática sexual que seu cônjuge realmente gostaria de experimentar e que vocês dois ainda não fizeram?

10. Qual é a fantasia sexual predileta de seu cônjuge?
11. O que desestimula sexualmente seu cônjuge mais rápido que qualquer outra coisa?

COMUNICAÇÃO SEXUAL

Em minha profissão, descobri que a maioria dos casais passa 99,9% de sua atividade sexual fazendo amor e 0,1% do tempo conversando sobre ela. O ideal seria que a proporção estivesse mais perto de 90% e 10% respectivamente. Ah, casais podem fazer piadas sobre sexo, mas o que chamo de "conversa" é uma discussão substancial, na qual os dois realmente compartilham seu coração sobre o que gostariam e o que não gostariam em sua vida sexual. Até mesmo casais casados — que já viram tudo o que há para ver — podem ainda considerar extremamente embaraçoso e difícil conversar de fato sobre preferências e aversões sexuais.

Parte disso se deve, é claro, ao temor de fazer o cônjuge se sentir mal. Quem quer ouvir que não é bom na cama? E quem quer ser a pessoa a dizer isso?

Desse modo, o que normalmente acontece é que cuidados relativamente simples são ignorados. Alguns cônjuges suportam algo de que não gostam por uma década ou mais porque têm medo de tocar no assunto: não querem ferir o parceiro. Outros negaram a si mesmos alguma coisa por anos porque se sentem envergonhados demais para pedir.

Uma das melhores coisas que você pode fazer para melhorar sua vida sexual é aprender como conversar... Quero dizer, *conversar de verdade*.

Tocando em assuntos difíceis

A dra. Judith Reichman lista diversas formas de iniciar a conversa, as quais o ajudarão a abordar questões potencialmente embaraçosas ou perturbadoras:[1]

- "Sei que pode ser embaraçoso conversar sobre sexo, mas nós dois somos adultos."
- "Tenho uma coisa para lhe dizer, mas acho difícil conversar sobre isso."
- "Talvez você tenha notado que tenho evitado situações nas quais faríamos sexo."
- "Parece que você não está com muita disposição de fazer sexo ultimamente. Há alguma coisa sobre a qual você queira conversar?"
- "Você percebeu que caímos numa rotina no que se refere ao sexo? Você já pensou em sermos um pouco mais ousados?"

- "Tem sido difícil me sentir excitado ultimamente. Não sei bem por quê, mas andei pensando e acho que poderíamos conversar sobre o assunto."

Veja outra abordagem a considerar:
"Isso é desconfortável, e nem mesmo sei se estou certo, mas estou me sentindo desta maneira...". Gosto dessa abordagem mais suave porque ela tende a desviar as acusações e a ira. Um ângulo similar é este: "Eu posso estar errado, mas...".

Veja a seguir um exemplo de como uma mulher pode iniciar uma conversa caso seu marido não pratique a boa higiene:
"Querido, muitas vezes você quer fazer amor, mas sem ter tomado banho. Você não vem para a cama com cheiro de limpeza e frescor e, você sabe, tenho o nariz igual ao de um cão farejador. Gosto do cheiro do seu cabelo quando você acabou de lavá-lo. Mas é muito comum que esteja cheirando a trabalho. Você sabe que o amo demais e que adoro ficar com você. É difícil para mim dizer-lhe isso, pois não quero ferir seus sentimentos, mas se você simplesmente tomar banho, isso me daria muito mais vontade de agradá-lo."

O brilhantismo da abordagem dessa mulher é que ela coloca o ônus sobre si mesma ("você sabe, eu tenho o nariz igual ao de um cão farejador") e também dá uma conotação positiva à proposta ("isso me daria muito mais vontade de agradá-lo").

A maioria dos homens receberia bem conversas desse tipo.

A pergunta corajosa

Dizer a seu cônjuge que você não está feliz com sua vida sexual está entre as coisas mais dolorosas que você pode fazer. Às vezes é necessário, *mas ainda assim machuca*. Você pode mencionar uma porção de coisas positivas — "Adoro o jeito como você beija; gosto da maneira como você usa as mãos; gosto do modo como você é criativo". Mas aquela única coisa negativa — "Às vezes você parece um pouco passivo" — é a única coisa de que seu cônjuge vai se lembrar da conversa.

Pode-se dar um jeito nisso. Os Schwambach chamam esta frase de "As dez palavras mágicas".[2] Eu gosto de chamá-la de "a pergunta corajosa". Mas seu brilhantismo está no fato de colocar um pedido de forma positiva. Ela permite que você abra caminho sem machucar seu cônjuge nem sugerir que ele não tem sido suficientemente bom.

Pronto? Aqui vai: "Você sabe o que eu gostaria de experimentar um dia?".

Se disser essas palavras no tom correto, você poderá transformá-las numa preliminar. O simples pensamento se torna erótico e convidativo.

Se ouvir de seu cônjuge essas palavras, sua reação será muito importante. Primeiramente, entenda que ele pode ter passado dias ou até mesmo semanas reunindo coragem para dizer isso. Uma rejeição eventual — "Você é algum tipo de pervertido?", "Você não deve estar falando sério; você está brincando, certo? *Certo?*" — muito provavelmente impedirá qualquer comunicação futura.

Em vez disso, é sua responsabilidade pelo menos considerar o pedido (contanto que não seja imoral nem degradante). Você pode não se sentir confortável, mas pelo menos tente parecer animado e leve em consideração toda coragem necessária para que seu cônjuge tocasse no assunto. Depois tente reorganizar a frase sob uma perspectiva que pareça convidativa a você:

"Sabe, meu amor, isso também me parece maravilhoso. Por que você não toma um banho antes de vir para a cama esta noite e a gente vê o que acontece?"

O exemplo que os Schwambachs usam é muito bom. Digamos que seu marido vá apressadamente de alto a baixo, e você realmente gosta de ter os seios afagados, acariciados e beijados. Em vez de dizer "Por que você está sempre com pressa? Nunca ouviu falar de preliminares?", tente algo assim:

— Você sabe o que eu gostaria de experimentar um dia?

— O quê, meu amor?

— Fico imaginando quão excitada você me deixaria só fazendo amor com meus seios. Use tudo o que quiser — a boca, as mãos, até mesmo o Sr. Feliz. Seja criativo e vamos ver até onde vai.

O importante é que a mulher está dizendo: "Eu quero ser excitada, e quero ser excitada por você". Isso é o que deixa um homem maluco. Quando seu marido perceber como você fica excitada à medida que ele a acaricia e afaga, você não conseguirá arrancá-lo de seus seios nem com um pé de cabra. Ele assumirá isso como um desafio e certamente desejará concluir o trabalho.

A PSICOLOGIA DA SEDUÇÃO

Até que ponto você sabe o que deixa seu cônjuge ligado também tem a ver com seu Q.I. sexual. Aqueles que estudam o assunto concluíram que existem quatro áreas de sedução: visual (na qual a pessoa fica sexualmente excitada por aquilo que vê), sinestésica (na qual a pessoa é despertada pelo toque); auditiva (na qual a pessoa é excitada pelo som) e relacional (na qual a pessoa é atraída por cuidado e estímulo emocional).

Ora, todos nós estamos sujeitos a ser despertados por qualquer um desses quatro quesitos em diferentes momentos — mas a maioria das pessoas privilegia um em detrimento dos outros.

Deixe-me perguntar-lhe uma coisa: Qual dessas áreas mais excita seu cônjuge?

Você não sabe? Há quanto tempo vocês estão casados?

A triste realidade é que essas coisas básicas costumam ser ignoradas em muitos casamentos. Descubra qual é a linguagem sexual que seu cônjuge mais deseja que você fale. Adicione um pouco de variedade, mas sempre favoreça a atração primária de seu cônjuge.

Fundamental à compreensão disso é a psicologia por trás da sedução. Tudo tem a ver com a apresentação. Quero pedir-lhe uma coisa: descreva para mim os últimos vinte ou trinta interlúdios sexuais que você teve com seu parceiro. Como eles foram? Aposto que as esposas conseguiriam descrevê-los nos mínimos detalhes. Sabe por quê? Porque a maioria daqueles episódios foram exatamente como todos os outros: o número 3 foi exatamente igual ao número 9, que foi igual ao número 27.

Os casais se acomodam. Tornam-se criaturas de hábitos. Eles se esquecem dos pequenos detalhes.

Assisto a muitos programas de esporte — e compareço a muitas competições. É possível ver muito mais no aquecimento do que na transmissão pela TV. Técnicos inteligentes, experimentados e bem-sucedidos sabem que aparência e apresentação são muito importantes. Sim, a competência é necessária, mas um time pode ser intimidado antes que qualquer jogador toque na bola. Essa é uma enorme vantagem psicológica.

Quando a questão é o sexo, a maneira como você se apresenta é crucial. É quase um clichê falar das discordâncias de um casal sobre a roupa de dormir da mulher. A maioria das esposas usa algo na cama que é muito mais "funcional" do que os homens gostariam. Minha esposa tem pijamas com pés e sem abertura! Tudo bem — eu acho — para aqueles dias frios de inverno, quando você sabe que nada vai acontecer. Mas deixe-me apresentar um vislumbre da psique masculina.

Existe esta coisa sobre a qual nós homens conversamos e que chamamos de "faróis". Um menino assistindo à competição de salto ornamental feminino, por exemplo, pode se reunir com os amigos e mencionar os "incríveis faróis" de uma nadadora.

Do que estamos falando?

Mamilos. Quando um homem pode ver os mamilos de uma mulher através da roupa que ela está usando, ele se derrete. Escorre pelo chão. Não posso explicar isso, mas posso descrever. Ficamos com as pernas bambas diante da apresentação correta.

Não me entenda mal: não quero ver a marca dos mamilos de outra mulher. Quero ver aqueles aos quais tenho acesso. Uma das apresentações é provocante e sedutora, mas não pode ser alcançada, de modo que é, na verdade, frustrante e cruel. Mas a outra apresentação, bem, esta é a porta para o prazer! Não há nada mais sedutor do que uma peça de cetim sendo repuxada pelos dois mamilos de sua esposa. Muitos homens correriam por dez quilômetros só para ver isso em seu próprio quarto.

Agora, veja como você constrói a apresentação. Digamos que seu marido ouve o chuveiro ligado às 22h30. Só o som da água correndo já o deixa excitado. Quando ouve o chuveiro sendo ligado, ele está pensando: "Rapaz, hoje eu posso me dar bem". Quando a esposa sai ostentando uma camisola nova que convenientemente exibe aqueles faróis, ele de repente se torna um menino.

— Puxa! Esta é nova?

Agora, a mulher inteligente. Ela olha bem nos olhos dele, inclina-se de modo a deixar que os seios operem sua mágica e, então, diz:

— Comprei especialmente para você.

Só essa cena poderia levar um bom número de homens direto ao orgasmo!

Sim, é caro. Pode ser que o traje custe mais de cem reais. Bom investimento. Muitas famílias pagam mil reais por um aparelho de televisão que não faz nada por seu casamento.

Sande, minha esposa, é especialista em apresentação artística. Quando ela presenteia as amigas, a maioria não gosta de abrir o pacote porque o embrulho parece impecável. Elas acham que seria uma pena estragar tudo aquilo! Já fiquei sentado vendo mulheres ficarem comentando durante muito tempo como o presente fica atraente quando Sande o embrulha. Você precisa ver nossa mesa de jantar no Natal — não apenas a comida é boa, mas o visual é *fantástico*.

Na verdade, algumas pessoas viajam cem quilômetros ou mais para visitar a loja de minha esposa, a Shabby Hattie. Por quê? Sande sabe como apresentar coisas velhas de um jeito que atinge em cheio as mulheres. Ela pode transformar um abajur antigo numa obra de arte simplesmente forrando-o com o tecido correto. As lojas Target também vendem abajures, mas não são todas as pessoas que viajariam mais de cem quilômetros para visitar uma. Por quê? Tudo se resume à apresentação.

Esposa, aprenda a se apresentar — como se vestir, como preparar seu quarto, como envolver o momento numa isca sedutora feita sob medida para seu marido.

Vamos lá, marido, você também pode ajudar um pouco. Já conversamos sobre a boa higiene. Quando você deita na cama de meia social, ou se enfia embaixo das cobertas vestindo a cueca que usou o dia inteiro, não está exatamente arrasando em termos de *sex appeal*.

Tenha em mente que "apresentação" para sua esposa é muito mais ampla do que apenas seu corpo. Você pode fazer amor na garagem e nem sequer notar a lata de gasolina e o martelo cheio de graxa que estão junto a seus pés — mas sua esposa provavelmente não é assim. Do mesmo modo que a esposa pode se apresentar de maneira provocante ao sair do banho usando algo que mostre seus faróis, o marido também pode se apresentar de maneira provocante, saudando sua mulher com um ambiente agradável.

Veja este exemplo prático. Digamos que sua esposa deixou a casa desarrumada para ir a um seminário que iria durar o dia inteiro. Ela fica fora por sete horas e, francamente, está temendo ver como a casa estará quando voltar. Ela sabe que saiu deixando a bagunça para trás, mas, pior ainda, sabe que você e as crianças ficaram lá o dia inteiro. Ela já prevê que terá de fritar o peixe e que jantará tarde, de modo que já se imagina acordada até depois da meia-noite tentando arrumar tudo.

Agora, imagine a surpresa dela quando entrar numa casa limpa, com crianças arrumadas e colocadas na cama na hora certa. Ela nem consegue acreditar em seu olfato — você preparou sua salada favorita, com o molho favorito sobre a mesa, e um perfeito filé de pescada com os temperos na medida certa.

Assim que ela termina de comer, você tira o prato e a convida para subir as escadas. Ela entra no banheiro e descobre que você colocou algumas velas e sais de banho e uma toalha nova e macia. Ela relaxa na água morna e tem uma sensação deliciosa.

Isso, meu caro leitor, é o equivalente de uma esposa saindo do banho com os faróis à mostra. Sim, de certo modo, somos mais fáceis de agradar do que elas — mas, ah, esse trabalho extra certamente vale o esforço.

CAPÍTULO 14

Cansado demais para o prazer

Imagine a cena: o secretário de Estado bate à porta do presidente.
— Sr. presidente, é hora de fazer o discurso anual à nação.
— Obrigado, André — diz o presidente. — Mas, sabe de uma coisa? Não estou muito a fim de fazer o discurso esta noite. Acho que vou deixar para depois.
Ou então isto: o técnico do Indianapolis Colts liga para o *quarterback* Peyton Manning numa tarde de domingo de janeiro.
— Peyton — diz o técnico, — a final do campeonato nacional começa daqui a meia hora. Cadê você?
— Não estou com vontade de jogar hoje, professor. Vocês terão de jogar sem mim.
E ainda uma terceira cena: o produtor do programa *Today* faz uma ligação desesperada para Meredith Vieira, a apresentadora, às 7h30.
— Meredith, deveríamos estar no ar agora. O que está acontecendo?
É até difícil imaginar a apresentadora dando uma resposta como esta:
— Achei que hoje era mais importante dormir do que ir trabalhar.
Por mais distantes da realidade que esses cenários possam parecer, todos eles têm uma coisa em comum: as pessoas assumiram um compromisso e espera-se delas que honrem esse compromisso independentemente de como se sintam. Tenho certeza de que, em algumas manhãs, Meredith realmente

gostaria de dormir um pouco mais. E estou igualmente certo de que, às vezes, o presidente da nação gostaria de postergar um discurso importante. Mas os dois fizeram promessas, e espera-se deles que cumpram o que prometeram.

O ideal seria que as pessoas tivessem a mesma atitude no que se refere ao casamento. Quando você concordou em se casar, colocou-se na posição de preencher uma necessidade na vida do cônjuge que nenhuma outra pessoa pode legitimamente satisfazer: a satisfação sexual. Sou duro com casais de noivos: se você não pretende se comprometer a ter sexo com esta pessoa duas ou três vezes por semana pelo resto da sua vida, então não se case. É claro que a gravidez, uma doença e alguns outros problemas imprevistos podem alterar isso, mas, de maneira geral, casar-se é comprometer-se com períodos regulares de intimidade sexual.

Isso significa que "Não estou a fim" é uma informação importante, mas que nunca deveria determinar suas ações. Você assumiu um compromisso, e precisa ser fiel a ele. É tarde demais para desfazê-lo agora.

É claro que se trata de uma via de mão dupla. Digo aos homens que casar-se é comprometer-se a ter momentos regulares de comunicação. Eu *nunca* encontrei um homem que tenha me dito isto: "O que eu realmente preciso depois de um longo dia de trabalho é uma boa conversa de 45 minutos com minha esposa". Mas digo aos homens que, se a esposa precisar dessa conversa de 45 minutos, eles precisam dar um jeito para que ela aconteça.

"Mas como, dr. Leman? Como posso me envolver sexualmente sem que tenha um desejo real?" Fico feliz com essa pergunta. Isso mostra que você está realmente disposto a dar os primeiros passos. Veja a seguir algumas ideias que vão ajudar a superar um desejo lento.

LEMBRE-SE DE SEU COMPROMISSO

Em primeiro lugar, não entre em pânico. Praticamente todo cônjuge — homem ou mulher — vai se ver nessa encruzilhada em algum momento. Todos nós temos momentos em que nos sentimos cansados, preocupados ou em que não nos sentimos muito próximos de nosso cônjuge. Mas um bom casamento nos chama a ir além de nossa apatia. O bom e velho Pedro nos diz: "Amem-se sinceramente uns aos outros" (1Pe 4.8). Outra tradução possível é "amem um ao outro *com toda força*". Gosto dessa ideia — significa que não vou dar a meu cônjuge a metade do que tenho de melhor; vou usar toda a minha força para agradá-lo, dando-lhe tudo o que tenho.

Isso quer dizer que talvez haja momentos em que vocês farão sexo por compaixão, obrigação ou compromisso, sem ter um desejo real. Sim, pode parecer forçado. Pode parecer planejado, e você pode ter de lutar consigo mesmo para não empurrar seu parceiro e dizer: "Já chega!".

Mas a questão principal é esta: o que você faz é resultado do amor. Você está honrando seu compromisso. E isso é algo maravilhoso a se fazer.

LEMBRE-SE DE QUE O INTERESSE SEXUAL SE CONSTRÓI

Uma das coisas interessantes sobre o sexo é que se você "se jogar" nele por alguns minutos, sua hesitação pode rapidamente evoluir para o desespero — e estou falando do tipo divertido de desespero!

Pense nisto. Já não houve vezes em que sexo era a última coisa que você tinha em mente, mas terminou cedendo? Trinta minutos depois, você está à beira de um orgasmo gritando "Não pare! Não pare! *Por favor,* não pare!".

Seu marido pode lembrá-la de que, meia hora antes, a última coisa que você queria fazer era *começar. Agora,* a última coisa que quer é parar. O sexo poder ser assim, se permitirmos.

Ora, alguns leitores podem estar dizendo: "Não, eu *nunca* gritei 'Por favor, não pare!' porque o sexo *nunca* foi gratificante para mim".

O sexo pode não ser assim agora, mas ele pode se *tornar* assim se você estiver disposto a trabalhar nisso. Lembre-se: nosso Criador nos planejou especificamente para desfrutar do sexo gratificante e prazeroso, pleno de orgasmos e tudo mais. Experiência de vida, traumas psicológicos e inexperiência ou ignorância sexual podem se colocar no caminho da experimentação de tal prazer, mas o potencial para esse prazer permanece.

"Convença-me"

Se seu marido está claramente no clima e insinua a ideia de sexo, mas você não está com a menor vontade, deixe que ele se encarregue dos preparativos. Seja direta, mas incentive-o, ao dizer: "Sabe, não estou realmente a fim — mas vou deixar que você tente me levar até lá". Isso dá a ele a oportunidade de começar a ser romântico, carinhoso e, com isso, ir despertando seu interesse.

Marido, quando sua esposa lhe diz isso, ela não quer que você mergulhe imediatamente na blusa ou nas calças dela — ela quer que você a corteje e que lhe ofereça um jantar. Sussurre coisas doces. Em vez de dizer "Estou louco para estar com você", diga-lhe *por que* você está "louco" e com *o que* está excitado. Leve a coisa para o lado *pessoal* com elogios sinceros.

Então, dê o tempo necessário para que ela se aqueça. Pegue um creme e lhe ofereça uma massagem relaxante. Uma massagem nos pés ou nas costas, ou até mesmo no corpo inteiro, pode realmente ser o grande prêmio! Diga-lhe que vai colocar as crianças na cama enquanto ela toma banho. Providencie uma atmosfera na qual o romance tenha chance de florescer.

Busque rituais para ficar no clima

Você é uma pessoa normal. Estresse, cansaço e outros fatores podem levar ao desinteresse sexual. Resista a isso com rituais que comprovadamente o colocam no clima. Muitas mulheres apreciam um longo processo no qual tomam banho, aplicam algum creme e colocam uma roupa macia.

Você pode descobrir que certos livros ou músicas o deixam predisposto ao sexo. (Não estou falando de pornografia!) Às vezes, ler livros como este, que discutem o sexo de maneira apropriada, podem ativar sua mente (e outras partes).

Conheço um rapaz que prometeu controlar seus pensamentos e, então, pediu que sua esposa, em retribuição, controlasse os pensamentos dela pensando *mais* em sexo.

— O que você quer dizer? — perguntou ela.

— Apenas tente pensar nisso com mais frequência — disse ele.

Fantasias em relação a seu cônjuge são perfeitamente apropriadas. Procure lembrar-se de noites especiais. Sonhe com alguma coisa que ainda não foi feita. Direcione seus pensamentos para seu cônjuge.

Preliminares começam pela manhã

Algumas das melhores experiências sexuais duram o dia inteiro, ainda que os parceiros passem as primeiras dez horas daquele dia a dez quilômetros de distância um do outro.

Imagine como um homem se sentiria se levantasse, fosse ao banheiro tropeçando, acendesse a luz, pegasse o barbeador e fosse surpreendido por palavras escritas com batom vermelho vivo no canto do espelho:

"Bom dia, sr. *Sexy*! Vamos colocar as crianças na cama cedo hoje à noite. Tenho planos excitantes para nós!".

O marido poderia grudar um bilhete no espelho:

"Bom dia, minha linda. Já lhe disse ultimamente como gosto dos seus lindos olhos?"

O ideal é que as preliminares comecem logo de manhã para ajudar ambos a entrar no clima. Faça do sexo uma atividade do dia inteiro.

Exercite-se

Estudos demonstraram que exercícios moderados elevam os níveis de endorfinas e podem aumentar a intensidade do despertamento sexual.[1] Simplesmente sentir-se mais em forma faz que a pessoa se sinta melhor de modo geral, mas uma sessão de exercícios realmente pode ajudar a entrar no clima.

Contudo, existe um limite para isso. Exercícios em excesso — como treinamento para uma maratona, por exemplo, ou longas jornadas de bicicleta (que podem contribuir para o adormecimento do clitóris) — podem ser extenuantes e reduzir o interesse sexual.

UM SÓ NÃO É NECESSARIAMENTE SOLITÁRIO

Agradar um ao outro sexualmente pode não envolver o ato sexual propriamente dito. Há momentos em que, por alguma razão qualquer, a esposa pode optar por aquilo que homens mais novos chamam de forma carinhosa de "trabalhos manuais".

Uma mulher que tenha períodos menstruais longos, de seis ou sete dias de duração, ou que acabou de passar por uma gravidez, ou que talvez simplesmente não esteja se sentindo no seu melhor dia, pode de fato achar que o sexo é algo além do que o que ela pode dar conta. Mas com um mínimo de esforço, ela pode ajudar o marido que se sente como que "subindo pelas paredes" porque está sem sexo já faz bastante tempo.

Isso funciona como uma via de duas mãos: se o marido está sem interesse, mas a esposa está excitada, ele pode abraçá-la, fazer a posição da colher só por fora e deixar que seu dedo indicador expresse sua afeição.

O que quero destacar aqui é que se vocês realmente se amam, encontrarão uma maneira de cuidar um do outro. Haverá momentos em que um parceiro faz o agrado e o outro o recebe. Como já disse, essa é uma coisa altruísta e muito carinhosa a se fazer.

PROBLEMAS SEXUAIS FEMININOS

A Associação Psiquiátrica Americana (APA) divide os problemas sexuais femininos em quatro categorias:[2]

O *distúrbio de desejo sexual* ocorre quando uma pessoa perde todo o interesse pela intimidade sexual, ou até mesmo desenvolve aversão a ele. Todas as pessoas passam por momentos de desinteresse, mas as que sofrem desse distúrbio são cronicamente desinteressadas e sempre evitam o estímulo sexual ou reagem de forma negativa a ele. Essas pessoas nunca se excitam. Não apenas lhes falta desejo, como o simples pensamento em sexo se torna desagradável.

O *distúrbio de excitação sexual* ocorre quando uma mulher pode *desejar* o sexo, mas, fisicamente, seu corpo falha em manter um estado de excitação.

Ela se torna seca e/ou não responsiva à estimulação sexual. A mente dela está envolvida, mas seu corpo não consegue acompanhar.

O *distúrbio orgástico* acontece quando uma mulher não consegue alcançar o clímax depois de uma progressão normal de atividade sexual. Ela pode ter prazer, e o desejo de ter o orgasmo está presente, mas ela nunca "chega lá" de fato, ficando perpetuamente no "quase". Uma vez que é raro uma mulher atingir o orgasmo em todas as relações sexuais, diagnosticar esse distúrbio é às vezes algo arbitrário. Na realidade, a maioria das mulheres não pode esperar experimentar o orgasmo sempre. Questões de saúde e de idade também afetam esse resultado.

O *distúrbio da dor sexual* significa que a mulher experimenta dor vaginal crônica durante o ato sexual. Essa dor não se deve a uma infecção ou a alguma condição médica conhecida. Em alguns casos, existe um endurecimento involuntário dos músculos do lado externo da vagina que provocam o desconforto.

Para complicar, a APA acrescenta uma variedade de classificações para cada distúrbio. Alguns podem ser de ordem psicológica, outros de ordem clínica. Alguns podem durar a vida toda (sempre foi dessa maneira desde que a mulher tornou-se sexualmente ativa); outros são "adquiridos". Os distúrbios também também podem ser generalizados (acontecem sempre, sem exceção) ou situacionais (com um parceiro em particular ou sob certas circunstâncias).

A dra. Judith Reichman identificou alguns "sabotadores sexuais" das mulheres que levam a esses distúrbios ou os agravam.[3] Veja a seguir algumas de suas descobertas.

1. Questões psicológicas

Culpa, depressão, estresse, ansiedade — tudo isso age como um peso sobre o interesse e o desempenho sexual de uma mulher. Às vezes esses fatores são temporários; uma mulher que passa por um período estressante no trabalho ou que esteja sofrendo estresse com filhos pequenos pode experimentar uma redução temporária em seu desejo sexual. Às vezes, a pressão psicológica prolongada pode tornar crônica a falta de desejo.

Abuso sexual é outra bomba-relógio psicológica. Quase 25% das mulheres terão sofrido abuso sexual à época em que chegarem à idade adulta, e os efeitos residuais desse fato trágico têm abrangência muito grande e, em alguns casos, duram a vida toda. Qualquer atividade sexual pode causar *flashbacks* ou lembranças. Em alguns casos, o trauma está escondido bem profundamente e, embora talvez não haja lembranças reais, uma oculta aversão à atividade sexual simplesmente não desaparece.

Por mais que eu queira ajudar, seria irresponsável de minha parte, como terapeuta, apresentar-lhe cinco passos rápidos para superar esse histórico. Se você está entre os 25% de mulheres que sofreram abuso sexual no passado, recomendo com veemência que você procure ajuda profissional. Isso necessita de cuidado especializado. A boa notícia é que eu pessoalmente tenho testemunhado muitas mulheres abandonarem sentimentos ambivalentes ou até mesmo hostis em relação ao sexo — surgidos por causa de abuso — e que, depois de meses de aconselhamento, de trabalho duro e de cuidado solidário por parte do marido, agora desfrutam de intimidade sexual plena.

Outra questão psicológica — ainda que não mencionada por Reichman — é a atividade sexual antes do casamento. Uma vez que muitos especialistas consideram essa prática normal, ela raramente é abordada como um fator negativo na luta da mulher para tornar-se mais sexualmente responsiva. Isso é trágico. Descobri que a culpa por experiências sexuais prévias e o sentimento de estar ligada a parceiros sexuais anteriores são os obstáculos mais comuns a um maior prazer no sexo dentro do casamento.

De fato, conversei com um casal cuja esposa confessou que a atividade sexual pré-matrimonial a manteve inibida na cama durante os primeiros sete anos de seu casamento. O que poderia surpreender alguns dos leitores é que tanto ela quanto seu marido eram virgens na noite de núpcias, mas eles haviam "ultrapassado os limites" do que era confortável para a esposa antes de se casarem. Com isso, ela passou a ter dificuldade de confiar em seu marido na cama, e só depois de ter levantado o assunto e de ele ter pedido perdão é que a mulher finalmente conseguiu desfrutar plenamente da intimidade sexual.

O sexo antes do casamento vem com uma enorme etiqueta de preço — espiritual e psicologicamente falando, ele pode ser um importante dreno do sexo após o casamento. Se isso faz parte da sua história, você deve procurar um bom conselheiro ou talvez conversar com um pastor equilibrado.

2. Questões conjugais

Quando um relacionamento vai mal ou simplesmente esfria, é apenas uma questão de tempo até que o fervor sexual siga o mesmo caminho. Quando um marido se envolve demais no trabalho, ou quando a esposa começa a ignorar seu casamento porque está enamorada de seus filhos, o interesse sexual acaba diminuindo. O relacionamento está morrendo, e o sexo costuma ser o indicador dessa morte.

Quando um homem domina e controla, ou quando a mulher manipula ou fofoca, o cônjuge pode simplesmente perder quaisquer sentimentos de afeição. Costumo chocar grupos de mulheres ao dizer que 80% ou mais delas quebraram seus votos de "amar o marido" na semana anterior. Elas agem como se isso fosse simplesmente ridículo — até que informo que conversar sobre os detalhes específicos de seu relacionamento sexual, ou mesmo os detalhes de uma briga com uma amiga ou um membro da família, é visto pela maioria dos homens como uma violação de sua privacidade. E isso certamente não faz que um homem (ou uma mulher) se sintam amados ou seguros em um relacionamento.

Quando um homem é arrogante, desprezando sua esposa ou até mesmo chamando-a grosseiramente de estúpida, não é nenhuma surpresa que o interesse sexual desapareça. Quando uma mulher tenta controlar seu marido ou até mesmo usar o sexo para conseguir o que quer, não surpreende que o maridão se canse rapidamente de jogar esse jogo.

O melhor sexo acontece nos melhores e mais saudáveis relacionamentos. Não é algo que existe no vácuo. É um erro sério concentrar-se na técnica sexual quando o relacionamento é a raiz do problema. Você poderá ler mais sobre isso no meu livro *O sexo começa na cozinha*.

3. Remédios

Surpreendentemente, não há pesquisa suficiente nessa área. Temos ainda mais trabalho a realizar quando se trata de explorar e entender a ligação entre medicamentos e desejo sexual. Uma vez que mais pessoas estão sob uso de medicação hoje do que talvez em qualquer outro período da história, essa ligação é certamente algo digno de ser explorado se você mesmo está experimentando queda no desejo.

Reichman escreve:

> Muitas drogas têm tanto um efeito direto sobre o cérebro e o sistema nervoso central como um efeito local sobre a genitália e, ocasionalmente, a ação dessas drogas numa pessoa pode contradizer seus efeitos em outra. Um antidepressivo, por exemplo, pode melhorar nosso humor e nos deixar mais propensos a querer sexo, mas se ele aumentar os níveis de serotonina no cérebro, ficamos com a libido diminuída. Pílulas anticoncepcionais podem corrigir certos desequilíbrios hormonais, mas também podem diminuir os níveis de testosterona e a libido. Analisando um aspecto mais localizado, algumas mulheres descobrem que as pílulas anticoncepcionais aumentam a lubrificação vaginal enquanto outras relatam o efeito contrário, especialmente se desenvolvem mais infecções por germes e dor durante a relação.[4]

Obviamente, essa é uma área na qual você precisa consultar seu médico. Podem ser considerados possíveis vilões: métodos contraceptivos, terapia de reposição hormonal, antidepressivos, tranquilizantes e remédios para controle de pressão sanguínea. Até mesmo antiácidos, antibióticos e anti-histamínicos podem afetar sua libido.

4. Doenças

Esclerose múltipla, diabetes, câncer, artrite, problemas na tireoide e fatores semelhantes apresentam desafios individuais à intimidade sexual. No caso da esclerose múltipla, por exemplo, a excitação pode ser bloqueada e a secura vaginal pode tornar a relação menos agradável. No caso da epilepsia, é comum que o tratamento — e não a doença — cause falta de interesse sexual. Se você está em tratamento de alguma doença, converse com seu médico sobre maneiras de lidar com a falta de interesse sexual.

5. Dores

Homem, você apreciaria a relação sexual se ela lhe parecesse como se alguém estivesse inserindo uma agulha em seu pênis toda vez que você penetrasse sua esposa? É claro que não. Algumas mulheres se sentem envergonhadas quando o sexo é doloroso, e elas podem até mesmo tentar mascarar seu desconforto, mas poucas coisas bloqueiam o desejo sexual como a dor.

A dor pode surgir devido a uma série de fatores: secura vaginal, contração vaginal, artrite ou mesmo inflamação muscular. Para a secura, use um dos muitos lubrificantes disponíveis, como K-Y gel, Vagisil ou similares. Algumas mulheres precisam disso mais do que outras; a maioria precisará em algum momento da vida e em certas ocasiões ou períodos do mês.

O declínio natural do nível de estrógeno na mulher, à medida que ela envelhece, também cria mais secura vaginal. Alguns médicos prescrevem hormônios para tratar o problema, mas nem todo mundo se sente confortável em tomar hormônios. Nesses casos, os lubrificantes tópicos podem ajudar.

Seja qual for a causa, a mulher deve consultar um médico imediatamente caso o sexo se torne (ou, claro, se ele sempre foi) doloroso. Você não deve sofrer. Tanto o marido quanto a esposa ficam mais satisfeitos quando ela desfruta da intimidade sexual. Não conheço muitos homens que ficam excitados pelo fato de a mulher "suportar" o sexo.

QUANDO O MARIDÃO NÃO ESTÁ INTERESSADO

Segundo o estereótipo, o homem é quem normalmente quer sexo, mas já conversei com muitos casais cujo marido tem menos interesse sexual que a mulher. Já trabalhei com mais casais assim do que é possível imaginar. Certa vez uma mulher linda de morrer veio até mim. Se ela passasse por um prédio em construção, garanto qué nada seria feito no edifício até que ela desaparecesse de vista. Mesmo assim, seu marido não a tocava.

Às vezes o problema está ligado a questões de identidade sexual. Outras vezes os homens estão simplesmente desesperados por controle — tão desesperados, de fato, que insistem que a esposa sempre comece. Dessa forma, eles nunca são desprezados. Na maioria das situações, porém, o marido está simplesmente cansado, preocupado ou talvez um pouco deprimido.

Veja a seguir algumas coisas que a esposa pode fazer para ajudar a esquentar o maridão.

Vista-se lentamente
Os homens se excitam pela visão, de modo que você pode fazer seu marido pensar em sexo logo no início da manhã ao dedicar um tempo para se vestir — na frente dele. Saia do chuveiro enquanto ele está no quarto e deixe a toalha cair a caminho do guarda-roupa. Pode abraçá-lo, mas não deixe que ele pense que você espera alguma coisa.

Não tenha pressa de se cobrir. Escolha a parte de cima ou a de baixo, mas vista-se de tal maneira que a parte não coberta permaneça plenamente visível pelo máximo de tempo. Vista a calcinha e depois a saia, mantendo a parte de cima despida, por exemplo. Penteie o cabelo antes de colocar o sutiã. Deixe que ele veja o que está perdendo.

Se você realmente quiser que ele prossiga, peça-lhe para fechar o sutiã. É claro que você sabe fazer isso; afinal, faz todo dia! Mas os homens podem ser meio lerdos nessas questões. Diga algo como "Meus dedos estão meio bobos hoje... Você pode fechar o sutiã para mim?". Ele pode não ficar mais esperto, mas talvez um pouco mais interessado.

Espalhe fotografias
Uma vez que os homens são visuais, a vista se torna uma poderosa aliada em sua missão de atacar sexualmente seu marido.

Na parte da manhã, pegue uma foto que você tirou de si mesma vestindo um roupão e cole-a no espelho em que ele se barbeia. Escreva com batom: "Bom dia, querido!".

Depois, durante o dia, distribua outras fotos, cada uma indo um passo além em seu estágio de nudez. Elas podem ser colocadas na pasta, na marmita e na porta do *closet* onde ele se troca quando chega em casa. A ideia é que, na hora de deitar, ele tenha visto um show de *striptease* — em que você guardou o melhor para o final.

Isso pode ser um pouco caro — requer uma câmera fotográfica do tipo polaroide com temporizador, mas tenho certeza de que você e seu marido podem encontrar outras maneiras criativas de usar esse dispositivo. (Você também pode usar uma câmera digital, que permite que você imprima fotos sem que ninguém mais as veja.)

Lidando com a impotência

Tanto homens quanto mulheres precisam se conscientizar dos caprichos da impotência. Isso está fadado a acontecer um dia em qualquer casamento. As estatísticas são bastante notáveis: embora apenas 5% a 7% da população masculina experimente a impotência na casa dos 20 anos, um quarto de todos os homens com idade acima de 65 anos tem dificuldade nessa área. Depois dos 70 anos, um de cada dois homens compartilha do mesmo problema.[5]

A falha em alcançar uma ereção satisfatória pode ser parcial (um pouco ereto, mas não totalmente; ou ereto por um momento e, logo em seguida, amolecido) e ocasional, ou total e crônica. Pode ser psicológica ou fisiológica.

Qualquer doença ou medicação que reduza o fluxo sanguíneo no pênis pode criar impotência ocasional ou crônica; hipertensão, doença vascular coronariana e diabetes são alguns dos culpados (metade dos homens diagnosticados com diabetes experimentará algum tipo de disfunção erétil depois de cinco anos do primeiro diagnóstico).[6] Um nível decrescente de testosterona e o processo natural de envelhecimento também podem ser fatores contribuintes.

De uma perspectiva psicológica, penso que é importante manter o bom-senso sobre o tema. Um lapso ocasional não deve ser causa de preocupação. Na verdade, preocupar-se demais é uma boa maneira de criar uma forma psicológica de impotência.

Segundo, não jogue sobre sua esposa a raiva pelo que seu corpo não está fazendo. Não presuma que sua incapacidade de responder fisicamente seja uma acusação à sua vida sexual. Pode ser simplesmente que a realidade esteja se impondo. Seja como for, faça um *check-up* médico, procure um conselheiro, considere maneiras de manter o sexo divertido e renovado; mas não pressuponha que necessariamente existe qualquer coisa errada com você ou com sua parceira só porque o Sr. Feliz de vez em quando se recusa a fazer qualquer coisa que não seja ficar franzido.

Não sou médico, mas às vezes os médicos me encaminham pacientes quando excluem causas físicas para a impotência e acreditam que as razões sejam mais psicológicas. Se você ocasionalmente acorda com uma ereção, mas não consegue ter uma ereção durante o ato de amor, existe menor probabilidade de a causar ser física. Se seu pênis fica duro, mas logo amolece assim que você começa a pensar numa penetração, mais uma vez, é provável que a causa esteja no relacionamento, e não no seu corpo. Pode ser que você esteja ansioso em relação ao desempenho, sentindo raiva ou alguma outra coisa.

Contudo, se com o passar dos anos você foi perdendo gradualmente a habilidade de alcançar e manter uma ereção, chegando agora ao ponto de praticamente não conseguir ficar com o pênis ereto, é bem possível que esteja enfrentando uma doença que precisa de diagnóstico. Um bom médico pode ajudá-lo a excluir as causas físicas. Assim que tenha um atestado de boa saúde, você pode trabalhar para melhorar o relacionamento. Nos dias atuais, com Viagra e tantas outras opções disponíveis aos casais, a impotência não precisa permear a maioria dos casamentos.

LIDE COM A QUESTÃO!

Seja qual for a causa por trás da falta de desejo sexual, por favor, em nome de seu casamento, lide com a questão! Não é nada saudável ao casamento que um dos parceiros mostre uma falta de desejo sexual constante e persistente. É apenas uma questão de tempo até que o cônjuge leve essa falta de desejo para o lado pessoal. Para ser justo, é natural que isso aconteça.

Para aumentar ainda mais os estragos, você também está negando a seu cônjuge a alegria e a satisfação de ter alguém que o deseje sexualmente. De uma perspectiva religiosa, não é moralmente permitido que qualquer outra pessoa assuma esse papel. Se você não o fizer, ninguém mais poderá fazê-lo. Sua negativa significa que seu cônjuge terá de seguir em frente sem aquilo.

De qualquer maneira, seja incisivo em seu desejo de ficar bem. Vá a um bom conselheiro. Lide com as questões que o prendem. Não se acomode à situação se o seu desinteresse estiver causando desarmonia e frustração em seu casamento.

Pode ser que você esteja dizendo: "Vou tratar disso — um dia desses". Mas, por fim, seu cônjuge poderá dizer: "Basta! Para mim, chega!". Já vi muitos casamentos destruídos pela falta de desejo sexual por parte de um dos cônjuges.

Lembre-se: sentimentos são importantes e válidos, mas você não é escravo deles. Simplesmente porque você não sente vontade de fazer sexo não significa que não possa optar por fazer — pelo menos de alguma forma. Talvez você de fato esteja cansado demais para o ato propriamente dito — mas você não estaria disposto a agradar seu cônjuge de alguma outra maneira?

Você fez uma promessa; vai cumpri-la?

CAPÍTULO 15

Sexo no inverno

Tenho dois amigos que demonstram sua lealdade a mim há muitos anos. Nunca me causaram nenhum problema. Eles são os amigos mais confiáveis, mais confortáveis, mais agradáveis e mais duráveis que já coloquei em meus pés.

Adoro meus chinelos.

Sande os odeia.

Em pelo menos cinco ocasiões diferentes, peguei minha esposa tentando sequestrar meus amigos e mandá-los para o depósito de lixo — mas fui mais rápido que ela. Consegui resgatar aqueles caras todas as vezes.

Logo depois do resgate mais recente, Sande fez um apelo emocionado:

— Kevin, por que você insiste em usar esses chinelos feios e surrados?

— Eles são confortáveis.

— Eles são simplesmente indecentes; estão cobertos de sujeira e de tinta, e não têm mais conserto. Você deveria simplesmente se livrar deles.

— Livrar-me deles? Só porque estão velhos? Só porque estão um pouco desgastados? Que tipo de atitude é esta? — perguntei a Sande. Afinal de contas, será que ela gostaria de ser trocada por outra mulher só porque não tem mais 20 anos? Eu nunca faria isso, assim como nunca me desfaria do meu par de chinelos favorito. Velho não significa inferior, assim como novo não significa melhor.

Quando falo sobre "sexo no inverno" *não* estou me referindo a aquecer os lençóis naquela época do ano em que as temperaturas caem. Estou falando de desfrutar da intimidade sexual aos 40, aos 50, aos 60 anos e além.

Posso estar sendo parcial porque só estive com uma única mulher, mas, em minha humilde opinião, creio que o sexo realmente melhora à medida que o casal envelhece. Percebo que isso nem sempre acontece. Falei há bem pouco tempo com um homem de 65 anos que não dormia com sua mulher havia mais de dez anos. Não posso imaginar dez *semanas*, quanto mais dez anos, sem ter sexo com minha esposa. Mas a verdade é que, aquilo que a idade tira, ela normalmente compensa oferecendo outras qualidades.

É certo que o sexo muda. À medida que avançamos para a casa dos 50 anos e além, nosso corpo pode não ser mais tão firme — mas nossa visão também não é lá grande coisa, de modo que as duas fraquezas quase que cancelam uma à outra! Podemos não ter a mesma energia que tínhamos, e nossos membros talvez não sejam nem um pouco flexíveis como eram quando tínhamos 20 anos. Mas, no lado positivo, temos uma vida inteira de experiência no ato de agradar aquela pessoa. Temos a capacidade de controlar melhor nossas reações, o que normalmente leva a um ato de amor mais demorado. E temos a imensurável vantagem de intuir os gemidos de nosso cônjuge, porque estamos juntos há décadas.

Outro ponto positivo é que, assim que os filhos vão embora, em geral há mais liberdade, mais tempo livre e normalmente mais dinheiro. Muitos casais entram na fase do ninho vazio na casa dos 40 anos e com mais certeza nos 50. Em nosso caso teremos o ninho vazio na idade "quente" dos 62 anos! É mais fácil dar uma escapada e, como você provavelmente já percebeu a esta altura, sou um forte defensor do sexo em hotel para casais casados!

VIRANDO A ESQUINA

Permita-me dizer, em primeiro lugar, que você deve *esperar por mudanças*. Encare o fato: homem, você está perdendo bastante cabelo, senão todo ele. Provavelmente você engordou bastante. Você não consegue pular mais tão alto quanto conseguia fazer. Mesmo o jogador de basquete Michael Jordan provou que até o mais atlético entre os homens não pode desafiar os efeitos sombrios da idade.

Mulher, você percebeu que a gravidade governa mais coisas do que corpos celestes — ela tem um efeito impressionante aqui na terra também. Partes de seu corpo, como rosto, seios e outras, parecem ansiosas para alcançar o chão. Você pode descobrir que precisa de mais lubrificação durante o sexo do que jamais precisou. Seu cabelo, antes tão cheio e perfeito, tão loiro ou tão encantadoramente negro, agora não é tão abundante — e o que são aqueles fios brancos? Não é tinta, minha irmã; são os efeitos do tempo.

Vocês assistiram a todas as mudanças em si mesmos no decorrer do tempo; assim, por que achariam que o sexo não seria afetado também?

Ele muda.

A intensidade e o prazer que vocês experimentam ao fazer sexo nos anos avançados não precisam diminuir, mas o modo *como* você vê as coisas precisará ser revisado. Quando Michael Jordan voltou para a NBA, ele certamente não era mais o "*air Jordan*", o "Jordan voador", que deixava queixos caídos diante daquelas enterradas de desafiar a gravidade. Um técnico até começou a se referir a ele como "*floor Jordan*", o "Jordan terrestre", por assim dizer. É claro, ele ainda conseguia jogar, mas seus pés estavam enraizados firmemente no chão. Ele teve de descobrir novas maneiras de jogar — fintas com a cabeça, arremessos com pulos pequenos e coisas assim — para conseguir marcar pontos.

A mesma coisa será verdadeira em relação a sua sexualidade. Se vocês estiverem dispostos a fazer algumas pequenas adaptações em função da idade, então descobrirão — como muitos casais descobriram — que o sexo pode de fato ser ainda melhor aos 40, aos 50 e aos 60 anos.

O QUE MUDA PARA O HOMEM

Em sua adolescência e juventude, você podia ter uma ereção lendo uma revista de motores de automóvel. O simples ato de pular na piscina ou ver uma menina bonita passando era suficiente para fazer com que seu corpo reagisse. Tudo o que sua esposa precisava fazer para estimulá-lo a ter uma ereção era subir na cama.

Na verdade, é possível que suas ereções fossem alcançadas tão facilmente que vocês dois podem ter desenvolvido alguns hábitos, nos quais sua esposa raras vezes precisava lhe dar estimulação adicional. De fato, quando vocês eram bem jovens, ela pode ter descoberto que estimulação demais poderia fazer as coisas terminarem muito rápido. Uma esposa me confessou que as preliminares foram unilaterais por muitos anos, pela simples razão de que uma simples carícia fazia seu jovem marido chegar ao clímax antes mesmo que eles fizessem sexo.

Velhos tempos, meu amigo. Agora, suas ereções precisarão ser cultivadas e mantidas. Se sua esposa ignorá-lo, você amolece. Vocês dois precisarão se concentrar em agradar e receber, e isso significa que você vai precisar de mais estimulação peniana direta do que antes.

Cuidado: o Sr. Feliz pode não sorrir com tanta frequência. Ele pode murchar bem no momento que você esperava que ele ficasse em alerta total. Ele pode resistir a todos os esforços para um bis dentro de um espaço de 24 horas, e certamente não será o servo obediente que era na adolescência e na juventude.

Suas ereções, assim que alcançadas, também serão diferentes, assim como o são os colchões. Alguns colchões competem com tábuas em termos de dureza; outros se assemelham a travesseiros. Bem, marido, vai chegar a hora em que você não trará um caibro de madeira para a cama. Pense em "pinho" em vez de "carvalho". Ainda será duro, mas não tanto quanto costumava ser.

À medida que você envelhece, talvez também descubra algo que jamais teria imaginado em seus 20 e poucos anos: sexo sem ejaculação. Homens mais velhos simplesmente não precisam chegar ao clímax com tanta frequência quanto os homens mais novos. O lado bom disso é que você provavelmente terá condições de prolongar o ato e talvez agrade mais sua parceira. O lado ruim é que a mulher pode ficar chocada com o fato de os papéis terem se invertido e, agora, existir uma dúvida se *você* vai alcançar o orgasmo. Esposa, não é um fracasso da parte de seu marido fazer amor com você por vinte ou trinta minutos sem, contudo, chegar ao clímax. Não significa que ele não se sente mais atraído por você ou que ele não a considere mais sexualmente atraente. Isso quer dizer apenas que o corpo dele está envelhecendo.

O tempo de recuperação também mudará. As noites de lua de mel, nas quais você era capaz de ter vários orgasmos no espaço de algumas horas, não se repetirão com facilidade. Levará mais tempo para seu corpo se recuperar de sua última experiência sexual antes de estar pronto para alcançar o clímax novamente. Essa mudança será gradual e virá em ondas, mas, à medida que você marcha em direção aos 60, ela será inevitável. (Na verdade, para alguns, isso poderá ocorrer no final dos 40 anos). Quando essa temporada chega, alguns homens precisam esperar horas; outros poderão ter de esperar dias. Mas você precisará esperar.

Existe uma grande vantagem em tudo isso. De vez em quando, as mulheres também gostam de uma "rapidinha" tanto quanto os homens, mas, como padrão, elas tendem a preferir momentos de intimidade sexual mais longos, mais lentos e mais lânguidos. Muito bem, bem-vindo ao inverno — finalmente seu corpo vai se equiparar ao da sua esposa. Você conseguirá demorar mais tempo e ficará mais livre para se concentrar na reação dela. E você pode se tornar um amante muito melhor do que aquele prego que você costumava ser (ou achava que era) aos 22 anos.

Se os problemas de ereção persistirem, tenha em mente que é possível que haja uma causa física por trás deles, como arteriosclerose ou alguma outra doença. Pode ser efeito de algum tratamento ao qual você esteja se submetendo ou de algum estresse que esteja enfrentando. É por isso que recomendo que você faça um *check-up* se problemas de ereção começarem a surgir. Na era do Viagra e de tantas outras opções, a impotência não é, nem de longe, o problema que costumava ser.

Permita-me dizer uma palavra à mulher que está casada com um marido em processo de envelhecimento: por favor, tenha em mente que um fracasso ocasional no desempenho pode se tornar rotina psicológica se um dos parceiros tiver uma reação extremada. Não leve as coisas para o lado pessoal, e, claro, não faça que se tornem algo ainda mais repetitivo ao colocar uma pressão ainda maior para que seu marido tenha um bom desempenho.

Também insisto que a mulher entenda que ela tem uma clara vantagem nesse quesito: você cresceu sabendo que o interesse sexual pode alcançar um pico e diminuir, mais ou menos como uma onda no mar. Seu marido está acostumado a ir de zero a cem numa ascendente firme e rápida e, depois, a pular da beira do abismo! Você precisará ajudá-lo a entender como manter o amor no meio de um eventual vale, porque talvez ele nunca tenha estado num vale antes.

Além disso, é muito natural que o homem sinta que o problema dele é maior que o seu. Se você não se lubrifica naturalmente, pode continuar sendo estimulada e esperar até que se "aqueça". Se isso falhar, você pode pegar um tubo de gel lubrificante.

O homem, por outro lado, sabe que não haverá penetração no caso de seu pênis não endurecer. E esse pode ser um pensamento aterrorizante, pois, assim como você não consegue se forçar a ficar lubrificada, ele não pode se forçar a ter uma ereção. Naturalmente, todo conselheiro sabe que a preocupação com isso tende a agravar o problema, em vez de resolvê-lo; mas, quando um homem não está acostumado a lidar com essas questões, até mesmo confrontá-las uma única vez pode se transformar numa verdadeira fonte de inquietação.

Se tudo indica que seu marido não vai estar pronto para uma penetração, mas que quer continuar estimulando-a, seja manualmente, seja oralmente, *por favor, permita*. Para começo de conversa, vê-la alcançar o orgasmo pode ser suficiente para fazê-lo ter uma ereção. Mas, ainda que isso não aconteça, todo homem quer saber que é capaz de agradar sua esposa sexualmente. Se ele souber que sempre pode recorrer ao uso das mãos caso alguma outra coisa não funcione, ele sentirá menos pressão para ter um desempenho específico da próxima vez — e, portanto, provavelmente o resultado será melhor.

Pense nisso como uma tarefa, que, aliás, não é nada ruim! Deixe seu marido levá-la ao orgasmo da maneira que puder, e não seja contida em suas palavras de incentivo sobre como ele sempre pode satisfazê-la. Ao fazer isso, você pode transformar uma experiência potencialmente humilhante e alienante em uma que cria ainda mais intimidade e satisfação.

O QUE MUDA PARA A MULHER

As mulheres possuem um marcador mais dramático de seu processo de envelhecimento: a menopausa. Psicologicamente, a menopausa marca um dramático ponto de mudança em sua sexualidade. De repente, a sexualidade não está mais ligada à concepção de um filho. Ainda que você tenha tomado precauções durante décadas, existe algo diferente nas relações sexuais uma vez que a concepção se torne impossível. Agora elas têm a ver com intimidade e prazer.

E não há nada de errado nisso.

Não há razão para a menopausa colocar um fim na vida sexual de uma mulher. Em muitas situações, as mulheres costumam se sentir renovadas em termos sexuais. Sim, algumas usam a menopausa como justificativa para evitar aquilo que elas há muito já consideravam insatisfatório, do ponto de vista sexual ou físico. Na maioria dos casos, porém, não existe razão biológica para que as mulheres percam o interesse por sexo durante este período. Ainda que elas de fato experimentem queda no estrógeno, este hormônio em si não está diretamente ligado ao desejo e à resposta sexual. Claro, a diminuição do estrógeno no corpo cria outros sintomas que podem colocar os pensamentos sexuais em banho-maria — as ondas de calor são os mais conhecidos deles —, mas, assim que a menopausa tenha passado, a mulher pode se sentir mais livre do que nunca para explorar novos horizontes sexuais. Mesmo a queda do estrógeno pode agora ser regulada através de medicação.

A reação à menopausa é tão individual que temo fazer generalizações. Algumas mulheres me disseram que pareciam ter perdido todo o desejo por intimidade sexual, enquanto que outra cliente confessou, com uma piscada de olhos: "No dia em que os filhos saíram de casa, eu e Jim começamos a usar todos os cômodos e todos os móveis — e quero dizer *todos*".

Outro grande degrau que costuma acompanhar o avanço da idade é a histerectomia. Senhora, essa é uma operação que muitas mulheres levam um pouco na brincadeira. Depois da cirurgia, elas andam muito cedo, dirigem muito cedo, começam a erguer peso muito cedo, fazem sexo muito cedo, e grandes consequências podem surgir. Sei do que estou falando: minha esposa Sande fez a cirurgia e, semelhante a muitas mulheres, sentia-se culpada por ficar tanto tempo sem fazer nada. Planeje um período de seis a oito semanas para se recuperar plenamente.

O marido que estiver lendo estas informações deve estar pulando da cadeira neste momento e dizendo: "Seis a oito semanas? Leman, você está louco?".

Seis semanas sem relações não necessariamente significam seis semanas sem amor e sem expressão sexual. Os casais podem ser criativos nessas circunstâncias da vida. O Sr. Feliz raramente pensa "vou simplesmente tirar oito semanas de férias", de modo que uma esposa amorosa fará tudo o que puder para encontrar maneiras criativas de ajudar a aliviar a libido de seu marido.

Um dos grandes benefícios para as mulheres mais velhas é que o maior inimigo do sexo, o cansaço, pode não ser tão grande. Quando ficam mais velhas, as pessoas, na maioria, costumam ter mais tempo e também são menos exigidas. Você não precisa se preocupar se uma criança pequena vai bater à porta pedindo para tomar um copo d'água. Você não precisa fazer as vezes de motorista de táxi a tarde toda e cair na cama exausta. A menstruação terá parado e, uma vez que muitos casais preferem não ter intimidade sexual durante o período menstrual, como casal vocês ganharão outros cinco dias por mês de disponibilidade sexual.

Fisicamente, você deverá tomar cuidados extras com seus genitais. Conforme os níveis de estrógeno diminuírem, suas paredes vaginais se tornarão mais finas e secas. Você precisará usar um lubrificante, e seu marido precisará, ocasionalmente, ser um pouco mais calmo, uma vez que um impulso mais forte pode causar dor em vez de prazer.

Por acaso, uma das melhores maneiras de se manter em forma sexualmente aos 60 e aos 70 é manter seu nível de atividade sexual. Masters e Johnson demonstraram que mulheres mais velhas que têm relações sexuais pelo menos uma vez por semana se lubrificavam mais eficientemente do que aquelas que se abstinham de sexo por longos períodos de tempo. O velho ditado "a falta de uso atrofia o órgão" é bastante preciso no que se refere ao sexo.

Espero que sua atitude não seja parecida com a de Margarete, que veio ao meu consultório com um marido evidentemente infeliz. Depois de apenas alguns instantes na sala de aconselhamento, Jerry, o marido, me disse que ela havia, em essência, pedido dispensa de futuras relações sexuais.

Margarete não negou:

— Veja, dr. Leman, eu realmente acho que fiz o que tinha de fazer. Nunca fui muito ligada em sexo e, francamente, Jerry também não foi muito criativo. Mesmo assim, tenho sido fiel e obediente por 34 anos. O senhor não acha que é suficiente?

Conversamos um pouco sobre a falta de criatividade de Jerry, mas quando chegou a hora de falar sobre Margarete, eu respondi com firmeza à ideia dela de "ser suficiente":

— Não, não acho.

Na verdade, lancei outra pergunta:

— Como você se sentiria se Jerry dissesse algo assim: "Tudo bem, Margarete, já a sustentei com meu salário por 34 anos. Agora que estou vivendo da aposentadoria, decidi que não quero sustentá-la mais. Você precisará encontrar seu próprio lugar para viver e sua própria fonte de renda. Já cumpri minha missão e, agora, quero ser um pouco mais egoísta"?

— Sabe, Margarete — continuei, — o casamento é para a vida toda; os compromissos que firmamos também. O caminho que você está seguindo é muito perigoso. De fato, se o seu objetivo é enfraquecer espiritualmente Jerry e transformá-lo num marido irritado, em vez de num marido agradecido, continue assim. Você verá a horrível cabeça do egoísmo se levantando mais rapidamente do que você pode imaginar — disse eu. E fui mais adiante: — Quando o apóstolo Paulo diz "dois se tornarão um", ele está expressando um mandamento. Essa unidade inclui a união física, expressa por meio da intimidade sexual. A união física enriquece todos os aspectos da unidade. Você não pode recusar um aspecto e exigir outro.

— Mas igualmente importante — continuei — é que você está tomando uma decisão unilateral que tem consequência dupla. Simplesmente porque você está cansada do sexo não significa que Jerry também esteja; o que ele deve fazer agora? Ele já foi infiel a você?

— Não — respondeu ela.

— E é assim que você o recompensa? Diga-me, Margarete, por que fazer que um homem, ao que tudo indica respeitável — que, de acordo com todos os outros padrões parece ser um cara muito bom — termine chocando todo mundo ao ter um caso? Ou ser pego indo a uma boate de *striptease* durante uma viagem de negócios? Ainda que se envolver em casos ou com pornografia nunca seja moralmente aceitável, e que as ações de um homem não devam se basear no comportamento de sua esposa, parece-me que muito disso acontece porque necessidades básicas não estão sendo satisfeitas no casamento. Um homem de 60 anos quer se sentir querido, necessário e valorizado tanto quanto um homem de 30. A noiva dele pode estar bem diferente depois de trinta anos na estrada, mas ela ainda é sua amada, o amor de sua vida; e ele ainda quer que ela o deseje.

Margarete finalmente entendeu que a solução não era interromper o sexo, mas ajudar Jerry a ser mais sensível ao fazer amor.

DE BRAÇOS DADOS

Você provavelmente os viu, como eu: um casal bem idoso andando de braços dados no *shopping*. Um tem dificuldade para andar, de modo que é apoiado pelo cônjuge. Talvez eles parem para comprar uma rosquinha ou um sorvete, e cochichem para decidir o que vão fazer. Então, invariavelmente, compartilham entre si aquilo que compraram. A esposa talvez limpe a boca do marido pouco antes de beijá-la.

São como duas metades de um todo. Fiéis um ao outro por quatro, cinco, talvez seis décadas, eles não conseguem imaginar a vida longe um do outro. Tenho certeza de que não estão agindo como ginastas no quarto; ninguém está pendurado no lustre; e o *Kama Sutra* há muito foi deixado de lado ou vendido. Mas olhe no rosto daquele homem e você verá um menino feliz. Ele ainda sabe como agradar sua esposa, e ela ainda quer o que ele tem.

Do ponto de vista emocional, não há nada melhor que isso. Aventuras de uma única noite não chegam nem perto da maravilhosa experiência de fazer amor com a mesma pessoa milhares de vezes.

Aquele casal idoso é uma imagem realmente bela, um retrato impressionantemente profundo do amor para a vida toda que nosso Criador deseja que experimentemos. O sexo no inverno é uma coisa maravilhosa. Ele chega perto do miraculoso quando é precedido pelo sexo na primavera, no verão e no outono — sempre com a mesma pessoa.

CAPÍTULO 16

Como Moby Dick

Dê uma olhada na minha foto na orelha deste livro. Pode olhar, eu espero.

Está com a imagem na cabeça? Ótimo. O que você não viu são aqueles 90% de mim que estão pregados ao meu pescoço. Você viu apenas a minha cabeça, de modo que precisarei apresentar alguns detalhes adicionais. Eu pesava menos do que peso hoje. Essa é uma maneira gentil de dizer que você teria que procurar um pouco para encontrar meu abdome — eu certamente não tenho aquela "barriga tanquinho" que você vê nas capas de revistas de saúde para homens. Desisti de usar certos tipos de calças e certas camisas de alfaiataria há algumas décadas.

Tenho sorte, porém, por ter me casado com um "avião", como dizem por aí. Minha esposa é linda. Veja só que coisa: o tamanho de roupa de Sande é praticamente o mesmo que ela usava quando nos casamos. Quanto a mim, estou mais para Moby Dick, a baleia. Um dos meus maiores temores é que, ao ir à praia, tirar a camisa e deitar na areia branca, um daqueles grupos de defensores dos animais simplesmente me agarre e tente me devolver para o oceano.

Sempre que homens se encontram comigo e com Sande pela primeira vez, eles passam os primeiros cinco segundos dando aquela olhada de cima a baixo nela e, depois, olham para mim, totalmente perplexos, como se eu tivesse de ter me casado com um *pit bull* ou algo parecido.

Posso não ser um candidato a modelo de roupa íntima, mas aposto que *você* e a maioria dos leitores não se qualificariam para a capa da *Playboy* ou da *Playgirl* — mesmo que quisessem (o que, espero, vocês não queiram).

Sabe de uma coisa? Pouquíssimos de nós poderiam fazer isso.

Veja que exercício útil: sente-se por um tempo em um banco no corredor de um *shopping center* e apenas olhe para as pessoas durante uns quinze ou vinte minutos. Quantas delas você descreveria como realmente bonitas?

Se a sua experiência for como a minha, você responderia "não muitas". A imensa maioria de nós está um pouco acima ou um pouco abaixo da média. Isso significa que o restante de nós está casado com pessoas cujos corpos não nos excitam? Por acaso achamos que apenas os principais artistas de Hollywood podem ter vida sexual gratificante? Eu certamente não penso assim.

Posso não ter o corpo de um atleta olímpico, mas, rapaz, adoro dar o que tenho a minha esposa. As mulheres, em particular, precisam ter a mesma atitude, mas é um pouco mais difícil para elas. Ver o próprio corpo de maneira positiva não é tão fácil para as mulheres — pelo menos não para a maioria daquelas com quem conversei. De acordo com uma pesquisa da *Psychology Today*, mais da metade de todas as norte-americanas não gostam de sua aparência geral.[1] Com base em minha prática, suspeito que seja *muito* mais do que a metade. Mesmo as mulheres que sabem que é "politicamente correto" aceitar seu tipo de corpo, ainda assim, na privacidade, têm a tendência de olhar no espelho e fazer careta. É fato que as mulheres em geral são mais autoconscientes de seu corpo do que os homens. Apenas compare a quantidade de tempo que a esposa comum gasta na frente do espelho, tocando a face, fazendo maquiagem, arrumando o cabelo e passando creme na pele com o tempo que seu marido gasta para se arrumar. Se ele não estiver se barbeando, provavelmente não está prestando muita atenção à sua aparência. Não sei se *alguma vez* eu já passei algum creme na pele, e a única vez que meu rosto experimentou maquiagem foi quando participei de um programa de televisão.

É impossível dizer quantas vezes já vi duas mulheres dizerem uma à outra:

— Oh, simplesmente ameeeeei o seu cabelo. Está tããããão lindo!

— Ah, nem me fale do meu cabelo — protesta a outra. Então, ela pega uma foto de uma revista — aparentemente, era daquele jeito que seu cabelo *deveria* estar, mas a mulher que cortou deixou comprido aqui, não fez aquela camada ali, e agora seu rosto parece redondo demais, e ela não sabe o que vai fazer para aquele jantar importante do próximo sábado!

Compare isso com os momentos em que me encontro com meu amigo Cabeça de Lua:

— E aí, Leman, cortou o cabelo?
— É.
E a conversa acaba aqui!

Essa obsessão pela aparência pode levar a alguns hábitos bastante cruéis. Muitas mulheres não se consideram cruéis, mas elas de fato o são. Não, elas não querem ferir intencionalmente os sentimentos de outra pessoa — mas considere quanto uma mulher pode ser cruel *consigo mesma*.

O dr. Thomas Cash, autor do livro *The Body Image Workbook* [O livro da imagem corporal], faz uma pergunta intrigante: "Você deixaria outra pessoa criticá-lo da maneira que você critica a si mesmo?".[2]

Ora, por que estou falando sobre isso? Sua imagem corporal, ou seja, a maneira como você enxerga a si mesma, causará um grande impacto em sua capacidade de entregar-se plenamente a seu cônjuge. Talvez você não tenha o sorriso da atriz Julia Roberts, os seios de uma garota de biquíni da edição da *Boa Forma* ou as pernas que caberiam perfeitamente numa calça jeans de um costureiro famoso — mas posso lhe garantir uma coisa: seu marido não quer esperar até que você perca cinco ou dez quilos antes de fazer sexo de novo!

MELHORANDO O MODO COMO VOCÊ SE VÊ

Eu sei que já disse isto muitas vezes, mas caso ainda não tenha ficado totalmente claro, aqui vai outra vez: Esposa, a visão é um excitador altamente poderoso para um homem. Você pode achar que não está à altura, e assim impede seu marido de olhar para você, mas isso é contraproducente.

Digamos que uma mulher tenha seios pequenos e, por essa razão, tenha uma autoimagem ruim. (A propósito, não concordo com a máxima que afirma que menor significa inferior. Essa é uma pressuposição ridícula na minha visão, mas é senso comum, de modo que estou cedendo a um conceito equivocado.) Quando esta mulher compra uma revista feminina e dá uma olhada nos anúncios, não vê ninguém parecido com ela. Quando vê os *outdoors* a caminho de casa, não observa fotos gigantes de mulheres de peito reto anunciando cerveja e cigarros. E quando liga a televisão à noite, as mães dos seriados humorísticos invariavelmente usam blusas justas com uma parte dos seios aparecendo no decote.

Quando se despe à noite, ela vê seus seios pequenos e as coxas em processo de aumento e pensa consigo mesma: "Por que não posso tirar dois quilos dali e colocá-los aqui?".

O problema é que ela presume que seu marido não ficará excitado diante de seu corpo porque ela não tem a aparência das mulheres das revistas. O que ela deixa de lembrar é que seu marido não se parece com os homens de revista! Todos são mitos, ideais retocados e pintados com *spray*, que veiculam um falso senso de beleza.

Talvez seu problema não seja ter um peito achatado. Pelo contrário, você se tornou vítima da gravidade e acha que seu marido terá de ser halterofilista para impedir que seus seios caiam caso você tire o sutiã. Ou quem sabe você desenvolveu seu próprio conjunto de estrias há cinco ou dez anos, e teme que usar *lingerie* possa fazer seu marido rir em vez de ficar excitado.

É possível que você tenha dado à luz três filhos e tenha as marcas no corpo para provar. Quem sabe você tenha engordado uns nove quilos depois do último parto e ainda não os tenha perdido. Você se sente completamente indigna de ser amada e, quando seu marido lhe diz quanto a acha atraente, você foge dos avanços dele e se cobre.

Ele diz que seu corpo o excita, mas você não quer mostrar-lhe.

Não me entenda mal. Fico triste por você, pois sei que está sendo bombardeada com essa porcaria de corpos perfeitos o dia inteiro. Mas quero que você tente começar a ouvir o homem que a ama em vez de dar ouvidos a todos os homens que querem lhe vender alguma coisa. Uma vez que a visão é tão importante para seu marido, você precisa lutar até que possa sentir-se bem o suficiente em relação a si mesma para usar sua beleza para atiçá-lo.

Um marido me disse que estava orando havia anos para que sua esposa pudesse ver a si mesma através dos olhos dele. Ele se deleita com a beleza dela, e disse que, mesmo durante a gravidez e o pós-parto, nunca houve um tempo em que ele não a achasse fisicamente atraente. Mas ela ainda não acredita totalmente nisso. Que tristeza.

Veja a seguir algumas dicas para ajudar nesse processo.

1. Concentre-se em seus pontos fortes.

Você já percebeu que até mesmo aquelas modelos de capa de revista têm certas características que são enfatizadas e outras que ficam ocultas? O fotógrafo pode se concentrar nas pernas de uma mulher, no bumbum, nas costas ou no colo — a pessoa encarregada pedirá às modelos que usem trajes que enfatizem suas características mais chamativas, e o fotógrafo tirará fotos em poses que trazem essas características para o primeiro plano.

Aprenda a apresentar-se a seu cônjuge da mesma maneira. Talvez você queira enfatizar seus olhos, suas pernas ou alguma outra parte do corpo. Aprenda a aceitar isso como seu ponto forte e (pelo menos na frente de seu cônjuge) exibi-lo sem constrangimento, para provocar o maior efeito.

Se seu ponto forte são os seios, compre *lingerie* que chame atenção para eles. Se seu forte são os olhos, ou talvez a boca, use maquiagem que chame a atenção do seu marido para essas características. Use o que você tem para impressionar, e não se preocupe com o restante.

2. A regra do tempo igual.

Você já se pegou destruindo sua aparência física com comentários como estes?

"Olhe para estas coxas — são horríveis."

"Ai, odeio meu cabelo fino. Não consigo fazer nada com ele!"

"Se meus seios caírem um pouco mais, vou ter de colocar sapatos neles!"

Se isso já lhe aconteceu, o dr. Cash lhe oferece a "regra do tempo igual", que eu apoio de todo coração: você precisa dar tempo igual às partes positivas do seu corpo. Isso é simplesmente justo. Você deve a si mesma um elogio para cada crítica que fizer. Passe *pelo menos* a mesma quantidade de tempo pensando em seus pontos positivos quanto passa pensando nos negativos.

Lembre-se de que você não foi montada durante a hora extra de uma fábrica do interior. Você foi planejada, produzida, moldada e esculpida por ninguém menos que o próprio Deus. E quando ele lhe trouxe à luz, ele se sentou, sorriu e disse: "Isso é bom".

É, talvez você não tenha cuidado daquilo que Deus lhe deu da melhor maneira; pode ter adotado alguns hábitos que não fazem que você tenha a melhor aparência. Mas não insulte seu Criador ao ignorar as maravilhosas qualidades que ele colocou em você. Aprenda a ser *agradecida*:

"Obrigada, Deus, por estes olhos."

"Senhor, sou grata por estas mãos. Ajuda-me a usá-las para amar meu marido e meus filhos."

"Obrigada, Senhor, por me dar lábios para beijar meu marido."

"Eu te agradeço, meu Deus, por ter pernas para enrolar em volta do meu marido, e seios para atiçar os olhos dele."

3. Fique longe de situações com as quais você não consegue lidar.

Se a imagem de seu corpo é uma área problemática para você, garanta apoio para situações nas quais você sabe que tem dificuldades. Se sair para comprar roupa de banho é garantia de abatimento, peça a uma amiga para ir junto com você e faça o possível para que seja divertido. Não se sinta pressionada a comprar um traje de banho que faça você se sentir extravagante.

Não há nada de errado em colocar um *short* por cima da parte de baixo para cobrir-se um pouco mais. Os maiôs e biquínis de hoje em dia são, na maioria, muito indecentes — e nada práticos para qualquer pessoa que tenha mais de 18 anos ou que planeja fazer mais do que deitar numa esteira.

Algumas mulheres deveriam se livrar de balanças em casa. Outras precisam repensar o lugar em que colocam espelhos. Monte um ambiente que não trabalhe contra você.

4. Aprenda a desfrutar de momentos sensuais.

Não estou falando sobre sexo aqui. Estou falando da sensação de tomar um chá supergelado num dia quente. Falo sobre estar cercada de água quente numa banheira luxuosa numa noite de inverno ou, melhor ainda, sentada num *spa* com a neve caindo lentamente lá fora. Estou falando sobre as mãos de seu marido passando creme nos seus pés. Deus nos deu mais terminações nervosas do que jamais saberemos ou conseguiremos usar. Tenha mais consciência delas; divirta-se com elas; deixe que seus sentidos ganhem vida.

À medida que desenvolver maior consciência sensorial, você perceberá a profundidade do sexo que vai além de ter a aparência de Ken e Barbie. O corpo é uma coisa maravilhosa, e a maior parte dele não pode ser vista. A não ser que seja estudante de medicina ou médica, você provavelmente nunca viu uma dessas terminações nervosas que tão deliciosamente ganham vida quando são tocadas no lugar certo.

Um homem vai escolher ir para a cama com uma mulher sensorialmente consciente pesando alguns quilos a mais em vez de estar com uma Barbie de unhas perfeitas que é fechada, frígida e complicada por ser envergonhada demais.

5. Faça sexo com mais frequência.

Quer parecer mais jovem? Tem medo de que o tempo cobre seu preço de sua atração sexual? Se sim, tenho uma ótima e divertida solução para você: faça muito sexo!

David Weeks, um neuropsicólogo do Hospital Real de Edimburgo, na Escócia, sugere que "mais orgasmos podem levar a uma maior liberação de hormônios que fortalecem seu sistema imunológico e retardam o envelhecimento precoce".[3] Essa foi a conclusão a que chegou um estudo de dez anos com mais de 3.500 homens e mulheres. Aqueles que pareciam mais jovens relataram ter vida sexual muito mais ativa do que os participantes que pareciam mais velhos.

Psicologicamente, a maneira como nos sentimos em relação a nós mesmos afeta bastante nossa aparência. Quando você tem relações sexuais regulares, o próprio ato ratifica seu corpo porque seu marido o está amando, adorando e acariciando. Quando você se sente *sexy*, você parece mais *sexy*.

Um marido me disse que sua esposa era "gostosa". Quando a vi, quase caí na risada. Ela não é um padrão de beleza. De fato, em muitos aspectos, seria possível afirmar que a natureza não foi muito bondosa com ela.

Mas o marido dela jamais se convenceria do contrário. Por quê? Ele me confidenciou que ela o esgota na cama. Ela não se cansa dele nem ele dela. O homem comum pode olhar para ela e ver um rosto sem graça e um corpo estranho, mas seu marido vê uma mulher da qual gosta, com quem se delicia e que já provou, tocou, cheirou, lambeu, acariciou, cobiçou e, em todos os aspectos, adorou. O sexo frequente com uma pessoa pode literalmente mudar a maneira como ela lhe parece.

COMO PERDER CINCO QUILOS IMEDIATAMENTE

Você quer perder cinco quilos, imediatamente, da próxima vez que pular na cama? Veja o truque de um psicólogo: sorria. Mostre-se sedutora. Quem sabe até rosne. Quando você está confortável com seu próprio corpo, seu cônjuge se sente mais confortável com ele também. Suas expressões faciais e sua atitude têm um efeito muito maior sobre sua aparência do que você poderia imaginar. Use-as para impressionar.

Outra maneira de enxugar um pouco de peso é escurecer o quarto. Luz de vela é *sexy*, com o benefício adicional de criar sombras que ainda lhe permitem esconder algumas falhas. Se a impressão mais suave criada por uma vela faz que você se sentir melhor, compre dúzias delas!

Agora, como você *ganha* cinco quilos? Torne-se tão crítica em relação a alguma parte de seu corpo em especial, a ponto de sempre destacá-la e criticá-la. Vá para a cama fazendo total questão de se cobrir. Aja como se estivesse envergonhada, constrangida e humilhada.

Escute um psicólogo: as pessoas costumam ser tratadas de acordo com a imagem que têm de si mesmas. As crianças que são escolhidas na escola normalmente *esperam* ser escolhidas. Os meninos com mais confiança parecem mais atraentes. Creio que uma autoimagem positiva ou negativa pesa dez quilos em ambos os casos.

DIGA PALAVRAS DE AFIRMAÇÃO A SEU CÔNJUGE

Um cônjuge faz toda a diferença quando se trata de conforto com o corpo. Esposa, seu marido precisa saber que você o deseja, com dobrinhas e tudo mais. E, marido, sua esposa precisa saber que as estrias e o inevitável efeito da gravidade não colocaram fim em seu interesse sexual. Veja como uma mulher descreveu o modo como a aceitação de seu marido mudou a visão que ela possuía de si mesma:

> "Eu odiava meu corpo. Toda vez que olhava num espelho, via apenas meus seios pequenos e minhas coxas grossas. Tinha vergonha de trocar de roupa na frente de qualquer pessoa. Então, quando me casei, o sexo sempre foi tenso para mim, porque eu tinha medo de ser vista de certos ângulos. Mas Craig mudou tudo isso. Ele sorria enquanto eu tirava a roupa. Ele me dizia como meu corpo era adorável. Ele me tocava de um jeito que me fazia acreditar que falava sério. Então fiquei bem e finalmente pude relaxar o suficiente para aproveitar o sexo. Desde então aprendi até a me exibir um pouco. E agora não tenho medo de tomar a iniciativa no sexo." [4]

Entendeu, camarada? Às vezes será necessário trabalhar duro para convencer sua esposa de que você a considera fisicamente atraente. Ela recebe falsas mensagens e é bombardeada por imagens idealizadas e retocadas praticamente todas as vezes que vai a uma loja ou abre uma revista; você precisa fazer que ela saiba que a considera muito *sexy* e atraente. A tendência é que você se beneficie disso tanto quanto ela. As mulheres precisam de palavras afetuosas vindas de seu marido, mas não apenas quando ele quer sexo. Quando vocês estiverem saindo de casa, ou indo para a igreja — uma ocasião em que sua esposa saiba que você não pode ter nenhum outro desejo oculto — faça uma pausa, dê uma boa olhada e diga: "Querida, você está absolutamente fantástica. Estou orgulhoso de ser visto com você hoje".

Vivemos num mundo que enaltece a juventude, o sexo descompromissado e corpos que requerem uma quantidade absurda de tempo gasto na academia. Vamos mudar essas coisas. Vamos valorizar o corpo da mulher que, de maneira generosa e altruísta, gerou vida para um, dois, três ou até quatro bebês. Vamos apreciar aquele homem que trabalha duro para sustentar sua família e que não têm tempo para ir à academia e levantar pesos porque está ansioso para chegar em casa e brincar com seus filhos.

A melhor maneira de fazer isso é apreciar corpo de seu cônjuge ao máximo. Explore-o. Divirta-se com ele. Brinque com ele. Toque-o. Faça-lhe elogios.

Seu corpo é algo maravilhoso. É um dos melhores presentes que você poderia dar ao seu cônjuge. Não seja egoísta. Seja generoso e desfrute dos resultados!

_____ EPÍLOGO

Um presente realmente bom

Certa noite, ofereci a Sande o melhor dos jantares. Fomos a um restaurante chamado Oak Room, no Hotel Drake, no centro de Chicago.

Sande adorou. Ela tem o gosto refinado, e eu ri muito do resumo que fez: "Comida linda e deliciosa naquele *buffet*, sem nenhum pote de gelatina à vista". A maioria dos cafés, lanchonetes e *buffets* por aqui sempre o recebem com potes de gelatina colorida e tortas meladas — mas não o Oak Room.

É claro que, se você gosta de gelatina, eu poderia sugerir alguns outros lugares — Sande e eu já fomos a restaurantes assim também. Existe espaço em nossa vida para *buffets self-service* com potinhos de gelatina, mas em algumas noites, realmente gostamos de mais sofisticação.

Você já percebeu onde quero chegar, tenho certeza. Quero encerrar lhe dizendo o que já disse a diversos casais que entrevistei enquanto escrevia este livro. Minha oração por vocês (sim, oração) é que experimentem plenamente todas as alegrias, deleites e prazeres que seu Criador planejou que um casal conhecesse na intimidade sexual. Quero que vocês levem sua vida sexual a um novo patamar, que literalmente orem para que Deus os ajude a experimentar a intimidade sexual como nunca provaram.

Por que quero isso? Porque se você orar pedindo crescimento na intimidade sexual e então experimentá-la, seu casamento se tornará mais forte do que jamais foi. Vocês serão melhores pais, serão cristãos mais fiéis, membros mais produtivos da comunidade — sim, até mesmo pessoas melhores.

O sexo bom e saudável é uma invenção formidável que faz maravilhas por nós nos âmbitos físico, relacional, psicológico e até espiritual. Pessoas que foram marcadas pelo sexo não sagrado ou que estão se afundando no vício sexual podem ter dificuldades para experimentar como o sexo bom e sagrado pode ser energizante. Para elas, o sexo é um fardo, não uma bênção. Mas se pudessem virar essa esquina na direção de um sexo santo, descobririam uma avenida de pura paixão e deleite que fazem a Disneylândia se parecer com a Sibéria no meio do inverno.

Uma das coisas maravilhosas relacionadas à intimidade sexual de casais casados é que ela é uma jornada para a vida inteira. O ponto em que vocês estão hoje não precisa limitar onde estarão daqui a cinco anos. Seu relacionamento vai evoluir, como tenho visto milhares de casais evoluírem.

Às vezes essa evolução é chocante para um dos cônjuges ou mesmo para ambos.

Posso me lembrar de uma mulher em particular que é bastante conservadora. Ela é incapaz de ao menos pensar em estacionar o carro em algum lugar onde não haja duas linhas claramente marcadas no chão — e se ela estiver dirigindo a minivan da família, tampouco estaciona nas vagas reservadas para carros compactos.

Mas quando seu marido a pega na cama, ela experimenta uma liberdade, uma alegria e uma paixão que poderiam acordar metade da vizinhança, não fosse pelo isolamento das paredes externas. Isso não ocorre todas as vezes, veja bem, mas o suficiente para que seu marido reconheça que é um homem muito abençoado.

Há momentos em que a festa de um casal casado será uma verdadeira experiência gastronômica. Em outras ocasiões, será mais semelhante a um restaurante *fast-food*. Algumas vezes, o casal pode se concentrar na "sobremesa". Em outras, pode desejar uma refeição completa. O melhor de tudo é que tudo é muito bom! Deus é incrível — e, no sexo, ele nos deu um presente fantástico. Oro para que vocês possam aproveitá-lo cada vez mais.

Deixo agora uma tarefa final, minhas palavras de despedida. Faça esta oração neste exato momento: "Querido Deus, ajuda-me a saber o que fazer para agradar meu cônjuge sexualmente esta noite, e então dá-me o desejo para colocar isso em prática".

Se você fizer esta oração com sinceridade, ela pode mudar seu casamento. Por que não faz o teste para ver?

Perguntas e respostas com o dr. Kevin Leman

RESPOSTAS A 30 DÚVIDAS QUE VOCÊ SEMPRE TEVE, MAS QUE NUNCA PERGUNTOU

Adoro perguntas. Não as perguntas hipotéticas que alguém *poderia* fazer, mas as perguntas da vida real que as pessoas da vida real *de fato* fazem.

Nas páginas a seguir compilei e respondi trinta principais perguntas que as pessoas me fazem repetidamente por *e-mail*, por carta e durante os diversos seminários que apresento pelos Estados Unidos todos os anos. Meu palpite é que algumas dessas perguntas sejam suas também.

Dr. Kevin Leman

***

P Com gêmeos nascidos há sete meses, estou exausta. Dar de mamar aos meninos e cuidar deles durante o dia, além de levantar para cuidar deles durante a noite, são atividades que me deixam completamente exaurida. Sexo é a última coisa que passa pela minha cabeça. Durante as poucas horas da noite nas quais *posso* dormir, isso é tudo o que quero fazer. Meu marido está ficando... Bem, *irritado* é uma maneira educada de falar, porque não tenho mais tempo para ele. Estou operando no modo sobrevivência; ele, no modo sexo — *agora*. Vivemos um impasse, e está ficando mais delicado a cada dia. Socorro!

R Deixe-me começar com uma história. Imagine uma fêmea de salmão deitada de lado, correnteza acima, tentando dar um último suspiro. Seis estranhos se reúnem ao redor dela e dizem: "Vamos lá, querida. Só mais um impulso. Você está quase lá!". Sete meses atrás, você era bem semelhante àquele salmão quando deu à luz os dois pequeninos que agora exigem tanto de seu tempo. Francamente, você não precisa de uma terceira criança (seu marido); você precisa de um homem que entenda a demanda gerada por seus filhos. Aqueles gêmeos adoráveis não pensam em outra coisa a não ser em serem pegos no colo, abraçados, alimentados e trocados — *agora*.

Seu marido precisa entrar em cena e agir como um homem, não como um bebê. Isso significa que ele precisa seu auxiliar — ajudar com as crianças, com a casa, preparar refeições, estar atento às suas necessidades e consciente do seu nível de exaustão. Mas isso não a livra de sua parte. Você precisa ser esperta e perceber que seu marido ainda precisa de sua atenção e a deseja. Ele não pode ser deixado de lado para sempre. Quando os dois meninos estiverem crescidos, quem restará? Você e seu marido. Juntos.

Portanto, a fim de reservar alguma energia para ele e para mostrar que ele é importante em seu mundo, encontre alguém para ajudar. A vovó é ótima, se ela morar perto; boas amigas e babás de confiança também podem ajudar. Nos dias em que seus filhos estiverem tirando uma soneca, *você* deve tirar uma soneca. Acredite em mim: o serviço de casa estará sempre ali. O relacionamento com seu marido deve vir em primeiro lugar.

P De quanto sexo um homem precisa para manter as coisas funcionando adequadamente? Tenho 46 anos e meu marido tem 38. Estamos casados há um ano e ele está prestes a acabar comigo com sua necessidade constante de sexo. (O que quero dizer é que preciso fazer outras coisas na casa em vez de ficar apenas no quarto.) Existe alguma linha divisória entre a quantidade sadia de sexo e o ponto em que ele se torna um vício? (Estou sempre lendo coisas sobre vício em sexo em todo tipo de revista.) Como posso saber?

R Existe uma enorme diferença entre um impulso sexual elevado e o vício em sexo. Algumas pessoas simplesmente têm um interesse acima da média pelo sexo. Nada de errado com isso — contanto que elas demonstrem consideração, afeição e sensibilidade por seu cônjuge, cujo interesse em sexo pode ser menor.

O vício em sexo tem sinais reconhecíveis, como uma atração por imagens sexualmente explícitas, menor interesse no sexo com o próprio cônjuge, dificuldade de se relacionar com o cônjuge e de ser sensível a ele, menos envolvimento social, mais comportamento reservado (por exemplo, manter portas fechadas ou navegar à noite no computador).

Pela maneira como sua pergunta foi formulada, creio que você está lidando mais com a questão de *controle* do que com a questão do *sexo*. Penso que seu marido simplesmente quer as coisas do jeito dele e de acordo com a agenda dele. Pode ser interessante fazer a seguinte experiência: comece a acordá-lo no meio da noite querendo sexo e veja o que acontece. Se ele for a pessoa maluca por controle que eu penso que ele seja, meu palpite é que, em trinta dias, você vai curá-lo de usar o sexo como ferramenta de controle.

Nunca vi uma mulher entrar no meu consultório e dizer: "O que mais gosto no meu marido é a maneira como ele me controla". Sente-se com seu marido e fale diretamente sobre a situação. Não omita nada ao dizer como você se sente. Ou ele a respeitará e dará ouvido a suas palavras ou tentará minimizar seus sentimentos e fazer que você se sinta culpada. Não mude sua forma de pensar. Boa sorte.

P Afinal, o que acontece com os homens? Meu marido acha que pode responder com grunhidos às minhas perguntas durante o jantar, colocar os pés para cima na sala enquanto eu limpo a cozinha e coloco as crianças na cama (não tenho emprego fora de casa, de modo que acho que esse é o "meu trabalho") e depois fazer aquele conhecido movimento com as sobrancelhas com o propósito de me atrair para o quarto para dar o bote. E depois ele fica imaginando por que de repente eu acho um livro tão interessante...

R Deixe-me usar um termo médico para descrever seu marido: ele é um idiota. Se você tomou a difícil decisão de ficar em casa e cuidar dos pequenos, seu marido é um cara de sorte. Ele está sendo bastante desrespeitoso, para não dizer chauvinista, por tratá-la como sua serva pessoal e máquina automática. Seu sentimento ferido é bastante compreensível. Você precisa se defender. Escreva uma carta ou um *e-mail* para ele e seja direta e objetiva. Numa manhã de sábado em que ele estiver em casa, diga-lhe: "Bem, querido, você vai cuidar das crianças hoje. Volto daqui duas horas". Então saia para fazer alguma coisa. Só você! Sem filhos!

Nunca me esquecerei do dia em que minha esposa foi a um congresso de mulheres na igreja num sábado, no início de nosso casamento. Nossas filhas tinham 18 meses e 3 anos naquela época. Quando Sande chegou, às cinco da tarde, eu disse: "Você chegou, finalmente! Quantos dias você ficou fora?". Ela olhou para mim como se eu estivesse louco. Ela havia saído naquela manhã. Então me perguntou o que havia acontecido com a sala de estar — muito embora eu já a tivesse arrumado três vezes naquele dia.

Seu marido precisa de um choque de realidade. Ele tem de se colocar no seu lugar para desenvolver uma firme apreciação pelo trabalho que você faz. Assim que isso acontecer, as coisas mudarão completamente na sua casa. E quando tiver um marido ajudador, você se verá mais disposta a aceitar aquele bote na cama.

P Estamos casados há apenas alguns meses. Resumindo, os tempos não têm sido fáceis. Temos tido fortes e longas discussões. A maioria delas diz respeito a nossa vida sexual. Nós nos dávamos tão bem antes de nos casarmos (bem, pelo menos *achávamos* que era assim). O que está acontecendo?

R Tenho uma pergunta para você: quando caminhou pelo corredor cheio de pétalas de rosa na igreja, quantas pessoas se casaram?

"Dã, dr. Leman", você talvez esteja dizendo. "Duas. A noiva e o noivo. Posso não ser muito esperta em matemática, mas qualquer um pode concluir isso".

Quer saber a minha resposta? "Dã, que tal seis?"

"Seis? Leman, você está louco? De onde você tirou esse número?"

No dia de seu casamento, *pelo menos* seis pessoas se casaram, porque, mais do que com seu cônjuge, você se casou com seus sogros, e seu amado casou-se com seus pais. (Isso sem contar madrastas e padrastos.) É verdade: você é o produto de sua criação. Você tanto colhe os benefícios quanto sofre as consequências disso. E tudo em dobro, porque seu cônjuge é o produto da criação dele também. Muitas das brigas que vocês terão no casamento estarão diretamente relacionadas ao tipo de criação que seus pais tiveram — ou deixaram de ter — especialmente em relação ao sexo.

Se existe uma guerra em curso em seu casamento hoje, seria sábio de sua parte reservar algum tempo com seu marido para discutir o comportamento e as expectativas de ambos. Se o leito conjugal é um dos lugares mais povoados de um casamento (por conta de todas as influências recebidas de sua criação), você não se sentiria melhor se soubesse quem está dormindo ali com vocês?

P Eu e minha esposa enxergamos a experiência sexual de maneiras completamente distintas — incluindo o que podemos e o que não podemos fazer. Existe algum meio-termo? Realmente precisamos de um conselho. Minha esposa acha muito embaraçoso conversar sobre sexo. Ela cresceu numa casa em que ninguém falava sobre isso.

R Quando Sande e eu nos casamos, eu não percebi que, ao entrar na nave da igreja, ela carregava um pequeno livro e que o deixava guardado em sua bolsa emocional. Só descobri na lua de mel, quando ela me disse: "O que você pensa que está fazendo?". Sabe, eu havia violado uma regra do livro dela — o livro de regras não escritas que ela trouxera consigo para o casamento. O livro que continha seu modo de ver a vida e sua percepção do que era sensual, sexual, certo e errado.

Descobri que eu também tinha um livro de regras. E nossos regulamentos eram completamente diferentes!

De onde vêm esses livros de regras? De nossos pais e da casa onde crescemos. Em algumas famílias, as crianças recebem a mensagem de que o sexo é "sujo". Não é de surpreender que tantas pessoas tenham dificuldade em falar sobre isso.

Mas o sexo não é sujo; é um dos maravilhosos presentes que Deus deu aos casais casados.

No casamento, quando o marido ou a esposa violam uma regra não falada do regulamento do outro, alguém acaba pagando por isso. É então que os casais se metem em grandes encrencas. Porque quando um viola o regulamento do outro, a reação natural é: "Você não se importa comigo. Você só se importa consigo mesmo".

Por que não simplesmente compartilhar os livros de regras? Afinal de contas, casamento não é entender um ao outro e crescer juntos? Exponham claramente as regras não escritas e vocês se sentirão muito melhor!

P Na noite passada, aproximei-me por trás do meu marido, que estava "trabalhando até tarde" em seu computador e fiquei chocada com o que vi na tela: pornografia! Num gesto louvável da parte dele, meu marido foi honesto comigo. Ele me disse que tem dificuldades com pornografia desde a adolescência. Fiquei enojada; como ele era capaz de olhar para coisas tão pervertidas? Como seria possível que eu, com meu corpo "mediano", fosse excitante para ele quando ele via os corpos mais *sexys* fazerem aquelas coisas na tela todas as noites? Não admira que ele dissesse ter "trabalho demais para fazer" nos últimos três anos! Senti-me realmente traída. Meu marido diz que sente muito por eu ter descoberto. (Mas não estou tão certa de que ele sinta tanto a ponto de deixar de olhar pornografia.) Para onde vamos de agora em diante?

R A pornografia provavelmente está entre as três ou quatro principais influências destrutivas da vida. É altamente viciante. Aquelas imagens estão indelevelmente impressas no cérebro do seu marido, sujeitas a serem recuperadas a qualquer momento. Agora é a hora de ser dura, de lutar por seu casamento. Seja direta: diga-lhe quanto você está machucada, quanto se sente traída. Não faça rodeios: "Querido, a última coisa que se passa na minha mente agora é fazer sexo com você. Sinto como se nosso casamento tivesse sido barateado. E não posso competir com aqueles corpos fantásticos da tela. Quero que você procure ajuda".

Você deve ir ao aconselhamento com ele? Não. Ele precisa encarar a realidade sozinho. Mas considere a seguinte perspectiva: para as mulheres, a pornografia está ligada a uma traição pessoal e relacional. Para os homens, é uma tentação visual ("É só uma foto", seu marido está pensando). Mas aquela foto pode destruir casamentos e minar a confiança. Portanto, sugira que seu marido tome alguma atitude. Ele seria esperto se colocasse alguma proteção no computador que bloqueie qualquer tipo de pornografia. O computador deve ser deslocado para um cômodo da casa que tenha tráfego constante. No trabalho, a tela deve ficar posicionada de um jeito que os colegas possam vê-la. Esses podem parecer passos pequenos, mas têm tudo a ver com a disposição de resistir. Se ele reorganizar a vida, vai reorganizar o coração. Contudo, é muito importante que *seu marido*, e não você, seja a pessoa a adotar essas medidas de segurança no computador e na vida dele.

P Já li muito sobre os orgasmos múltiplos em revistas, mas nunca tive mais do que um. O que há de errado comigo? Meu marido diz que é porque fico muito tensa. Ele assumiu como missão tentar me fazer chegar ao orgasmo mais de uma vez durante o sexo — como se fosse um teste de sua masculinidade ou coisa assim. Isso só me deixa mais tensa.

R Sejamos claros em nossa definição: *orgasmos múltiplos* significa ter mais de um orgasmo em qualquer sessão de amor. Marido, "levar" sua esposa ao orgasmo múltiplas vezes não significa que você vai ganhar o prêmio de "Macho Man" do ano. Algumas mulheres são capazes de ter — e querem ter — orgasmos múltiplos. Se é o caso, então elas devem correr atrás disso! Mas a realidade dos fatos é que a maioria das mulheres não consegue ter orgasmos múltiplos. A maioria luta para ter apenas um. Tentar forçar a ocorrência de múltiplos orgasmos, então, certamente deixará a mulher tensa. É provável que tudo o que ela mais queira seja ter um orgasmo e então curtir o "depois" — concentrando-se em relaxar e em seu marido — em vez de sentir-se pressionada a fazer ou ser algo que ela não deseja.

Em sua maioria, quando entrevistadas, as mulheres dizem que preferem a proximidade do relacionamento (o abraço, o beijo) ao sexo em si. De fato, quando lhes foi perguntado, 97% das mulheres disseram que poderiam abrir mão do orgasmo em favor da proximidade! As mulheres desejam conexão do coração, intimidade emocional. Elas querem saber que são amadas e apreciadas pelo que são, não pela maneira como reagem.

Todos os relacionamentos se baseiam em pensar primeiro na outra pessoa, e não em si mesmo. Agora é a hora de seu marido mostrar amor e consideração por você e transferir sua "motivação para ser bem-sucedido e alcançar o primeiro lugar" para outro aspecto de sua vida: o ambiente de trabalho.

P Cresci numa pequena cidade do interior, num lar bastante conservador. Sei que o sexo deve ser uma parte muito importante do casamento, mas, sendo bem franca, acho que ele é muito mais importante para o meu marido do que para mim. Sei que isso parece um pouco mesquinho, mas simplesmente não vejo no sexo tanto benefício para mim (a não ser pelos dois filhos que vieram). Estou cometendo algum engano?

R Você é a candidata perfeita para ler *Entre lençóis*. Muitas mulheres que relatavam anteriormente que sua vida sexual era "tanto faz, como tanto fez" voltaram para me dizer "Uau!" depois de ler este livro. Uma vida sexual saudável é importante não apenas para seu marido, como também é de importância vital para você. Isto é o que quero dizer: não é difícil entender a maioria dos homens. Eles têm algumas necessidades básicas — a satisfação sexual empata com o respeito, e eles também precisam se sentir necessários. Se um homem não se sente procurado ou desejado por sua esposa, ou se ela não comunica que gosta de estar com ele, então sua atenção se voltará para alguma outra coisa. Mas, se você estiver disposta a investir tempo, energia e inteligência para fazer que seu marido se sinta desejado, respeitado e necessário, ele vai atravessar uma parede de tijolos por você. Um homem que tem uma esposa assim faria qualquer coisa para agradá-la, porque é o herói da vida dela.

Seu marido quer — não, ele *anseia* — ser o seu herói. E se você o satisfizer sexualmente, ele vai sair às 10 da noite para ir ao mercado comprar algo que você queira. Quando o bebê chorar às 3 da manhã, ele será aquele que vai dizer: "Querida, eu levanto e você fica na cama". Acredite em mim.

P Tudo bem com a masturbação — ou não?

R Tudo bem como? Não há nada de errado com a masturbação como um ato físico. Ela é um alívio para a tensão sexual. Porém, quando ela se junta à imaginação, pode tornar-se um grande problema. Digamos, por exemplo, que você esteja em ponto de bala, mas seu cônjuge não. Assim, você faz um trabalho manual debaixo do chuveiro. Mas em vez de pensar em seu cônjuge, você começa pensar naquela pessoa nova que começou a trabalhar no escritório. Ou você usa o alívio sexual da masturbação para acalmar suas necessidades sexuais e, depois, fica sem pique para transar com seu cônjuge.

Nunca vou me esquecer da mulher que ficou fora de si ao pegar seu marido se masturbando no chuveiro. Ela me ligou:

— Dr. Leman, o que eu faço? Ele é um pervertido sexual.

— Sabe — disse eu, — isso não é o fim do mundo. Se eu fosse você, arrancaria as roupas e diria "Querido, posso lhe ser útil?".

Há momentos no casamento em que você só quer uma rapidinha. Só uma coisinha. É admissível masturbarem-se um ao outro. Não vai crescer cabelo na palma da mão. Vocês não vão ficar dementes. Todas essas coisas são mentiras deslavadas. Somos pessoas sexuais. A questão é: Em que você está pensando enquanto se masturba? Na sua noiva? No seu noivo? E de que maneira a masturbação afeta o relacionamento de vocês? Esse é o ponto crucial da questão.

P Quando eu estava servindo no exterior, minha esposa teve um caso — dentre todas as pessoas possíveis, foi com um diácono casado da igreja. Isso aconteceu há dois anos e conseguimos reerguer a família, mas ainda não consigo fazer sexo com ela. Fico pensando "no outro cara" e imaginando o que ele tinha que eu não tenho. Continuo vendo imagens dos dois juntos, fazendo amor. Em favor dos meus filhos, quero que meu casamento dê certo (embora, às vezes, eu ainda ache difícil amar minha esposa, que foi capaz de me trair assim), mas não sei se conseguirei colocar meu coração em risco outra vez. Sinto como se ela fosse sempre me comparar com o outro cara. Quero poder perdoá-la de verdade e seguir em frente, mas é bastante difícil.

R Poucas coisas são tão dolorosas quanto sobreviver a um caso e reunir os cacos depois. Mas o fato de que vocês permaneceram juntos por dois anos mostra que não estão prontos para desistir. Contudo, que preço você pagou para "manter a paz" nesse período? Não varra seus sentimentos para debaixo do tapete. Eles têm o péssimo hábito de aparecer sorrateiramente quando você menos espera. Se você de fato ama sua esposa, precisa disciplinar sua mente. Não deixe que ela vagueie pelas imagens dela com o outro homem. Converse com sua esposa; diga-lhe quão ferido, traído e irado você se sentiu, mas deixe claro que deseja seguir em frente.

Está na hora de falar com um mentor de confiança ou um terapeuta sobre o que aconteceu. Conversem sobre o que fez o caso parecer "atraente" para sua esposa. Faça do tempo com ela uma prioridade; reconstrua o relacionamento de vocês. Ela, por sua vez, precisa mudar de atitude para reconquistar sua confiança. Isso significa cortar todos os laços com o homem com quem teve um caso, livrar-se de quaisquer itens que ele tenha lhe dado, avisar onde está, se tiver dito que ficaria em casa, mas saiu. Isso significa fim das mentiras, das farsas. E, por fim, significa reconectarem-se fisicamente por meio do sexo como um símbolo de seu comprometimento com o amor e a fidelidade. Vocês são capazes de fazer isso. Seu relacionamento pode ressurgir mais forte do fogo.

Por fim, se você é um homem de fé, permita-me lembrá-lo de que deve perdoar sua esposa se quiser ter o perdão de Deus em sua vida.

P Estou passando por uma gravidez difícil e meu marido está faminto por sexo. Como posso fazer o pobre rapaz pelo menos um pouco feliz? Ele merece isso, mas o médico disse que não deve haver penetração do pênis na vagina até o nascimento do bebê. Alguma sugestão?

R Fico feliz por você ter perguntado. Há momentos em que as mulheres simplesmente precisam ser um pouco criativas. Como, por exemplo, quando é aquela época do mês, quando estão sob restrições médicas ou quando estão se sentindo grandes e desconfortáveis, quase sem espaço para o bebê que ainda não nasceu, quanto mais para o Sr. Feliz. A mulher também pode precisar ajustar as coisas logo depois de ter dado à luz e enquanto se sente "um pouco dolorida", para dizer o mínimo, ao mesmo tempo que seu marido está morrendo de vontade de fazer sexo.

Esses são os momentos em que você precisa ser boa em dar ao seu marido expressões manuais de amor. Podemos falar honestamente? É o chamado trabalho manual e é totalmente permitido no casamento. É para aqueles momentos em que ele quer uma rapidinha, para aliviar a tensão sexual. Apenas um pequeno agrado para manter seu rapaz feliz e satisfeito no pequeno ninho que vocês dois construíram juntos. É para aqueles momentos em que, como a maioria das mulheres, você está cansada demais para o prazer. O objetivo nesses casos é apenas satisfazer seu marido, pois você o ama e quer tudo de bom para ele. O casamento tem tudo a ver com saber do que seu amado necessita e satisfazer essa necessidade de maneira criativa e amorosa.

P Estou muito desapontado. Eu e minha esposa acabamos de voltar, duas semanas atrás, do lugar mais maravilhoso do mundo para nossa lua de mel. Éramos ambos virgens quando nos casamos e estamos na casa dos 30 anos, de modo que esperamos muito, muito tempo para fazer sexo. Foi frustrante para nós dois. Você não pode imaginar como é horrível para um homem que quer agradar sua amada e, então, percebe que ela não está lá muito interessada naquilo que você estava esperando! Dei uma lida em artigos sobre pílula anticoncepcional e descobri que às vezes elas podem inibir o desejo sexual da mulher. Isso é verdade ou é apenas fofoca de revista? Como posso ajudar minha esposa? Como eu posso ajudar a *nós dois*?

R Pode haver alguma coisa com a pílula anticoncepcional, de modo que você deve procurar um médico.

Enquanto isso, deixe-me conduzi-lo por uma direção diferente, pois não creio que a pílula seja o problema. Se eu lhe desse um violino e dissesse "Toque", você provavelmente me diria "Não sei tocar violino". Mas se eu insistisse — "Vamos lá, quero que você toque. Pegue o arco e toque agora" — você poderia pelo menos fazer uma tentativa.

Se você é como a maioria das pessoas que pega um violino pela primeira vez, produziria um som bastante ruim, momento em que eu diria: "Bom, isso está bom!".

Meu palpite é que, nesse ponto, você olharia para mim e diria: "Bom? Isso está horrível! Eu disse que não sabia tocar violino".

"Sim", eu diria, "mas você produziu um som, e isso é apenas o começo".

Começar na vida sexual é bem semelhante a aprender a tocar um instrumento musical. O que você precisa fazer é aprender como fazer música — seu trabalho é criar uma sinfonia com sua esposa, que aparentemente esperou tanto quanto você para compartilhar essa parte especial do casamento. Tenho boas notícias para vocês. O sexo excelente exige tempo para ser aperfeiçoado. Não é assim tão natural quanto alguns especialistas querem nos fazer acreditar. Portanto, desfrute de sessões de treinamento prático com a pessoa que você ama.

P Meu marido realmente quer que eu tome a iniciativa no sexo. Mas, francamente, isso é meio embaraçoso para mim. Desde pequena, aprendi que "rapazes correm atrás das moças". E, afinal, o que ele quer dizer com isso? Por que é tão importante para ele que eu comece a caçada?

R Que bom que você está considerando os pedidos de seu homem e amando-o o suficiente para querer superar a vergonha! Pense nisso da seguinte maneira: digamos que você está jogando tênis pela primeira vez. Seria fácil? Você conseguiria jogar todas as bolas por cima da rede, ou erraria em alguns momentos? Qualquer coisa que você faz pela primeira vez sai meio esquisita. Você não tem habilidade com aquilo, de modo que não acertará todas as vezes. Mas, sabe de uma coisa? A questão é que você está tentando... E seu marido sabe disso.

O homem que você ama acabou de lhe dizer o que ele realmente gostaria que você fizesse *com ele*, algo que o afirmaria como homem, o que o faria sentir-se viril e valorizado. E você é o componente mais importante dessa diversão! Dê um tapinha nas suas próprias costas. Você marcou ponto no relacionamento. Fazer que os homens *digam* o que realmente sentem é muitíssimo importante; está claro que ele confia em você o suficiente para expor os sentimentos, e isso é algo maravilhoso. A maioria das mulheres tem muitas amigas, mas quantos amigos seu marido tem? O mais provável é que ele tenha uma alma gêmea: *você*! E isso a coloca numa posição elevada na lista de prioridades dele.

Se você não estiver bem certa do que significa "iniciar", pergunte a ele. Alguns homens fantasiam uma mulher nua puxando-os pela gravata, arrancando suas roupas e fazendo amor no assoalho da sala. Bem, algumas mulheres fazem isso em filmes. Isso significa que você deve fazê-lo? Você não precisa ser "fogosa" para iniciar o sexo, para dar prazer ao seu marido. Descubra maneiras que funcionem para vocês. Seja um pouco criativa. Arrisque-se um pouco. Do que você precisa ter medo? Você está fazendo isso pelo homem que ama!

P Cresci num lar onde havia abusos. Meu padrasto, e também seu irmão, abusaram de mim tanto física quanto sexualmente antes de eu fazer 10 anos. Amo meu marido e quero dar amor a ele, mas até mesmo a ideia de sexo é revoltante. Parece que eu não consigo eliminar as imagens do que me aconteceu quando criança. Socorro!

R Parabéns por sua coragem. Tenho novidades para você. O que lhe aconteceu não foi culpa sua. Você não *causou* aquilo. Isso ocorreu porque existem pessoas malvadas e doentes no mundo que abusam de crianças. Por mais difícil que seja acreditar nisso, o abuso sexual que você sofreu não tem nada a ver com o sexo como Deus planejou. Tem tudo a ver com poder e controle. Estou feliz por você ter se casado com o homem que ama e por você amá-lo o suficiente para se dispor a lidar com as questões de seu passado, a fim de caminhar na direção de um relacionamento sexual saudável e gratificante para os dois.

Está na hora de recuperar sua sexualidade. Converse com seu marido. Diga-lhe quanto o ama e por que, para você, é tão difícil fazer sexo. Peça a ajuda e a paciência dele enquanto você se cura de sua experiência. Trabalhe com um terapeuta que a ajude a remodelar sua visão sobre o sexo (o que aconteceu com você não foi amor). Às vezes, isso pode significar ausência de interação sexual por algum período, talvez um ano, dando a você tempo para se curar e para vir a apreciar um toque sensual que não seja forçoso ou doloroso. Tenha em mente o propósito final de realmente desfrutar do sexo com seu marido pela vida afora.

O importante é que você e seu marido busquem esse objetivo *juntos*. Arrastar-se por entre lembranças passadas pode consumir bastante tempo e ser algo extremamente emocionante. Este é o momento para que vocês sejam gentis e pacientes um com o outro à medida que deixam para trás seu histórico sexual e seguem na direção de um entendimento do sexo da maneira que o Criador planejou.

P Minha esposa não me excita mais como antigamente. Já tentei, mas parece que não consigo fazer os sentimentos do passado renascerem. É assim que são as coisas à medida que passamos mais tempo casados ou existe algo que eu possa fazer sobre isso?

R Bem-vindo ao mundo real. Um milhão de outros homens (e mulheres também) se sentem da mesma maneira. Veja o que se passa na mente de um homem quando ele se casa: "Oh, sim! Acertei na loteria. Agora, vou fazer sexo o tempo todo. Na hora em que eu quiser. Do jeito que eu quiser. Tanto quanto eu sentir vontade. Isso é que é vida...".

Percebeu a quantidade de declarações na primeira pessoa? Um pouco egoísta, não é? Assim, onde a esposa se encaixa nesse mundo de "eu"? E as necessidades *dela*?

O propósito principal de sua esposa não é ficar do seu lado para satisfazer todos os seus prazeres sexuais. O propósito dela é ser sua auxiliadora e alma gêmea, em todos os aspectos. O mesmo vale para você. Você também precisa ser o auxiliador da sua esposa, e isso significa pensar nela, não apenas em si mesmo. O que uma esposa quer? Ser abraçada com ternura, acariciada e ouvida. Ser lembrada quando não for seu aniversário nem Natal. Ela quer que você ouça e compartilhe dos sentimentos dela. Se fizer essas coisas e olhar para as necessidades de sua esposa, você começará a entender quem ela de fato é. Você enxergará o lindo coração dela, e ela se tornará ainda mais atraente para você. Quero desafiá-lo a, nesta semana, preparar uma lista de todas as coisas que são valiosas em sua esposa. Ao perceber o valor dela, suas próprias emoções mudarão. Talvez você não tenha "os mesmos sentimentos do passado", você terá algo muito melhor: um amor maduro que durará para o resto da vida. Então simplesmente assista ao que acontecerá à sua vida sexual!

P Minha esposa tem grande dificuldade de chegar ao orgasmo. Parece que ela só consegue quando estimulo seu clitóris com meus dedos ou com a boca. Ela não deveria ser capaz de atingir o clímax apenas com a relação normal?

R Pode parar, porque você está com uma informação errada. Mas você não está sozinho. Muitos homens e mulheres se confundem com isso. Eles pensam que todas as mulheres deveriam ser capazes de chegar ao orgasmo somente durante a relação normal. Mas isso acontece com apenas um terço delas. Dois terços precisam de estimulação direta. Portanto, se sua esposa se encaixa nessa categoria, ela está entre a maioria.

Se eu perguntasse à sua esposa "Que tipo de amante é o seu marido?", o que ela diria? A verdade da questão é que o sexo bom depende tanto ou mais do seu comportamento fora do quarto do que qualquer coisa que você faça dentro do quarto. A atenção que você dedica às necessidades de sua esposa em todos os aspectos de seu casamento vai prepará-la para uma grande experiência sexual com você quando chegar a hora.

Além disso, o fato de que ela precisa de estimulação no clitóris é bastante comum, mas o modo *como* você toca aquele pequeno e delicado instrumento faz toda a diferença do mundo. Muitas mulheres gostam de estimulação indireta, seguida por estimulação bem direta. Algumas mulheres gostam de ser provocadas por apenas um pequeno toque nessa área delicada, combinado com palavras e carícias que compartilhem intimamente quanto você a ama. Para ser franco, seu dedo indicador é muito mais capaz de levá-la a um orgasmo excitante do que o Sr. Feliz no melhor de seus dias. Com todo respeito ao Sr. Feliz.

P Antes de ter entendimento, dormi com diversos homens. Isso me faz parecer terrível, não é? Mas se você me visse, jamais diria que eu era "esse tipo de garota". Quando me casei com Sérgio, que era virgem, pensei que aqueles dias tinham ficado para trás. Mas toda vez que fazemos amor, imagens de um dos outros homens aparecem como um *flash* em minha mente. Já até usei o nome errado certa vez, quando chegava ao clímax. Sérgio nunca mencionou isso, mas posso dizer que aquilo realmente o perturbou. Sei que o meu passado deveria ser passado. Então, por que ele continua pipocando nos momentos mais inconvenientes? Socorro!

R Sem meias-palavras, nenhum homem em seu juízo perfeito quer ser comparado a outro — especialmente na área das proezas sexuais. E Sérgio, por ser virgem, não teve nenhuma outra experiência antes de se casar com você. Isso foi maravilhoso para ele, porque você é o único item que já esteve em seu cardápio sexual. Contudo, as experiências sexuais que você teve no passado podem levá-lo a se sentir estranho, como um adolescente inexperiente que não sabe como fazer o primeiro movimento.

Diga a seu marido que você se arrepende do passado e que, às vezes, enfrenta dificuldades com imagens de outros homens — não porque você não o ame nem o deseje, mas por conta da intensidade daquelas experiências. Deixe claro, porém, que ele — *e somente ele* — é agora o homem da sua vida. Pense nele continuamente durante o dia, coloque bilhetes de amor na marmita dele, mande-lhe *e-mails* dizendo que está ansiosa para passar momentos com ele. Proteja seus pensamentos. Se imagens de amantes anteriores surgirem em sua mente, pense, em vez disso, no rosto e no corpo de seu marido. No leito conjugal, desenvolvam um ritmo sexual que seja exclusivo de vocês dois como casal. Esses pequenos passos ajudarão a direcionar seus pensamentos rumo à pureza e ao marido que a escolheu para a vida inteira.

P Estou noiva e nos casaremos daqui a apenas três meses. Sei que isso parece realmente fora de moda, mas nós dois somos virgens. À medida que nos aproximamos da data do casamento, porém, mais percebo quão diferentes nós somos. Às vezes diferentes *demais*. Estou ficando um pouco nervosa, muito embora o ame de todo o meu coração.

R Bem-vinda à realidade dos relacionamentos! Homens e mulheres *são* diferentes. Mas são essas diferenças que fazem de vocês um casal. Afinal de contas, que graça teria ser casada com alguém exatamente igual a você?

(Garanto que vocês não se dariam bem por muito tempo.) Foram suas diferenças que, em primeiro lugar, atraíram vocês um ao outro e os deixaram de olhos esbugalhados. A Bíblia diz que fomos criados de um modo maravilhoso, e é verdade. E sabe do que mais? Curiosamente, o mesmo Criador que reuniu tanto as complexidades do universo como as células sanguíneas de nosso corpo não deu aos homens as mesmas necessidades conjugais que deu às mulheres.

Para os homens, a necessidade principal é a satisfação (e, sim, a satisfação sexual faz parte disso). A necessidade número dois é o respeito (e o seu está no topo da lista). A necessidade número três é ser necessário. (Que homem quer voltar para casa para uma esposa que esteja determinada a fazer tudo sozinha e que não precisa dele?)

Para as mulheres, a necessidade número um é afeição (ser abraçada por causa da proximidade), a necessidade número dois é comunicação e a número três é compromisso com a família. O que isso significa? Quando o marido chega em casa, a mulher precisa ouvir palavras, sentenças e parágrafos inteiros — não resmungos. Ela precisa saber que ele estará presente no jogo de futebol do filho e na apresentação de balé da filha.

Ora, por que Deus daria a homens e mulheres necessidades diferentes e, depois, ordenaria que eles se "tornassem um"? Talvez para que pudessem desfrutar da jornada olhando com os olhos do outro. Tornar-se um é fácil? Nem sempre. Mas pense na diversão que terá à medida que experimentar a vida através dos olhos do seu amado. Seu casamento será abençoado por isso.

P Estou realmente enfrentando dificuldades no meu casamento na área sexual. Meu marido é tão... *chato*. Pronto, falei. Minha melhor amiga diz: "Ei, ele não vai mudar. Você se lembra de quando me contou que ele disse 'Bem, você gostava de mim desse jeito; o que mudou?'. Amiga, esse sujeito é sem noção". Há esperança para mim?

R Tudo bem, pode parar. Você está conversando com sua *amiga* sobre sua vida sexual? Isso é uma violação de seus votos matrimoniais tanto quanto seu marido anunciar aos colegas de trabalho qual é o seu peso e o tamanho do seu sutiã. Pense nisso. O que acontece entre você e seu marido no seu casamento deve ser mantido entre vocês — a não ser que os dois estejam em aconselhamento profissional. Existe uma diferença entre conversar juntos com um mentor ou conselheiro de confiança e fofocar com uma amiga sobre o seu homem. Se você quer afugentar seu marido, essa é uma ótima maneira de fazê-lo. Mas será que é isso mesmo que você quer?

Pare um minuto e conte quantas amigas você tem. Agora conte quantos amigos íntimos seu marido tem. Tudo que você precisa é de um dedo, certo? Se o seu marido é um homem típico, ele não tem amigos com quem conversar além de você. Isso significa que por natureza que ele mantém as pessoas à distância. Você é felizarda por aproximar-se o suficiente para se tornar a prioridade número um da vida dele. Você tem diversos relacionamentos e usa 3,5 vezes mais palavras do que ele num dia qualquer. Portanto, converse com seu marido (gentilmente, sem fazer exigências). Diga-lhe quanto o ama e o aprecia. Diga-lhe que você gostaria de tentar algumas técnicas novas, a começar na noite de hoje. Apenas a simples menção disso e um olhar sugestivo costumam ser suficientes para deixar qualquer macho viril disposto a tentar alguma coisa um pouco diferente. Divirtam-se!

P Sou corredora e estou treinando para uma maratona. Gosto muito de malhar, então me exercito bastante. Meu marido está ficando irritado comigo porque, segundo ele, não temos mais tempo suficiente para *nós* — você sabe o que quero dizer. Mas também não mereço fazer aquilo de que gosto?

R Se você é uma mulher típica, tem estresse suficiente na vida para afogar um elefante. Você tem um batalhão de crianças pequenas ao seu redor, todas as questões hormonais e, com frequência, um marido exigente também. Você está ocupada — ninguém pode contestar isso. E, sim, você merece e *precisa* de algum tempo livre. Mas tenha isto em mente: por já ter aconselhado casais por muitos anos, fiz a impressionante descoberta de que mulheres com uma boa vida sexual experimentam menos estresse na vida. Por quê?

Aqui nos Estados Unidos existe uma seguradora cujo *slogan* é "Conosco você está em boas mãos". Quem inventou isso é um gênio. Funciona da mesma maneira no casamento. Se você satisfizer sexualmente seu marido, estará em boas mãos. Você terá um marido feliz e saciado que estará disposto a rearranjar sua agenda para ficar com as crianças enquanto você corre. E ele estará ali, para recebê-la na linha de chegada, quando você completar a maratona! Se você estiver sexualmente satisfeita, vai apreciar mais seu marido. Apreciará mais a vida. Sorrirá mais. Será uma mãe melhor. Será até mesmo uma maratonista melhor. Essas são grandes razões para batalhar por uma vida sexual sadia em seu casamento, não?

P Acabei de completar 60 anos. Acho que estou com um pouco de medo de que minha vida sexual chegue a um fim repentino. Alguma dica?

R À medida que envelhecemos, muitos de nós diminuímos o ritmo. Sei por experiência própria. Estou agora na minha sexta década e diminuímos o ritmo do sexo para apenas quatro vezes por semana. É verdade que um homem alcança seu pico sexual entre os 18 e os 20 anos. Mas, como meu pai dizia, "existem muitas melodias dentro de um violino velho". O simples fato de você ter alcançado seu sexagésimo aniversário não quer dizer que não possa desfrutar de uma vida sexual ativa, gratificante e maravilhosa. De fato, a maioria dos casais diz que à medida que envelhecem, o sexo fica melhor! (Afinal de contas, não há mais crianças pequenas batendo na porta do quarto querendo atenção, ou vomitando bem no meio do clímax.)

É importante, porém, que você tenha consciência das mudanças que acontecem em seu corpo envelhecido. Para um homem, pode levar mais tempo para ter uma ereção. Mas olhe pelo lado bom: isso significa que você pode passar mais tempo abraçado à sua esposa e desfrutando do toque dela. Para a mulher, os níveis de estrógeno vão diminuir e, como resultado, a pele ficará mais seca e sensível, e a vagina precisará de mais lubrificação. O que parece bom na sexta-feira talvez não seja tão bom no domingo. Mas o interessante é que muitas mulheres relatam que sentem uma liberdade mais entusiasmada em sua sexualidade na pós-menopausa. E isso é algo a comemorar!

É fato que seu corpo está mudando, mas seu órgão sexual mais importante — sua mente — ainda está no controle. Use os anos vindouros como uma oportunidade para explorar as mudanças de uma maneira amorosa com sua amada. Uma atitude positiva faz toda a diferença.

P Sempre considerei meu marido uma pessoa bastante honrada, mas creio que ele pensa em sexo de maneira excessiva. Certamente mais do que eu. Há alguma coisa errada com ele?

R Tenho uma pergunta a lhe fazer: quem pensa mais em sexo no casamento, o homem ou a mulher?

Se você disse "O homem", acertou.

Bem, agora, a segunda parte da pergunta. Ela é de múltipla escolha. Em que proporção o homem pensa mais em sexo?

Duas vezes mais que a mulher?

Cinco vezes mais?

Dez vezes?

Talvez trinta vezes mais?

E a resposta é... trinta e três vezes mais! Quando compartilhei essa estatística com minha esposa, ela disse "Isso é doentio". Uma mulher me confidenciou: "Bem, eu penso em sexo, mas só porque ele levanta o assunto".

Então, os homens pensam em sexo o dia inteiro? Isso é fato. Mas aqui está a questão: quando ele pensa em sexo, em que está pensando? Ele consegue ter pensamentos puros e santos sobre sexo? É claro que sim, se ele estiver pensando em você, sua amada. (Se você tem dúvidas de que isso seja verdade, tenho um ótimo livro para você. Ele se chama Cântico dos Cânticos, de Salomão). Se ele estiver pensando em acariciar suas costas, dar-lhe prazer, passar tempo na cama com você, é claro que está certo. Isso é saudável. Afinal, vocês são marido e mulher.

Portanto, para resumir, se seu marido pensa muito em sexo, ele é garoto-propaganda da espécie masculina. Então, por que não aproveitar? Por que não lhe mandar um *e-mail* dizendo: "Estou esperando por você, garotão. Chegue logo em casa"? Inteligente é a mulher que lida com a energia sexual de seu marido de maneiras criativas e divertidas.

P Sou uma dona de casa de 26 anos, com dois filhos pequenos, e minha vida sexual existe apenas na minha cabeça. Adoraria ser arrebatada por meu marido alguma noite (ou pela manhã, ou durante a soneca da tarde, ou a qualquer hora!), mas parece que, agora, depois dos bebês, ele não tem interesse em mim da mesma forma que tinha antes dos filhos. Minhas amigas querem que o marido peça sexo apenas uma vez por semana. Eu preciso de um amante de verdade, não apenas um homem com quem compartilho o último nome.

R É comum ouvir pessoas dizerem: "Sabe, éramos como dois coelhos no campo antes de nos casarmos e, então, nos casamos e nossa vida sexual simplesmente desapareceu. O que aconteceu?". Quando vocês estavam namorando, tudo era novo e excitante. Seu marido fazia o que os homens fazem naturalmente: concentrava-se em um objetivo, que era conquistar o seu amor. Então, vocês se casaram, a "vida real" e as tarefas entraram em cena, vocês adicionaram um ou dois pequenos anjos hedonistas à família, os quais sugam seu tempo e sua energia, isso sem mencionar os projetos e atividades infindáveis. Os homens que conquistaram seu objetivo amoroso pensam: "Ei, completei a tarefa de me casar, certo? Agora, vamos para o próxima item da lista... como sustentar a família financeiramente e arrumar o porão da casa".

Mas todo dia a mulher está perguntando: "Você realmente me ama? Você realmente se importa comigo?". Se seu marido tivesse a menor indicação de que você está perguntando isso, ele provavelmente diria: "Claro, eu te amo. Eu disse que amava quando nos casamos, não é?". Percebe a diferença de perspectiva? Vocês dois precisam conversar. Você precisa dar um desconto para ele, e ele precisa rearranjar suas prioridades. O amor não é apenas um sentimento de uma única vez; é uma ação contínua. Se ele está excessivamente ocupado, procure saber se você pode tirar alguma coisa (provavelmente colocada por você) de sua lista de "tarefas" por uma noite. Mande as crianças para a casa da vovó, prepare a comida preferida dele, vista uma camisola irresistível e espere pelos fogos de artifício...

P Sinto-me tão insatisfeito com minha esposa na área do amor e da satisfação sexual que nem mesmo sei por onde começar. Estamos casados há quarenta anos. Sempre fui o ajudador, o apoiador paciente, o trabalhador, o que alimenta. Nunca forcei o sexo com minha esposa, mas já pedi por ele. Adoraria vê-la pedir isso alguma vez, mas é comum passarmos oito meses sem fazer sexo. E quando fazemos, a excitação está definitivamente apenas do meu lado. Sempre fui amoroso e fiel a minha esposa, casado apenas com ela, mas, mesmo depois de todo esse tempo, ainda não me sinto feliz. O que estou fazendo de errado? Sinto-me sozinho e ignorado.

R Aplaudo sua coragem em dar um passo à frente. O casamento é uma união preciosa demais para que se deixe de lutar por ele! Casais que sofrem em sua vida sexual normalmente estão lidando com questões não resolvidas, feridas do passado ou abuso sexual. Por que não tirar as máscaras? Por que não abrir o coração para sua esposa? Descubra o que se passa na cabeça dela quando você pede sexo. Talvez ela tenha crescido com a visão de que o sexo é "sujo". Ou talvez ela guarde ressentimento contra você por alguma razão. Você esperou quarenta anos. Não é hora de saber por que sua esposa está retendo amor?

Se seu carro fizer algum barulho estranho você o leva ao mecânico, certo? Se seu casamento está estranho, talvez você precise de conselho externo. Procure um conselheiro que queira se livrar de vocês. Sim, você leu certo. Um conselheiro que concorda em fazer apenas algumas sessões e vai ao cerne da questão é infinitamente mais útil que um conselheiro que quer manter vocês por dois anos apenas para "processar". À medida que as questões forem descobertas, garanta a sua esposa que você estará ao lado dela enquanto os dois trabalham juntos na resolução dos problemas.

O que você tem a perder? Quarenta anos é um investimento pesado. Não o abandone por nada.

P Sei que mando bem, mas simplesmente não estou obtendo a reação que esperava. O que estou fazendo de errado?

R Um homem com quem trabalhei há anos — vamos chamá-lo de Jim — é um bom exemplo do que se passa na cabeça de todos nós, homens. Ele me disse um dia: "Simplesmente não entendo, doutor. Minha esposa gosta de uma coisa na terça-feira, mas no sábado, ela diz na maior irritação: 'O que você está fazendo?'".

Companheiro, se você pensa no sexo com sua esposa como um livro de regras de esporte — primeiro isso, depois aquilo e então aquilo outro — você está por fora. O sexo com sua esposa não tem a ver com o ponto G, com o ponto I ou com o ponto X. Tem a ver com *relacionamento*. Pense nele da seguinte maneira: o sexo é um presente de Deus e algo que você precisa aperfeiçoar de acordo com quem? Sua amada. Eu realmente creio que o sexo deveria acontecer no ritmo *mais lento possível*, tendo em mente que a maioria das mulheres é mais semelhante a um fogão a lenha do que a um forno de micro-ondas. Elas vão aquecer devagar — um contraste com a maioria dos homens, prontos para agir instantaneamente. Uma olhada nela, apenas uma olhada, e o Sr. Feliz fica feliz. Você sabe do que estou falando.

Mas sua esposa é como uma planta delicada que precisa ser manipulada, cultivada, regada e tratada com muito cuidado. Sua esposa é misteriosa; ela não é como você. Os homens são muito mais mecânicos. Se você for mecânico com sua esposa, porém, vai desanimá-la. Ela se sentirá usada e abusada. Sua esposa precisa ouvir palavras gentis de amor e apreciação; que são como a água e a luz para uma planta. Se você tratar sua esposa como uma planta delicada, ela se sentirá envolvida, e vai florescer. Ela chegará àquele ponto especial em que dirá: "Não pare. Bem aí. Você acertou!". E, de repente, ela se torna uma *animadora de torcida*. E sabe de uma coisa? Sabe esse prazer que ela está experimentando? Tudo isso é por sua causa!

P Sei que você diz que a vida sexual é muito importante, mas há momentos em que a vida fica simplesmente muito corrida. Nós dois trabalhamos, temos três filhos e, então, há todas aquelas "coisas da vida" que precisamos fazer. É difícil encontrar tempo até mesmo para ficarmos juntos.

R Admito que há noites no casamento dos Leman em que não há muitas preliminares. Minha cabeça bate no travesseiro e eu digo: "Sexo". A cabeça de minha esposa bate no travesseiro dela e ela diz: "Sexo". Então, depois de termos feito sexo, vamos dormir.

Vamos encarar os fatos. Todos nós temos estilos de vida agitados e não reservamos tempo um para o outro da maneira como deveríamos.

Mas se você se importa com seu casamento (e se importa, caso contrário não estaria lendo este livro), precisa lutar por ele. Isso significa que precisa de tempo para conseguir tempo. Você arruma uma babá e namora uma vez por semana. Você pode inclusive gastar algum dinheiro e ficar num hotel de vez em quando.

"Oh, meu Deus, Leman, que recomendação mais grotesca é essa", alguns podem dizer. Sabe o que eu digo? "Ei, você tem uma televisão de plasma. Você gasta dinheiro com tudo o que há debaixo do sol. Por que não investe no relacionamento com seu marido ou sua esposa?"

E, a propósito, muitos pais, parecem empenhados demais em garantir que seus filhos se sintam como se fossem o centro do universo. É por isso que enchem a vida deles de atividades. O resultado é uma correria dos pais para que os filhos sejam "bem-sucedidos". Deixe-me fazer-lhe duas perguntas: Se as crianças são o centro do universo, existe algum espaço para o Deus Todo-poderoso? E há espaço para uma vida sexual saudável para você e seu cônjuge? As crianças vão deixar seu pequeno ninho um dia. Mas, nesse meio tempo, elas podem acabar separando vocês. Como digo em um dos meus livros (parafraseando a tira cômica *Pogo*, de Walt Kelly): "Vimos o inimigo, e ele é pequeno". Consiga tempo para o reino do casal, e faça disso uma prioridade. É isso que vai durar para a vida toda.

P Meu marido sempre foi muito trabalhador e gostava do seu trabalho. Contudo, três meses atrás, sua companhia fez uma redução no quadro de funcionários e ele perdeu o emprego. Ele não tem sido o mesmo desde então. Fica sentado pela casa, meio deprimido. Uma vez que não está trabalhando, ele poderia pelo menos me ajudar com as tarefas de casa (eu trabalho em tempo integral), mas parece que não se motiva a fazer coisa alguma. E o sexo? É uma piada. Ele está sempre "cansado demais". Quero meu marido de volta!

R Há uma coisa que você precisa entender sobre os homens. Eles extraem sua identidade basicamente do seu trabalho. As mulheres podem trabalhar fora — como pilotos de avião, cirurgiãs ou bibliotecárias — mas elas não extraem do trabalho a sua identidade, tal como acontece com os homens. Os homens *são* o seu trabalho.

Isso significa que, quando seu marido perdeu o emprego, perdeu também sua identidade. Ele provavelmente está se agredindo sem contemplação — dizendo a si mesmo que não é homem porque não pode nem sequer sustentar sua família. O fato de você ter um emprego (por mais útil que isso seja financeiramente) pode até fazê-lo se sentir pior — como se você fosse aquela que "veste as calças" na família. O que ele está dizendo ao ficar sentado é: "Eu realmente não tenho valor. Você não precisa de mim". Ele internalizou todos os seus fracassos e isso extravasa em seu humor depressivo e sua incapacidade de funcionar física, emocional e sexualmente. Ele pode até acabar tendo uma disfunção erétil.

Seu marido pode precisar de terapia com um psicólogo de confiança ou um médico, mas, com certeza, precisa de encorajamento vindo de você. Ele precisa ouvir que você o ama *pelo que ele é*, que precisa dele e que ele faz toda diferença em sua vida. Depois, aceite o que ele é capaz de dar, seja muito, seja pouco. Embora esteja ferido, ele ainda precisa ser o seu herói e sentir que você precisa dele.

P Sou um homem de "cinco vezes por semana" no que se refere ao sexo. Vejo minha esposa de roupa íntima e já estou pronto para agir. Minha esposa? Bem, ela é do tipo "uma vez por mês". Às vezes sinto como se fosse explodir de tanta energia sexual. Como podemos chegar a um acordo?

R Adoro o que os pesquisadores dizem: "Quando você acha que um homem prefere ter intimidades com sua esposa: de manhã ou à noite?". Opa. Posso ouvir alguns leitores dizendo: "Os dois". Não vale. Você precisa escolher uma. "De manhã". E quando uma mulher prefere ter intimidade com seu marido? "Em junho!"

Mas, falando sério, o fato é que homens e mulheres são diferentes. Não é de se estranhar que os casais costumem brigar por causa da frequência do sexo. As mulheres acham que a única coisa em que nós, homens, pensamos é o sexo. Não, na verdade, também pensamos em outras coisas — como comida e futebol. Portanto, não é surpresa que os homens normalmente assumam a ofensiva no relacionamento. Mas se a mulher sente que sempre *tem* de responder aos avanços sexuais de seu marido, tenho más notícias: ela vai se sentir desrespeitada e diminuída.

O sexo não é algo que você usa para abrandar a tensão sexual. É algo a ser desfrutado tanto pelo marido quanto pela esposa. Portanto, eu sugiro que você diminua um pouco as suas expectativas. Concentre-se, pelo contrário, em agradar sua esposa de outras maneiras, não sexuais. Como alguém que levou uma xícara de café a sua esposa todas as manhãs durante a vida conjugal, sei, por exemplo, quanto as coisas pequenas são importantes na hora de agradar uma mulher. Se você agradá-la e demonstrar que realmente se importa com ela, ela será muito mais responsiva a você, Don Juan.

P Há dias em que me sinto sufocada por todas as minhas responsabilidades — marido, filhos, refeições, casa para arrumar, roupa para lavar. É como se eu nunca pudesse parar. Trabalho 24 horas por dia, sete dias por semana, sem perspectiva de parar. Quando meu marido finalmente chega em casa à noite, estou exausta, mas ainda preciso continuar. Ele quer sexo; tudo o que quero fazer é dormir. É egoísmo querer ter um tempo só para mim?

R Quero dizer isso de modo bastante claro: toda mulher precisa de tempo para si. Chamo mulheres como você de "mulheres velcro", porque tudo gruda em você e todo mundo quer um pedaço seu. Não é de admirar que você se sinta esgotada às vezes. Nenhuma pessoa pode trabalhar em regime 24/7 sem ficar parecendo um cuco de relógio. Afinal de contas, seu marido trabalha de oito a dez horas por dia no emprego e, depois, o quê? Ele chega em casa! Você também merece um descanso.

O problema é que você terá que assumir essa responsabilidade, porque ninguém o fará em seu lugar. É muito fácil você ficar do jeito que está. Portanto, faça um plano. Pergunte a alguns amigos ou vizinhos de confiança se eles querem fazer uma cooperativa de babás: "Olha, cuido de seus filhos às terças se você cuidar dos meus às quintas". Comece a distribuir uma lista de tarefas factíveis para os membros da família. Mesmo crianças pequenas podem se responsabilizar por alguns itens. Reserve um tempo na sua agenda para algo que possa fazer *para você* — pode ser correr pela vizinhança, pintar uma mobília antiga ou observar pássaros. Todos os membros da família colherão benefícios em função da diferença na sua atitude, e isso inclui seu marido.

P Ouvi recentemente uma entrevista que o senhor deu, dr. Leman, e fiquei intrigada. Ouvi apenas alguns trechos aqui e ali, mas lembro-me de ouvi-lo usar a frase "o sexo começa na cozinha". Isso tem alguma coisa a ver com o fato de o caminho que leva ao coração do homem passar pelo estômago?

R Não, mas vou lhe preparar um tipo diferente de suflê.

O sexo começa na cozinha é o título de outro livro meu, que já foi traduzido para 32 idiomas. Creio que é um dos melhores livros que já escrevi. Naquele livro, explico que um homem é sábio por fazer amor com sua esposa *fora do quarto*. O que isso significa? Quer dizer que ele é um ajudador. Ele auxilia nas tarefas de casa; coloca as crianças na cama. Ele assume o volante no dia reservado para a família dar carona; ele leva as crianças para os treinos e ensaios. É um bom pai; e um marido atencioso. Escuta a esposa contar como foi seu dia, porque sabe que isso é importante para ela e porque eles compartilham o mesmo coração. Ele usa sua autoridade para proteger, servir e agradar sua esposa.

Sabe, todo dia a esposa toma notas emocionais relacionadas à maneira como seu marido serve a ela e à família — e os sentimentos ligados a essas notas têm tudo a ver com o quão disponível e disposta ela está para o encontro no quarto com seu marido. Se uma mulher se sente valorizada por seu marido, ela estará mais do que disposta a se encontrar com ele debaixo dos lençóis. E se o marido estiver sexualmente satisfeito, ele será capaz de levar um tiro por sua esposa. Isso é amor. Isso é sacrifício. E isso é que é casamento.

Notas

Capítulo 1
[1] *For lovers only*, p. 127.
[2] Alan BOOTH e David JOHNSON, "Premarital Co-habitation and Marital Success", *Journal of Family Issues*, n.º 9, p. 261-270, 1988. Esta e várias outras citações nesta seção foram extraídas de HORN, *Father Facts*, p. 46ss.
[3] T. R. BALAKRISHNAN et al., "A Hazard Model of the Covariates of Marriage Dissolution in Canada", *Demography*, n.º 24, p. 395-406, 1987.
[4] Neil BENNETT, Ann Klimas BLANC e David E. BLOOM, "Commitment and the Modern Union: Assessing the Link Between Cohabitation and Subsequent Marital Instability", *American Sociological Review*, n.º 53, p. 127-138, 1988.
[5] Renata FORSTE e Koray TANFER, "Sexual Exclusivity among Dating, Cohabiting, and Married Women", *Journal of Marriage and the Family*, n.º 58, p. 33-47, 1996.

Capítulo 2
[1] Você poderá encontrar mais informações em Kevin LEMAN e Randy CARLSON, *Unlocking the Secrets of your Childhood Memories*.

Capítulo 3
[1] *A Commentary on the First Epistle to the Corinthians*, p. 156.
[2] Maestro norte-americano (1894-1979) que esteve à frente da Orquestra Pops de Boston por mais de quarenta anos. (N. do T.)
[3] Você poderá encontrar mais informações sobre o assunto em LEMAN, *O sexo começa na cozinha*.

Capítulo 6
[1] Cliford e Joyce Penner, *Getting Your Sex Life off to a Great Start*, p. 109.
[2] Veja mais informações no capítulo 8.

Capítulo 8
[1] Didi Gluck, "The Scent-Sex Connection", *Redbook*, nov. de 2000, p. 142.
[2] Lucy Sanna e Kathy Miller, *How to Romance the Woman You Love*, p. 70-71.
[3] Idem, p. 73.
[4] Citado em Andrew Levin, "Mysteries of the Cligeva", *Men's Journal*, fev. de 2001, p. 49.
[5] Lucy Sanna e Kathy Miller, *How to Romance the Woman You Love*, p. 81.
[6] Idem, p. 147.
[7] Idem, p. 158.
[8] Idem, p. 189.

Capítulo 9
[1] Kevin Leman, *Making Sense of the Men in Your Life*, p. 43-44.
[2] *A Celebration of Sex*, p. 193.

Capítulo 10
[1] Judith Reichman, *I'm Not in the Mood*, p. 136.
[2] Modelo e atriz canadense, protagonist da série *SOS Malibu*. (N. do T.)
[3] Lucy Sanna e Kathy Miller, *How to Romance the Woman You Love*, p. 86.
[4] The Spa, no Hotel Hershey. Mais informações em: <http://www.chocolatespa.com>. Acesso em 3 de mai. de 2012.

Capítulo 11
[1] Loretta Lynn, entrevistada por Andy Ward, "What I've Learned", *Esquire*, jan. de 2002, p. 62.
[2] Stephen e Judith Schwambach, *For Lovers Only*, p. 176.
[3] Idem, p. 177.
[4] Idem, p. 181.
[5] C. F. Keil e F. Delitzsch, *Commentary on the Old Testament*, p. 130-131.

Capítulo 12
[1] Susan Crain Bakos, "The Sex Trick Busy Couples Swear By", *Redbook*, mar. de 2001, p. 125.
[2] "You Told Us", *Redbook*, fev. de 2001, p. 12.
[3] Lucy Sanna e Kathy Miller, *How to Romance the Woman You Love*, p. 119.

Capítulo 13
[1] *I'm Not in the Mood*, p. 142-143.
[2] Os Schwambach falam sobre isso em seu livro *For Lovers Only*, p. 239ss.

Capítulo 14
[1] Judith REICHMAN, *I'm Not in the Mood*, p. 138.
[2] Idem, p. 38-39.
[3] Idem, p. 47ss.
[4] Idem, p. 61-62.
[5] Idem, p. 94.
[6] Idem, p. 95.

Capítulo 16
[1] Citado em Nancy STEDMAN, "Love Your Body", *Redbook*, mai. de 2001, p. 46.
[2] Idem.
[3] Pamela LISTER e Janis GRAHAM, "More Sex = Younger Looks!", *Redbook*, jun. de 2001, p. 80.
[4] Lucy SANNA e Kathy MILLER, *How to Romance, the Woman You Love*, p. 89.

Bibliografia

ALLENDER, Dan. B. *Lágrimas secretas*. São Paulo: Mundo Cristão, 1999.
American Sociological Review, n.º 53, 1988.
BARRETT, C. K. *A Commentary on the First Epistle to the Corinthians*. 2ª ed. London: Adam and Charles Black, 1971.
CASH, Thomas. *The Body Image Workbook*. New York: Fine Communications, 1998.
Demography, n.º 24, 1987.
DILLOW, Linda e PINTUS, Lorraine. *Intimate Issues*. Colorado Springs: Waterbrook Press, 2009.
Esquire, jan. de 2002.
HORN, Wade. *Father Facts*. 3ª ed. Gaithersburg: The National Fatherhood Initiative, [s.d.].
Journal of Family Issues, n.º 9, 1988.
Journal of Marriage and the Family, n.º 58, 1996.
KEIL, C. F. e DELITZSCH, F. *Commentary on the Old Testament*, vol. 6. Grand Rapids: William B. Eerdmans Publishing Co., reimpresso em 1973.
LEMAN, Kevin. *Mais velho, do meio ou caçula*. São Paulo: Mundo Cristão, 2011.
_____. *Making Sense of the Men in Your Life*. Nashville: Thomas Nelson, 2000.

_____. *O sexo começa na cozinha*. São Paulo: Mundo Cristão, 2001.

_____ e CARLSON, Randy. *Unlocking the Secrets of Your Childhood Memories*. Nashville: Thomas Nelson, 1989.

Men's Journal, fev. de 2001.

PENNER, Clifford e PENNER, Joyce. *Getting your Sex Life Off to a Great Start: A Guide for Engaged and Newlywed Couples*. Dallas: Word Publishing, 1994.

Redbook, edições de nov. de 2000, fev. de 2001, mar. de 2001, mai. de 2001 e jun. de 2001.

REICHMAN, Judith. *I'm Not in the Mood*. New York: William Morrow & Co., 1998.

ROSENAU, Douglas. *A Celebration of Sex*. Nashville: Thomas Nelson, 1994. (Publicado no Brasil como *Celebração do sexo*. São Paulo: Hagnos, 2006.)

SANNA, Lucy e MILLER, Kathy. *How to Romance the Woman You Love: The Way She Wants You To!* New York: Gramercy Books, 1998.

SCHWAMBACH, Stephen e SCHWAMBACH, Judith. *For Lovers Only*. Eugene: Harvest House, 1990.

ZILBERGELD, Bernie. *The New Male Sexuality*. Westminster: Bantam, 1999.

Conheça outras obras de

Kevin Leman

- Acabe com o estresse antes que ele acabe com você
- A diferença que a mãe faz
- Direto ao ponto
- É seu filho, não um *hamster*
- Mãe de primeira viagem
- Mais velho, do meio ou caçula
- Meu filho do coração
- O caminho do sábio
- O que as lembranças de infância revelam sobre você
- O sexo começa na cozinha
- Sete segredos que ele nunca vai contar pra você
- Transforme a si mesmo até sexta
- Transforme seu adolescente até sexta
- Transforme seu filho até sexta
- Transforme seu marido até sexta
- Transforme sua família em cinco dias

Compartilhe suas impressões de leitura escrevendo para:
opiniao-do-leitor@mundocristao.com.br
Acesse nosso *site*: www.mundocristao.com.br

Diagramação:	Triall Composição Editorial Ltda.
Revisão:	Luciana Chagas
Fonte:	Adobe Garamond Pro
Gráfica:	Assahi
Papel:	Pólen Natural 70 g/m² (miolo)
	Cartão 250 g/m² (capa)